言葉はいかに人を欺くか

嘘、ミスリード、犬笛を読み解く

Lying, Misleading, & What is Said

ジェニファー・M・ソール
小野純一 訳

慶應義塾大学出版会

目次 ★ 言葉はいかに人を欺くか

凡　例

① 本書は Jennifer Mather Saul, *Lying, Misleading, and What Is Said: An Exploration in Philosophy of Language and in Ethics,* Oxford: Oxford University Press, 2012 の全訳である。
② 訳出にあたっては明らかな誤植を修正し、ペーパーバック版（Oxford: Oxford University Press, 2015）で施された訂正を反映した。誤記と思われる箇所は修正し、訳注を付した。
③ 附録として Jennifer Mather Saul, "Dogwhistles, Political Manipulation and Philosophy of Language", in: D. Fogal, D. W. Harris, and M. Moss (eds.), *New Work on Speech Acts,* pp. 360–383, Oxford: Oxford University Press, 2018 の全訳を収録する。
④ 底本の引用符は「　」で、強調の斜字は傍点で表す。用語を明示するために「　」を用いた部分がある。（　）と［　］は底本に従う。〔　〕は訳者による補足である。
⑤ 例文の原文には和訳を付した。
⑥ 訳語の選定にあたっては、既存の訳を尊重しつつも、対応関係が明らかな範囲で、読みやすさを優先した。例えば「意味論的内容 semantic content」は「意味内容」、「推意 implicature」は「含意」、「隠意 impliciture」は「含み」とした。言語現象としての politeness はカタカナで音写するのが一般的だが、分かりやすさを優先し、適宜和訳した。また、文脈に応じて lying は嘘、misleading はミスリードにした。
⑦ 参考文献の表記法は各底本に従ったが、一部修正し、邦訳の情報を付した。

言葉はいかに人を欺くか

嘘、ミスリード、犬笛を読み解く

この本をレイ、テオ、そして両親のフランクとジュリー・ソールに捧げる。あなたたちの愛と支えがなければ、ネットで悪態ばかりついていたでしょうから。

序文

「言われていること what is said」やそれに関連する用語は、現在、言語哲学できわめて多様な使われ方をしている。それらは、複雑で独創性に富み情熱的な数多くの議論の主題となっている。そうした議論の主題の一つは、言語哲学者のこの用語の使い方は、一般の話し手の使い方と、どういう関係にあるのか、あるいはそもそも関係があるのか、ということである。このことをめぐる議論は、単に理論上の語彙について論争している理論家たちだけの問題なのだろうか。一般的な話し手がしていること、あるいはしていると思われることは、この場合、議論の焦点として意識されていないのだろうか。こうした問い（とそれに連なる数多くの問い）に対する答えは、現在のところ、まったく明確とは言いがたいようにみえる。

哲学者たちが議論する用語の全てがこのように多様ではない。例えば、「嘘 lie」と「ミスリードmislead（嘘をつくことなく誤った理解に誘導すること）」という用語を取りあげよう。嘘をつくこととミスリードすることの区別はきわめて自然である。それは日常生活からかけ離れた、不可解な意味を持つような、哲学者だけの区別でないのは明らかだ。これは、一般の話し手がごく簡単に区別でき、大抵は日頃から意識する区別である。この区別は法律の分野では明確に認識され、重大な意義が与えられている。興味深いことに、それは「言うこと saying」という概念に関心を向けさせる区別でもある。というのも、「誤ったこと」（あるいは少なくとも、誤りだと信じている何か）を意図的に言うのでないかぎり、嘘をつくことはできないからだ。

それでも、この区別こそが問題なのだ。近年、この区別はビル・クリントン大統領（当時）〔アメリカ合衆国の民主党議員。一九九三年から二〇〇一年まで第四二代大統領〕の更迭につながりかけたスキャンダルで決定的な役割を果たした。スキャンダル（第5章で詳細に議論する）の間、クリントンは、慎重な言いまわしと思われる発話をいくつもしたが、それは単にミスリードすることによって嘘を避けるためだった。有名な一節は、モニカ・ルウィンスキー〔ホワイトハウス実習生だった当時、クリントン大統領と肉体関係を持ったことを証言。一九九八年にクリントンの弾劾裁判に発展した〕との関係を慎重に現在時制で否認した次の発話である。「There is no improper relationship（不適切な関係はありません）」。

実際、嘘とミスリードの区別は、政治においてかなり頻繁に重要になる。嘘とミスリードの区別に自覚的であることによって、プッシュ・ポールという悪名高い政治的な実践が可能になる。プッシュ・ポールは、データ収集のための世論調査を偽装した電話を有権者にかけるキャンペーン戦術である。だがデータは収集されない。その代わり、有権者は一連の質問をされる。このプッシュ・ポールの背後で意図されているのは、これら一連の質問が、選挙運動の対立候補者にとって不利と見なされる情報を真実であるかのように示唆することだ。最も有名な例の一つは、二〇〇〇年の〔アメリカ大統領選〕予備選でジョン・マケイン〔二〇〇〇年に共和党の指名をめぐりジョージ・W・ブッシュと争った〕に対しジョージ・W・ブッシュが実施したプッシュ・ポールだ。そのプッシュ・ポールで有権者は「ジョン・マケインが黒人の私生児を認知したとあなたが知ったとします。あなたは彼に賛成票を投じて大統領に選ぶ可能性がより高くなると思いますか、それとも低くなると思いますか」と尋ねられた。実際にはジョン・マケインが、黒人だろうと白人だろうと、非嫡出子を認知したという事実はない。もし「マケインが非嫡出子を認知した」と言っていたら、それは嘘になっただろう。だがこの世論調査は、そう明言せずにあたかもマケインが認知したかのような印象を巧みに植え付けることに成功した。そして、これによってマケインはサウスカロライナ州の予備選で大敗を喫したと広く考えられている。[01]

しかし、嘘とミスリードの区別を意識するのは政治家にかぎらない。私たちのほぼ全員が気にするだろう。ある優しい老婦人が死の間際に自分の息子が元気か知りたがっているとしよう。あなたならどうするか考えてみてほしい。あなたは昨日、彼に会ったが（その時点で彼は元気で幸せそうだった）、その直後にトラックにはねられて死んだことを知っている。もしあなたが大多数の人と同じなら、2よりも1を発話する方が善いと考えるだろう。なぜなら、1の発話が単なるミスリードであるのに対して、2の発話は嘘だからだ。その理由は、1が言うことは真実であるが、2が言うことは誤りというものだ。

1 I saw him yesterday and he was happy and healthy.　昨日会った時、彼は幸せで元気そうでしたよ。

2 He's happy and healthy.　彼は幸せで元気そうにしています。[02]

私は以前から「言われていること」に関心があるが、政治家の慎重な発言や策略にはさらに前から関心があった。したがって当然ながら、嘘とミスリードの間にあるかなり直観的な区別に関わる「言うこと」という概念と、言語哲学の文献で論じられる概念との関係に疑問をもつようになった。もし、嘘とミスリードの区別にかかわる概念が、言語哲学の文献にみられる諸概念のうちの一つと同一であるなら、その概念は少なくとも一般の話し手が考え、気にすることと同じだと分かる。しかしそうでないなら、そこには取り組むべき問題があることが分かる。つまり、普通の話し手にとって重要な「言うこと」という概念が存在するようなのだが、「言うこと」や関連する概念について膨大な先行研究があるにもかかわらず、言語哲学者はこの概念がどのようなものかまだ把握しきれていない。第2章では、私たちの置かれた状況が後者であることを論じる。「言うこと」についての膨大な文献があるにもかかわらず、私たちはまだ嘘とミスリードの区別に必要な作業をするのに適した概念を持ち合わせていないのだ。

この状況に対する反応としてありうるのは、嘘とミスリードは区別することができない、あるいは虚妄に過ぎないと言い切ってしまうことだろう。なぜなら現在議論されている「言うこと」という概念はどれも依拠するに足るものではないからだ。だが私はこれに全く魅力を感じない。このように直観的で広く受け入れられている区別を、立ち向かいもせずに放棄すべきではないし、「言うこと」の諸概念のうち、可能性のある概念はもう出尽くしたと確信する理由がない。むしろ、嘘とミスリードの区別にとって必要となる作業を可能にする、「言うこと」の概念を作る方が適切な対応だろう。これが第3章で試みることである。そこでは嘘とミスリードの区別にとって必要な作業を可能にする「言うこと」という概念のための議論をする（また、この概念を十分に発展させるために必要なさらなる作業についても概略を説明する）。

第1章から第3章までの議論は全て、嘘とミスリードの間に直観的な区別があるという考えを出発点とする。この区別に多くの人は道徳的な意義を与える。だが、多くの人がこの区別に道徳的な意義を与えるのは適切かどうかは検討する価値がある。実際、どう考えても、嘘よりミスリードの方が道徳的に望ましいとみなすのは、むしろ不可解だ。どちらの場合も、話し手は意図的に聞き手を誤った信念に誘導している。話し手が誤ったことを「言う」のか、それとも他の手段で単に誤ったことを伝えて誘導するのかの違いが、いったいなぜそんなに重要なのだろうか。第4章はこの難問に取り組む。最後に、人を欺くどんな特定の行為も、嘘ではなく、単なるミスリードでなされるなら、より善いものである、といった絶対的な道徳的区別など存在しないことを主張する。しかし私はまた嘘とミスリードの区別が依然として道徳的な意義をもつかもしれないと主張する。なぜなら、嘘をつくかミスリードをするかの決断が、かなり頻繁にその人の人格について道徳的に重要な何かを明かすからだ。

第4章の議論は、嘘とミスリードの区別がもつ道徳的な意義に関するものであり、部分的には言語哲学の洞察を採用している。嘘とミスリードの区別が言語哲学と倫理学の問題の交差する領域に関わるのはかなり明白だ。にもかかわらず、この領域はあまり注目されてこなかった。「言われていること」をめぐる議論、そして嘘とミスリードの倫理学をめぐる議論は、それぞれほぼ完全に切り離して進められてきた。第5章では、この溝を徐々に埋めていく。この章では嘘とミスリードの区別について、興味深い事例、歴史的に重要な事例、難しい事例を選び出し、それぞれの事例について倫理学と言語哲学の問題の両方に取り組みながら考察する。それによって見えてくるのは、第2章と第3章で行った「言うこと」の本質をめぐる作業が、第4章で行う嘘とミスリードの道徳性をめぐる作業とかなりうまく対応することだ。これらを組み合わせることで、不可解で問題の多い様々な事例を分かりやすく分析できるだろう。それらはまた嘘とミスリードの区別をめぐる哲学的な省察、さらには「言われていること」をめぐる哲学的な省察が、現実世界における重要な出来事や現象に光をあてることができるのを示すのにも役立つ。

まだ明確に伝わっていないかもしれないので付け加えると、本書は言語哲学についての他の本と大きく異なる。第一の違いは、「言われていること」の概念を発展させることに集中する第2章と第3章が、目的も方法もほとんどの言語哲学から大きく異なることだ。これらの章は、「言うこと」をめぐる理論のどれが正しい理論（あるいは、間違った理論）かを示そうとはしない。その代わり、嘘とミスリードの間の直観的な区別を導き出しながら、特定の目的にとってどれが「言うこと」の適切な理論かを見極めようとする。「言うこと」の諸概念のどれかがこの目的に適さないと論じたからといって、その概念が間違いであると唱えているのではない。このような異例のアプローチをする理由の一つは、単に本書の主題が嘘とミスリードの区別だからであり、私の関心がこれだけに集中しているからだ。

しかし、もう一つの理由は、「言うこと」という概念（あるいはまさにそれに関連する意味内容などの概念）のどれが正しいかを問うことに意味はないのではないか、と私が強く疑っているからでもある。むしろ、私が関心を寄せるのは、特定の目的にとって「言うこと」についてのどの概念が適切かを問わなければ意味がないとする見解だ。したがって例えば、ある理論は、発話の処理中に意識的に表象されるものへの関心にうまく適合するかもしれないが、それに対し別の理論は、間接的な言語行為によって知らされるものへの関心にうまく適合するかもしれない。これらの関心が一致するはずだと期待する理由などまったくないし、これらの関心のうち一方が他方より妥当だと判断する理由もない。

ここでは、私のこの疑念が正しいと主張するつもりはない。[03] むしろ、第2章と第3章は、この考えを作業仮説とした場合に、どんな結果が生じるかを検証する事例研究として読むことができる。これらの章では、「言うこと」についての唯一の適切な考え方を見つけようとはせず、特定の目的における「言うこと」についての適切な考え方を探究する。私はこの方法論が確実な解明をもたらすと考える。これが適切であれば、別の目的が念頭にある場合もこの方法で追究する価値が十分にあるだろう。それどころか、どれが正確な概念かをめぐって論争するよりも、この方が掘り下げる価値があるかもしれない。しかし、先述のように、これを目的に議論するつもりはない。

本書が言語哲学の大半の文献と異なるもう一点は、少なくとも一見したところ、規範的な道徳的意義をもつ区別に注目していることだ。実際、第4章は言語哲学から題材を取ってはいるが、議論自体は言語哲学ではなく倫理学であり、第1章は言語哲学ですらない。メタ倫理学の場合、言語哲学と倫理学の間の関係を描き出すのはなんら新しいことではない。事実、メタ倫理学の多くはおそらく言語哲学の一種である。最近、言語哲学や応用倫理学、規範的政治哲学のつながりを探る哲学者がいる。例えば、フェミニズムの分野ではジェニファー・ホーンズビーやレイ・ラングトンらが言論の自由やポルノグラフィー、サイレンシングについて研究している。[04] しかし、これらの研究プロジェクトは言語哲学を用いて倫理的・政治的な問題に光をあてることに関心がある。本書は、言語哲学が倫理学の問題に光をあてるだけでなく、倫理学が言語哲学に光をあてうることを論じる。いずれにせよ出発点は、嘘とミスリードの間の区別について倫理学の観点から考えることが、長い間、言語哲学の中心的な概念であった「言うこと」をめぐる問題に解明の光を当てうるという着想である。

そこで本書は、「言うこと」（つまり意味内容、またはその他の関連する概念）の正しい理解をめぐる言語哲学の議論から離れ、異なる問いを立てる。それは、嘘とミスリードを直観的に区別するために「言うこと」の役割を果たす概念があるのかを問う。多くの人がこの区別に道徳的な意義を与えるが、それは実際に道徳的な意義をもつのかを問う。また、この二つの議論から得られた見識をまとめることで、不可解で問題の多い事例に光をあてられるのかを考察する。これまで述べてきたように、これは新しく、いくぶん実験的な企てだ。実験的な新たな試みにはつきものの欠点を抱えていることは間違いない。私が最も望むのは、そういった欠点があるにせよ、これが研究に新たな実りある方向性を提供することだ。つまり、言語哲学の内部でますます激しくなる論争から（少なくとも一時的には）離れるよう導いたり、現実世界で倫理的な意義をもつ問題を熟考するために言語哲学が解明の助けになったりするのと同時に、そういった問題を熟考することで言語哲学自体が解明されることを示す方向性である。本書の主な目的は、嘘をつくこと、「言うこと」、または両者の関係について、特定の概念を主張することではない。むしろ、これらの問題を併せて考えることに価値があり、そうすることで、「嘘をつくこと」と「言うこと」という問題両方に関心のある人たちに、新たな興味をそそる方向性を示すことである。また、第5

章の資料は、この二つの哲学的な問題〔嘘をつくことと言うこと〕について考えることが、人間の真の関心事である現実の出来事を理解するのに役立つことを示してくれると期待する。

第1章　嘘をつくとはどういうことか

はじめに「嘘」という言葉は様々な用いられ方をしていることに注意しよう[01]。言語にかかわるかどうかに関係なく、人を欺く行為ならなんであれかなり広い用法で嘘と呼ばれている。例えばフェイスリフトは自分の年齢について嘘をつくことだと見ることもできるだろう。もう少し用法を狭めるなら、言語で人を欺く発話はなんであれ嘘と見なされる[02]。「嘘」という言葉のこういった用法は、私たちが問題にする、嘘をつくことと単にミスリードすることの間にある区別とは明らかに関係がない。本書の関心は、「ミスリード」と対照をなす場合の「嘘」を理解することのみである。そのためには、「嘘」についての理解をさらに絞る必要がある。まず、いくつかの典型的な例を挙げてみよう。

ビル・クリントンの発話1――今後も繰り返し言及することになるが――について振り返ってみよう。これは、モニカ・ルウィンスキーとの関係が過去のものになった時点での発話だが、にもかかわらず現在の話題として語られている[03]。本書の考察の目的のために、「不適切な関係」が何を意味するかに関するクリントンの理解が一般的な理解と同じで、なおかつ彼とルウィンスキーの間には不適切な関係があったと仮定しておこう。

1　There is no improper relationship.　不適切な関係はありません。

当初、多くの人はこれを、クリントンがモニカ・ルウィンスキーと不適切な関係をもったことを否定したと受け取った。しかし、彼らの理解は間違いだった。「is（ある）」は動詞の現在時制であるため、クリントンの発話1は現在の時点における否定に限定される。クリントンは1と発話することで、（おそらく意図的に）ミスリードしたが、嘘をついたわけではなかった。そして最終的に、誰もがクリントンの発話がいかに慎重に表現されたかに気づいた。

しかし、嘘と単なるミスリードの区別は、もちろんクリントン政権の時代に始まったことではない。アラスデア・マッキンタイアは、聖アタナシオス（四世紀のギリシア教父）の生涯から例を引いている。

> ユリアヌス帝がさし向けた迫害者らが［アタナシオスを］ナイル川まで追い詰めた。彼らは下流を旅しているアタナシオスを追って来たが、彼が本人だと気づかずに、「アタナシオスは近くにいるか」と尋ねた。アタナシオスは「彼はここから遠くないところにいる」と答えた。迫害者たちは先を急ぎ、アタナシオスは嘘をつくことなく彼らから逃れることに成功した。（MacIntyre 1994: 336）

クリントンもアタナシオスも（おそらく）嘘をつくよりもミスリードすることの方が道徳的に好ましいことだと考えたのだろう。だが、嘘とミスリードの区別がもつ道徳的な意義はもっと議論されるべきだ。実際、クリントンによる慎重なミスリードは、完全な嘘よりも卑怯で、非難に値すると考える人もいるだろう。アタナシオスは慎重にミスリードする必要がなかったと考える人もいるだろう。なぜならアタナシオスの置かれた状況の性質を考えれば、彼が嘘をついたとしても、聖人にふさわしいとみなされることに変わりはないであろうからだ。[04] 後に第4章でこの論争を取り上げたい。ここで重要なのは、論争の当事者がみな、嘘と単なるミスリードの間には区別が存在することに同意しているという事実だけである。この区別のもつ道徳的な意義については意見が分かれるが、区別が存在することに異議を唱える者はいない。

この章の目的は、「ミスリード」と対照的に使われる「嘘」の定義を見いだすことである。[05] この定義では「言うこと saying」という概念が重要な役割を果たすのを見ることになる。次章では、「言われていること what is said」の既存の概念とそれに関連する概念を探り、そのどれもがこの区別にとって適切ではないことを見ていく。

私がこの章で帰結することになる「嘘をつくこと」の定義は次のとおりである。

定義「嘘をつくこと」

話し手が、言語的な思い違い〔言語に対する知識不足による誤解〕やマラプロピズム〔malapropism. 当の単語は知っているのに、別の間違った言葉と言い間違えること。時に笑いを誘うような滑稽な誤用を指す〕の犠牲者ではなく、また隠喩（メタファー）や誇張、皮肉を用いていない場合に、(1)その話し手がPであると言い、かつ、(2)その話し手がPは誤りだと信じており、[06] (3)保証を与える文脈に自分がいると見なしている場合にかぎり、その話し手は嘘をついている。

本章では、この定義の根拠を述べることを目標とし、以降の章でこの定義を使用する。次の節からは、「嘘をつくこと」の定義をこのように定式化する理由を説明し、他の人が提示する定義と私の定義とを対照させようと思う。[07]

1 「言うこと saying」とは何か

「嘘をつくこと」の定義には、「言う」以外の用語を使うものもある。例えば、ロデリック・チザム〔認識論、形而上学、倫理学〕とトーマス・フィーアンは、ジョナサン・アドラー〔認識論〕(Adler 1997: 437) と同様、「主張する」(Chisholm and Feehan 1977: 151) という用語を用いる。トーマス・カーソン〔倫理学〕は「述べる」という用語を選ぶ (Carson 2006)。だが、この違いはまったく興味深いものではない。言語哲学者の間では、「主張する」はちょうど「言う」と同じように議論の的になり、この二つの語は時折、取り換え可能なものとして使われる。また、「嘘をつくこと」について論じる際、この二つの語は取り換え可能なものとして使われることが多い (例えば、Adler 1997: 237; Carson 2006: 284)。私が「言う」を使うことにしたのは、まだ研究の形成過程だった初めの頃、「言うこと」と「暗示すること」を区別するポール・グライスに熱中したからだ。だが、私は実際にはこの本で、前述の「嘘をつくこと」の定義において用いた「言う says」に類する概念〔「主張する」など〕で、「言う」と同じ様々な役割を担うものであれば、どんな概念でも追究する。

本書の「嘘をつくこと」の定義の中の「言う」(および別の定義における関連用語) が果たす重要な役割は、嘘をつくことを単にミスリードすることから区別することだ。この区別は、すでに述べたように、非常に直観的で広くなされている区別だ。新たな例を取り上げ、この例を変化させていって本章で用いることにする。

ある政治家——仮に彼を「トニー」と呼ぼう——は、イラクに大量破壊兵器は存在しないと信じているが、イラクに大量破壊兵器があると人々に納得させようとする。[08] そこで彼は、人々に信じてもらうことを意図し希望して、2を発話する。

2　There are weapons of mass destruction in Iraq.　イラクには大量破壊兵器があります。

結論から言うと、イラクに関するトニーの信念は正しい。大量破壊兵器は存在しない。聞き手についての判断でもトニーは正しい。聞き手は彼の発話によって騙されて、イラクに大量破壊兵器があると信じるようになった。この上なく明白にトニーは嘘をついた。

では、少し違うケースを想像してみよう。イラクが大量破壊兵器を有するかどうかについて議論されている。トニーは意見を聞かれ、3と答えたとしよう。

3　Saddam Hussein is a dangerous man.　サダム・フセインは危険人物です。

想像してみてほしいのだが、聞き手はこれを、イラクに大量破壊兵器があるとトニーが伝えていると受け取る。また、そう聞き手に思わせることがトニーの意図であった。この事例では私たちは、トニーは嘘をついたのではなく、ミスリードしただけだと直観する。その理由は、トニーが意図的に誤ったこと〔イラクに大量破壊兵器がある〕を伝えたにもかかわらず、彼の言ったこと〔サダム・フセインは危険人物だ〕が真実だったからのように思われる。

「言われていること」に焦点を合わせなければ、「嘘をつくこと」の定義が意図的な欺瞞の全ての形態を含んでしまう危険に陥る。ここまで述べてきたように、「嘘」という言葉は時にこのような広い意味で使われる。だが、この広い意味での用法は、ここでの関心事ではない。私たちの関心は、「ミスリード」と対比される「嘘」の厳密な用法にある。厳密であるには、私たちの定義を、「言われていること」に関する欺瞞に限定する必要がある（実際、先に進むにつれ、これを広範囲に洗練させる理由が分かるだろう。今はこう述べておけば十分だ）。

2　嘘をつく人は「言われていること」が誤りだと信じていないといけないのか

トーマス・カーソンの指摘によると、すべての辞書が、「嘘をつくこと」の定義を、嘘をつく人は自分の言うことが誤りだと信じている必要があるとしているわけではないという（Carson 2006）。むしろいくつかの辞書では、嘘は「欺く意図でなされる誤った陳述」でなければならないとされている。[09] これに基づいて（「述べる」を「言う」に置き換えて）定義①「嘘をつくこと」を導き出すことにする。

定義①「嘘をつくこと」
話し手は、聞き手を欺く意図をもって誤ったことを言う場合にかぎり、嘘をついている。

これのどこが間違いかを確認するために、先ほど挙げたトニーの発話を別のヴァージョンで吟味しよう。トニーは3と発話することで、聞き手を欺き、イラクに大量破壊兵器があると思い込ませようとするが、3自体は真実だと確信している。

3　Saddam Hussein is a dangerous man.　サダム・フセインは危険人物です。

しかし、トニーの知らないところで、サダム・フセインは脳卒中で倒れ、心理状態が変化し、誰にとっても危険な存在ではない、穏やかで優しい心の持ち主になったと想像しよう。定義①によれば、これだけでトニーの発話は嘘に変わる。だが明らかにそれだけでは不十分だ。トニーは自分が真実を言っていると信じていた（ただし真実を利用して聞き手に誤った信念を抱かせる意図をもっていたが）。トニーはそうとは知らずに自分の言ったことが誤りだったという理由だけで、彼の発話が嘘になるのではない。嘘をつく人は、（自分の発話で）「言われていること」が誤りだと信じていなければならない。[10] この考察と本書における「言うこと」についての考察を組み込むと定義②が導き出される。

定義②「嘘をつくこと」
話し手は、聞き手を欺く意図をもって、自分が誤りだと信じている誤ったことを言う場合にかぎり、嘘をついている。

3 「言われていること」は誤りでなければならないのか

いずれにしても、誤ったことを言うことが嘘の必要条件であることが明白とは言い難いと分かった。自分の言うことが誤りだと単に信じるだけで十分なのかもしれない。[11]

これを理解するために、前述のトニーの例の別ヴァージョンを想像してみよう。トニーはイラクに大量破壊兵器が存在しないと信じているが、人々に存在すると確信させたいと考えている。ここでも、彼は2を発話する。

2　There are weapons of mass destruction in Iraq.　イラクには大量破壊兵器があります。

しかし今回は状況が変わった。トニーのあずかり知らぬことだが、イラクには確かに大量破壊兵器が存在している。トニーは、聞き手を欺こうとする彼の意図とは裏腹に、本当のことを言ったのだ。トニーはそれでもやはり嘘をついたという結論が、直観的には強く支持されると考えられる。なぜなら、彼は自分が誤りを言っていると思っていたのだから。しかし、定義②によれば、トニーは嘘をつかなかったことになる。なぜなら、彼の言ったことは（彼には知るよしもない）真実だったからだ。トニーが嘘をついたという直観を捉えようとするなら、私たちは定義③のように定式化しなおすことになる。

定義③「嘘をつくこと」
話し手は、聞き手を欺く意図をもって、自分が誤りだと信じていることを言う場合にかぎり、嘘をついている。

4　欺く意図は何か、それをどう表現するか

「欺く意図」を定義に含めることの利点

定義④のように、欺く意図を必要としない定義を考えよう。

定義④「嘘をつくこと」
話し手は、自分が誤りだと信じていることを言う場合にかぎり、嘘をついている。[12]

ここでの疑問は、なぜ定義④のように「嘘をつくこと」を定義してはいけないのか、ということだ。これに答える一つの方法は、隠喩（メタファー）を例にして考えることである。私たちはよくジョークを言うが、そんなとき、私たちが「言うこと」はしばしば誤りであり、自分でもそれを知っている。しかしこのような場合、私たちが嘘をついていると表現するのは全くの間違いだろう。例えば、友人があなたに、電球一つを交換するのに何人の〔ジョージ・W・〕ブッシュ政権の役人が必要かというジョークを言うところを想像してほしい。[13]

あなたの友人が嘘をついていると主張するのは、ばかげているだろう。なぜなら、実際には、電球一つを交換するのにブッシュ政権の役人が一〇人も必要なわけはないからだ。だが、あなたの友人は故意に誤ったことを言った。ではなぜ友人は嘘をついたことにならないのか。思い浮かぶのは、彼女にはあなたを欺く意図がなかったからだ、という回答である。

単純な「欺く意図」ではない

欺く意図を定義に含めねばならないなら、それをどう定式化するかに細心の注意を払う必要がある。単に「欺く意図」があることを必要とするなら、事態を取り違えることになる。その意図をもっと明確にしなければならない。それを確かめるために、定義③に戻ろう。

定義③「嘘をつくこと」

話し手は、聞き手を欺く意図をもって、自分が誤りだと信じていることを言う場合にかぎり、嘘をついている。[14]

ボーという、ぶっきらぼうな人間嫌いで、自分でもそんな性格を分かっている人物がいると想像しよう。彼はシェフィールド市の人々を欺いて自分が友好的だと思わせようとして、天気の話をすることにした。気温は明らかに零度以下ではないが、シェフィールドの天気としてはとても寒い。ボーは4を発話する。

4　It's freezing here!　ここは凍るように寒いですね！

ボーが嘘をついていないのは議論の余地なく真実だと私は思う。だが彼は、人々を欺く意図をもって、誤りだと思っていることを言った。定義③によれば、ボーは（自分が友好的であると欺く意図があり、かつ温度について誤りを言ったので）嘘をついたことになる。しかしこれは明らかにおかしい。ボーが嘘をついていないと言える理由は、聞き手を欺こうとする内容（彼は友好的である）と、彼の言ったこと（シェフィールドの天気）とは無関係だからだ。ボーが嘘をつくには、シェフィールドが凍るほど寒いかどうかについて、聞き手を欺く意図がなければならない。この事例は欺瞞（という行為）がとりわけ「言われていること」に関わるはずである（欺瞞であるか否かが「言われていること」によって決まる）ことを示す。

「聞き手にPだと信じさせる意図」

「聞き手にPだと信じさせる意図」を定義に組み込むには、当然「言われていること」（話者はそれが誤りだと知っている、または信じていること）を聞き手に信じさせようとする意図が必要である。多くの理論家はこの意図こそ定義に不可欠と考える。[15] それを組み込む方法を一つ提示する。今後、徐々に複雑になるので、便宜上、必要条件の各項に番号を付ける。

定義④「嘘をつくこと」
話し手は、(1)Ｐであると言い、かつ、(2)Ｐが誤りだと信じていて、(3)聞き手にＰだと信じさせる意図をもつ場合にかぎり、嘘をついている。[16]

5　欺く意図を定義に組み込むことに反対の立場

嘘について論述した人たちの圧倒的多数が、項(3)のような条件が必要と考える。ところが最近、この要求はかなり説得力のある批判の対象になっている。カーソン（Carson 2006）、デイヴィッド・オーウェンズ（Owens 未発表）、ロイ・ソレンセン（Sorensen 2007）は、この項(3)を定義に入れようとする広く見られる要求に対し、反証となる優れた事例を個別に提示している。それらの事例は、ソレンセンによって「白々しい嘘」、すなわち聞き手を欺く意図が全くない嘘として分類され、参考になる。[17] カーソンは法廷での証言を事例にあげる。ある男性が殺人を目撃し、その男性の映る監視カメラの映像があると想像してほしい。陪審員はこの映像をすでに見ており、男性もそのことを知っている。今この男性は証言台に立っている。殺人を見たことを認めたら命が危ないので、彼は5と発話する。

5　I did not see the murder.　私は殺人を見ていません。

5の発話は誤りで、この男性はそれが誤りだと知っていて、なおかつ誰も自分を信じないとも分かっている。彼に誰かを欺く意図はない。それでも、彼が証言台で嘘をついたという私たちの認識は、彼が誰も欺こうとしていないという事実によって揺らぐわけではない。しかし、定義④によるなら、彼には聞き手に自分を信じさせる意図がないことから、彼は嘘をつかなかったことになる（実際彼は、聞き手が自分を信じないだろうと分かっている）。

オーウェンズ（倫理学、社会・政治哲学）とソレンセン（認識論、形而上学、言語哲学）の両者が論じる全体主義国家もまた、欺く意図を伴わない嘘の豊富な（だが、より明確な）資料を提供してくれる。その一例は、カーソンの証人の例によく似ている。それは、人々が犯してもいない罪の自白を強制される、見せしめ裁判の例だ。彼らは誰も欺くつもりはないのに、嘘をつくことで罪を犯すことを余儀なくされている。彼らは自分の言うことは信じてもらえないと知っているので、定義④によれば、嘘をついているとは見なされない。次の例はもっと扱いにくいかもしれない。それは全体主義国家が国民に要求する発話の例である。そのような国家を支持することを表明する文の発話は、その発話内容を信じていない人たちによって、その発話内容を信じていない人たちに向けてなされる。誰もが誤った事柄が言われているると分かっているし、国家が要求するから言われていると分かっている。こうした「言われていること」には、誰かを欺く意図は全くない。特にオーウェンズは、ちょうどこのような状況で、ある青果店の店主が店のショーウインドウに政治的なスローガンを掲げるという、ヴァーツラフ・ハヴェル（一九三六—二〇一一年。劇作家。チェコスロバキア大統領からチェコ共和国の初代大統領に就任）が取り上げた例（『力なき者たちの力』邦訳15頁以下）を論じている（もしあなたが録音された音声を含む場合に生じる複雑な問題はどうなるのか懸念するなら、店に入ってくる全員に向けて、店主が大声でスローガンを発するのを想像してほしい）。ハヴェルはこれらの人々を「嘘の中で生きる」（邦訳21頁）と表現するが、それは適切だろう。さらに、スローガンによって構成される特殊な発話は——たとえ欺く意図がなくとも——嘘と言えるだろう。だがここでもまた、定義④はこれらの発話を嘘と見なさない。

おそらくハヴェルの例に関しては、カーソンの怯えた目撃者の場合よりも明確な直観を得るのが難しい。誰もがこのように虚偽の発話を強要され、誰もがそれが誤りだと知っているので、それら発話が本物の嘘でなくなるというのは、ある程度、理に適っている。その理由は、例えば「the dog went to the bathroom」という言葉が、字義通りに「犬がバスタブのある部屋に入った」ことを意味しなくなった〔「犬が排泄した」を意味するようになった〕のと同じような仕方で、それらの発話が字義通りの意味内容を持たなくなったからかもしれない[18]。発話が無意味なものとして扱われている可能性すらある。この説明はありえそうだが、このまま採用すると何かが失われてしまう。そこで失われるのは、全体主義国家が行う非道の一つが、国民に国家を支持する発話をさせることで嘘を強要するという事実の認識だ。もし、これらの発話を字義通りの意味内容を持たないものとして扱うなら、この悪事を見過ごすかもしれない。一方で〔スローガンから成る〕発話を無意味なものとして扱うのは、重要な政治的抵抗の一種になりうるだろうし、私たちはそれが抵抗だと認めることを望む。最善策は、ある文脈ではこれらの発話が強要された嘘であり、別の文脈では無意味であることを認識できるようにすることだろう。

しかし、これらの例が何よりはっきり示すのは、この問題を議論したほぼ全員が考えるのとは反対に、発話が嘘と見なされるには、聞き手を欺こうとする意図は必要ではないということだ。

6 「保証　warrant」を定義に加える

前述の例は、ある発話を嘘と見なすのに、聞き手を欺く意図は必要ない、と示しているようにみえる。だが、これには問題がある。私たちは、嘘のケースとジョークのケースを区別するために、聞き手を欺く意図を定義に含めた。欺く意図を必要条件に入れるのを断念するなら、どのように両者を区別すればよいだろう。カーソンは、定義に必要な鍵概念は、「保証」という概念であると示唆する。

もし、人がある言明が真実だと保証するならば、その人の発話は真実であることを明示的であれ暗示的であれ約束、もしくは担保している。（Carson 2006: 294）

カーソンが指摘するように、（例えば法廷での発話のように）自分が言うことは真実であると明示的に保証することは稀にしか起きない。しかし彼の指摘の通り、例えばジョークを言うときのように保証する必要がないような特別な文脈を除けば、少なくとも圧倒的多数の文化で人は自分の言うことが真実だと保証している。[19] この保証を前提にすることは非常に重要である。保証が「嘘」の定義に役立つ可能性があることにはすぐに気づく。その方法を提示しよう。

定義⑤「嘘をつくこと」
話し手は、⑴Ｐであると言い、かつ、⑵Ｐが誤りだと信じていて、⑶保証を与える文脈の中で、Ｐであると言う場合にかぎり、嘘をついている。[20]

カーソンの例における、怯えた目撃者および見せしめ裁判の当事者には、聞き手を欺く意図がない。しかし、自分たちの言うことが真実だと保証しているのは明確だ。彼らは真実を述べると誓ったのだから、これはかなり明示的な保証である。彼らは自分たちが虚偽を述べている自覚があるので、嘘をついたことになる。これはまさに本書が求める結果である。全体主義国家で暮らし、国家を礼賛する発話をする人々は、もっとやっかいなケースだ（当然そうならざるをえない）。彼らの発話が、真実を保証する文脈でなされているかどうかは、全く明白ではない。おそらく多様な文脈のヴァリエーションがあるだろう。発話が無意味と見なされる文脈においては真実の保証などありはしないだろう。だが、そのような文脈での発話を嘘と捉えたくはないので、そこでこの定義が成り立つのだ。発話がもっと真剣に受け取られる文脈では、真実の保証が存在するかもしれない（発話が嘘だと誰もが知っていても、真実の保証が存在しうるのを法廷の例で確認したことを思い出してほしい〔例文5〕）。こういった状況では、発話を「嘘」と呼ぶ方がより適切だろう。やはりこの定義はうまく機能しているように見える。

保証を与える文脈についての知識

もし〔発話がなされる〕大抵の文脈が保証を与える文脈であり、かなり特殊な文脈だけが保証を与え*ない*ならば、話し手は時として自分に保証する意図がないと保証することになるかもしれない。カーソンはこれを、ある人物がアメリカの政治状況についての真面目な演説と、面白おかしい演説の両方をしてほしいと依頼された事例で示す。この人物はどちらの演説をするのか取り違え、真面目な演説を聴きに来た聴衆に滑稽な作り話をする。本人は気づいていないが、演説者は保証を与える文脈にいるのだから、無意識のうちに自分の言うことが真実だと保証を与えてしまっている（Carson 2006: 296）。この話し手が嘘つきだとは言いたくないが、これまで定式化してきた定義に従うと、そうなってしまう。この結果は、項(4)を追加することで回避できる。

定義⑥「嘘をつくこと」

話し手は、(1) Pであると言い、かつ、(2) Pが誤りだと信じていて、(3) 保証を与える文脈の中で、Pであると言い、(4)保証を与えるのではない文脈に自分がいると見なしていない場合にかぎり、嘘をついている。[21]

しかし、ドン・ファリス〔認識論、情報哲学、数学の哲学〕(Fallis 2009)やジェイムズ・マホン〔道徳哲学、哲学史〕(Mahon 2008a)が指摘するように、これでもまだ完璧とはいえない。なぜなら話し手は、保証を与える文脈にいないときに、保証を与える文脈に自分がいると見なす可能性もあるからだ。この場合、定義⑥によれば、彼らは嘘をついていないことになる。だが、それはおかしいだろう。例えば、こう想像しよう。ある政治家がきわめて重要な問題について真面目な演説をするために招かれたが、彼はうっかり違う部屋に入ってしまう。そこでは、政治についての架空の一人芝居を観にきた観客が待っている(こういう芝居を望む観客がどこかにいるはずだ!)。この政治家はロビー活動をする人々から法外な献金を貰っているので、自分のテーマである重大で深刻な問題について聞き手に嘘をつこうとする。彼は、観客に信じてもらえることを期待し、そう信じて、自分では誤りだと分かっている膨大な虚偽の主張を含むスピーチをする。ところが、もちろん彼は信じてもらえない。なぜなら、聞き手は彼が架空の一人芝居をしていると思っているからだ。この政治家は、自分では気づいていないが、保証を与える文脈の中にはいないのだ。定義⑥によれば、この政治家は嘘をついていないことになる。しかし、それは間違っているとしか思えない。これは、定義⑥の項(3)と項(4)を次の(3)に置き換えることで、簡単に修正できる(それに定義を短くできる!)。

定義⑦「嘘をつくこと」

話し手は、(1)Pであると言い、かつ、(2)Pが誤りだと信じていて、(3)保証を与える文脈に自分がいると見なしている場合にかぎり、嘘をついている。[22][23]

7　最後に残ったやっかいな問題

隠喩（メタファー）

アマンダが、テレビ番組「ニュースナイト」でインタヴューを受けているときに、6を発話する場面を考えてみよう。

6　Tony is a poodle.　トニーはプードルですね。

アマンダの意図は、トニー〔・ブレア〕が従順でブッシュ〔アメリカ元大統領〕が望むことは何でもやる、というトニーの一般的な印象を伝えることだ（ちなみに、この〔イギリス元首相トニー・ブレアの〕隠喩（メタファー）はイギリスではおなじみだ）。だが、彼女が言ったことは、トニーが人間であるかぎり、字義通りに受け取ると紛れもない誤りになる。[24]しかも、アマンダはそれを分かっている。そして彼女は保証を与える文脈に自分がいることを十分に認識している。この場合、現段階の定義では、アマンダは嘘をついたことになる。しかし、もちろん私たちはアマンダが隠喩（メタファー）を使って話したからといって、彼女が嘘をついたと考えたりしない。この結論を回避する一番分かりやすい方法は、もう一つ項(4)を追加することだ。[25]これと似た問題をもたらす「皮肉」（「トニーはほんとに独自の思想家だね」）、「誇張」（「トニーは史上最悪の人間だ」）も項(4)でカバーできる（ゆくゆくは、このようなケースを扱うには問題のある方法だと分かるが[26]）。

定義⑦「嘘をつくこと」

話し手は、(1)Pであると言い、かつ、(2)Pが誤りだと信じていて、(3)保証を与える文脈に自分がいると見なしていて、(4)隠喩（メタファー）、誇張、皮肉を用いて話していない場合にかぎり、嘘をついている。[27]

偶発的な誤り

無自覚に誤ったことを言ったために、嘘をつくのに失敗することがある。そういったケースを「偶発的な誤り」と呼ぶことにしたい。本書の議論を通して、その重要性が分かるだろう。

たまたま誤りを言ってしまう仕方はいくつかある。そのようなケースの一つは、すでに第2節〔例文3〕で見た。それは聞き手を欺いて〔イラクに大量破壊兵器があると〕誤った信念を抱かせようとして、トニーが真実だと信じていること〔「サダム・フセインは危険人物です」〕を言ったケースだ。もっと単純なケースもある。例えば、アルフレッドが〔最近まで大多数のアメリカ人がそうであったように〕9・11のテロ攻撃〔二〇〇一年アメリカでアルカイダが起こした同時多発テロ事件〕がサダム・フセインの仕業だと信じていたとしよう。この誤った信念に基づいて、アルフレッドは7を発話する。

7 Saddam Hussein was responsible for the attacks of September 11th.
サダム・フセインは9・11のテロ攻撃に責任があります。

アルフレッドが言ったことは誤りである。だがアルフレッドはそれを知らない。その結果、アルフレッドはたまたま誤りを言ってしまった。しかし、彼は嘘をついたわけではなかった。[28] より複雑なトニーのケースと同様、先ほどの新たな定義⑦ならこのケースにも簡単に適応できる。どちらの場合も項(2)

〔「Ｐが誤りだと信じている」〕を満たさないので、嘘ではない。

しかし、他のケースでは、定義にいくぶんか最終的な変更が必要になる。たまたま間違ったことを言ってしまうもう一つのケースは、ある言葉の意味を誤解しているために、間違った言葉を発してしまう場合だ。ある同僚がメキシコでポスドクをしていた時のエピソードは良い例だ。イギリスのロッククライマーであるアンナは、イギリスではロープを使わずに登る人が多いことを同僚に伝えようとした。そこで彼女は〔スペイン語で〕8を発話した。

8　En Inglaterra hay mucha gente que escala sin ropa.　イギリスには服を着ないで登る人が多いです。

8は実際には、イギリスには服を着ないで（sin ropa）登る人がたくさんいる、という意味だ。この主張は誤りだが、アンナは嘘をついたのではない。彼女は、〔言語知識が不足していることによる〕言語的な思い違いによって、〔rope（ロープ）のスペイン語が ropa（「服」）と思い違いして〕うっかり誤りを言ったのだ。ところが、現在の定義⑦だとアンナの発話は嘘と見なされてしまう。彼女はイギリスでは裸で登る〔ロッククライムする〕人が多いと言った。[29] そして彼女はそれが誤りであると信じている。また彼女は保証を与える文脈に自分がいると分かっている。そして彼女は字義通りでない仕方で話していない〔皮肉やメタファーでなく、字義通りに話している〕。したがってこの定義にも修正が必要だ。項⑸を追加すると、このケースをうまく捕捉できる。だが最終的には、これにも問題があると判明することになるのだが。

定義⑧「嘘をつくこと」
話し手は、⑴Ｐであると言い、かつ、⑵Ｐが誤りだと信じていて、[30] ⑶保証を与える文脈に自分がいると見なしていて、(4)隠喩（メタファー）、誇張、皮肉を用いて話しておらず、(5)言語的な思い違いの犠牲者でない場合にかぎり、嘘をついている。[31]

本書の定義にとって最後のハードルは、マラプロピズム〔言い間違い〕のケースだ。ブッシュの電球交換の例以外で私が気に入っているのは、同僚のデイヴィッド・ベルの隣人の例だ。この人は、家のリフォームのアイディアを嬉々としてデイヴィッドに話したとき（不注意から）9の発話をしてしまった。

9　We're having a small conservative built onto the back of our house.
家の裏に小さな保守派〔conservatory ＝温室の言い間違い〕を建てているところです。

今のところ、私たちの定義ではこれは嘘と見なされることになる。隣人は家の裏に保守派を建てると言っている。そして彼女はこれが誤りだと〔温室と保守派は違うことを〕分かっている。また彼女は自分が保証を与える文脈にいることを分かっている。さらに彼女は字義通り話している。そして彼女は言語的な思い違いの犠牲者ではない。[32] しかしこれは項(5)を変更することで簡単に修正できる。

定義⑧「嘘をつくこと」
話し手は、(1)Pであると言い、かつ、(2)Pが誤りだと信じていて、(3)保証を与える文脈に自分がいると見なしていて、(4)隠喩（メタファー）、誇張、皮肉を用いて話しておらず、(5)言語的な思い違いあるいはマラプロピズムの犠牲者でない場合にかぎり、嘘をついている。[33]

定義⑧の障害とさらなる変更

定義⑧には問題がないわけではないので、ここではそのうちのいくつかを検討する。これらのなかには、定義にもう一つ修正を加えざるをえない問題がある。

❖隠喩（メタファー）や言語的な思い違い、マラプロピズムを伴う嘘とは何か[34]

先ほど定式化した定義⑧は、隠喩（メタファー）を使ったせいや、言語的な思い違いやマラプロピズムを含むせいで生じた特定の嘘の可能性がある場合を除外する。事実、直観的に嘘と感じるような、こういった例がある。

例えば、イラクに大量破壊兵器がないと完全に分かっていたジョージ・W・ブッシュが、次の文10を発話したとする。

10　Iraq has weapons of mass production.　イラクには大量生産兵器があります。[35]

ブッシュが、実際にはイラクに大量破壊兵器がないと知っていて、10を発話したのだとしたら、これは嘘だと言いたくなるかもしれない。しかし定義⑧は、嘘をつくための必要条件として言い間違い（「大量生産」）ではないことと規定するため、これは除外される。

あるいは、スペイン語を母国語とする人が、エドナは妊娠しているという誤った噂を（英語で）広めようとしているとする。そのために、その人はembarrasadaがスペイン語で妊娠を意味するという知識にのっとって、文11を発話する。

11　Edna is embarrassed.　エドナは恥ずかしがってます。

ここでも、私たちはこれを嘘と呼びたくなるところだが、定義⑧によるとそれはできない。なぜなら、このスペイン語の話者は言語的な思い違いをしているからだ。

最後に、非常に負けず嫌いな園芸家の例を考えよう。実際には不作だったが、この園芸家はそれを隠したがっている。[36] そこで12の文を発話する。

12　We've got tomatoes coming out of our ears.
うんざりするくらいトマトがとれました。〔coming out of ears は何かが大量にあることの隠喩で、例文を直訳すると「耳からトマトが出てきたんですよ」。〕

12は隠喩（メタファー）であるため、嘘と見なすのは適切ではない。それなのに、直観的に嘘と判断するだろう。これらのケースはいずれも、少なくとも初めはかなりやっかいに思われるし、これから見ていくとおり、簡単には回避できない。しかし私は熟考した末、このようなケースをどう扱うべきかは実に曖昧で、それらについて判断を下さない定義が最善だと確信するようになった。以下でこれについて説明し、定義を提示する。

こういった問題は、隠喩（メタファー）やマラプロピズム、言語的な思い違いを除外する項(4)と項(5)を削除するだけで一見、簡単に回避できるように見えるかもしれない。その場合、もちろんこれらの項目を追加する根拠となったケースで問題が生じることになる。だが最悪なのは、本書が望む結果を得られないことだろう。

これを見るために、ある人がきわめて倫理感の強い友人に自分の買い物の習慣を尊重してほしいと思っているケースを考えよう。この人は13*を発話しようとして、間違って13を発話してしまう。

13　I always buy free trade coffee.　私はいつもフリートレードのコーヒーを買っています。
13*　I always buy fair trade coffee.　私はいつもフェアトレードのコーヒーを買っています。

実際、この人はいつも公正取引（フェアトレード）〔途上国の生産者支援や労働条件、環境保護のため、利潤を抑え適正価格で生産者から直接購入する〕ではなく自由貿易（フリートレード）〔利潤を追求し、労働者の人権や環境破壊が蔑ろにされがちになる取引方法〕のコーヒーを買っており、本人もそれを分かっている〔自分は倫理的な買い物をしていると騙そうとしたのに、言い間違いをして、たまたま本当のことを言った〕。だからこの人が実際に発話した文は真実であり、本人もそれが真実だと知っている。たとえ「嘘をつくこと」の定義が、マラプロピズムによる嘘は除外すると規定していなかったとしても、これだけで十分にこの人の発話は嘘でないことになる。

定義⑦「嘘をつくこと」
話し手は、⑴Pであると言い、かつ、⑵Pが誤りだと信じていて、⑶保証を与える文脈に自分がいると見なしている場合にかぎり、嘘をついている。

直観的には、このケースはブッシュのケース〔例文10〕と変わらない。両者とも嘘をつくつもりだったのに、たまたま間違った文を発話したのだ。唯一の違いは、たまたま発話した文のうち片方が真実で、もう片方が間違いだと判明したことである。いずれのケースも同じ結果になるだろう。だから、項⑷と項(5)を外しても問題は解決しない。

さらに、マラプロピズムや隠喩(メタファー)、言語的な思い違いによる嘘を定義から除外することが正しいと証明するような、もっともらしいケースを作り上げることができそうだ。何よりも、本書の関心は嘘とミスリードの区別である。このことを忘れて、隠喩(メタファー)を用いて話す人や、ここで取り上げたようなその他の話し方をする人の行う欺瞞だけに焦点を当てるから、彼らが嘘をついていると主張したくなる、と考えるのが妥当だろう。すでに指摘したように、嘘には嘘とミスリードの区別に関わる概念よりもはるかに広い概念がある。それは、人を欺くあらゆる発話を嘘とみなす概念である。この概念に基づくと、これらの発話はすべて嘘ということになる。だが、ここで関心があるのは、ミスリードと対照的である嘘の概念だ。その概念にとっては、実際に〔発話で〕「言われていること」が重要である。このことを思い出すなら、隠喩(メタファー)やマラプロピズム、言語的な思い違いによる嘘を定義から除外するのは、もはやそれほど明らかな問題だとは言えないだろう。これらのケースで私たちを欺く人たちは、〔本書で検討している狭義の意味での〕嘘をつく人が他人を欺くのと似たような仕方で欺く。したがって、彼らの倫理は厳しく裁かれるべきである。だが、彼らは本書の主題である狭義の意味での嘘をついているのでは決してない。

本書が主題にしている狭義の意味においては、これらのケースの場合は嘘をついていると判定するのが明白に正しいとはとうてい言えない。嘘とミスリードの区別に正面から焦点を合わせると、イラクに大量生産した兵器があると宣言した際、ブッシュは嘘をついていたと言ったところで、おもしろみははるかに少ないように思える。彼は嘘をつこうとしたが、実際にはあまりに下手な発話をしたために、単に意味を成さなかったと言う方がはるかに妥当だ。これは、スペイン人が試みた〔妊娠についての〕嘘と似たところがある。話し手は嘘を言おうとしていたが、単に言いたいことが言えなかったのだ。どちらのケースでも、話し手が嘘をついたと言いたくなるのは、私たちが、彼らのしようとしたこと、あるいは彼らの欺瞞に焦点を合わせているからだ。しかしミスリードと対照的な意味での嘘としてはどちらの説明も十分ではない。隠喩による嘘や誇張による嘘は、おそらくもっとやっかいなケースである。優秀だと知っている学生の推薦状に、「アマンダは基本的にカブ（turnip）だ」〔turnipは転義的にバカやクズを意味する〕とか「アマンダの哲学的能力は私の左の靴にも劣る」と書いたとしよう。一見すると、これらが嘘だという確信に抗うのは難しく見えるかもしれない。だが、それが難しいのは、私の欺瞞があまりに衝撃的だからだと主張するのが相応しいだろう。もし嘘を一般的な欺瞞と捉えるなら、「彼女はカブだと言ったとき、あなたは嘘をついた」というのが、告発として最も理に適っている。ミスリードと対比させて嘘に焦点を合わせるとき、私たちは〔発話で〕「言われていること」に焦点を合わせている。アマンダがカブであるというのは彼女が人間なのだから誤りだと指摘するのは、単に的外れだと思われる。

このような不確実性を考慮すると、隠喩やマラプロピズム、言語的な思い違いを含む、一般に嘘とされるものについて判断を下すのを避ける定義が、目指すべき最善の定義だと思われる。この結果を得る方法の一つが、私が「嘘をつくこと」の定義と呼ぶ次のものである。

定義「嘘をつくこと」
話し手が、言語的な思い違い[37]やマラプロピズムの犠牲者ではなく、また隠喩や誇張、皮肉を用いていない場合に、(1)その話し手がPであると言い、かつ、(2)その話し手がPは誤りだと信じており[38]、(3)保証を与える文脈に自分がいると見なしている場合にかぎり、その話し手は嘘をついている。[39]

この定義なら、アマンダが「トニーはプードルですね」と言ったからといって嘘つきに分類されることにならないし、デイヴィッド・ベルの隣人が「家の裏に保守派を建てているところです」と言ったのを理由に嘘つきに分類されることもない。ロッククライマーが「イギリスには服を着ないで登る人が多いです」とスペイン語で言ったからといって嘘つきに分類されることもない。その代わり、この定義はこれらのケースについての判断を避ける。同様に、アマンダは基本的にカブだと言う私の悪意ある推薦状や、ブッシュの大量生産兵器に関する主張のようなケースについての判断も避ける。これらのケースについて判断を下さないのは、この定義が「嘘」についての完全な定義ではないからだ。この定義はむしろ、マラプロピズム、言語的な思い違い、隠喩（メタファー）、誇張、皮肉を含まないケースにおける嘘の定義である。もちろん、これはなすべき作業がまだあることを意味する。理想としては、これらのケースを私たちの直観に沿うように判断できる定義にしたい。だがこの課題は別の機会に譲らざるをえない。本書の目的には、この定義で十分である。ここでの議論にとって重要なのは、マラプロピズム、言語的な思い違い、隠喩（メタファー）、誇張、あるいは皮肉を含むケースではないからだ。

❖保証を与える文脈に自分がいると見なすこと

この「嘘をつくこと」の定義の中の項(3)は、話し手が保証を与える文脈の中に自分がいると見なすことを要求する。しかし、当然ながら、話し手は「これは保証を与える文脈である」などとあらためて考えることはほぼない。これは、嘘の定義がほとんど全く満たされないことを意味するのだろうか。そんなことはない。保証を与える文脈に自分がいるという信念は、暗黙の明示されない信念である可能性が圧倒的に高い。心理状態に関する妥当な見解なら、暗黙の信念が私たちの生活の至る所で見られる特徴であるため、それが存在することを認めるだろう（足元には地面がある、重力はどの部屋に入っても同じように働く、ゾウはゴキブリより大きいといった命題は、明示的に考えたことがなくても暗黙のうちに信じている）。誠実さが期待される文脈にいることを当然と見なす話し手は（劇中やジョークを言う場合を除いて）、保証を与える文脈に自分がいると見なす話し手である。この話し手が意識的にこの信念を表現し、それについて考察する必要性は全くない。

これまでの要約

本書では一貫して次の定義⑧を用いて考察していく。

定義⑧「嘘をつくこと」

話し手が、言語的な思い違いやマラプロピズムの犠牲者ではなく、また隠喩（メタファー）や誇張、皮肉を用いていない場合に、(1)その話し手がPであると言い、かつ、(2)その話し手がPは誤りだと信じており[40]、(3)保証を与える文脈に自分がいると見なしている場合にかぎり、その話し手は嘘をついている。

私は、ミスリードと対照をなす「嘘」の唯一可能な定義を自分が確立したとは考えていない。そうではなく、定義の妥当性を示し、それを採用すべき理由をいくつか示したと考えている。次の二つの章の課題は、「言うこと」のいかなる概念ならば、この定義に必要な作業をすることができるか突き止めることである。「嘘をつくこと」に別の定義が採用された場合には、当然「言うこと」にも別の概念が必要になるだろう。これらの定義の選択肢をすべて調べることはできない[41]。私の主な目的は、これらの問題が複雑に絡み合うさまを示すことである。そしてこの定義⑧は、かなり説得力のある、十分根拠のあるものであり[42]、この目的を十分に果たすだろう。

終わり——いかさま（ブルシット）との対比

本書で理解するところの「嘘をつくこと」は、ハリー・フランクファート〔道徳哲学、心の哲学〕が見事に分析したいかさま（ブルシット）を言うこととは異なる[43]（Frankfurt 2005）。いかさまを言うことは嘘をつくことと密接に関連している。最大の違いは、いかさまを言う人は真実かどうかを全く気にしないということだ。つまり、「[彼の発言を]導き制御する動機は、自分が話していることが本当はどのようなものか〔真か偽か〕には無関心である」（Frankfurt 2005: 55）。嘘つきは間違いと見なされることを言う。いかさまを言う人（ブルシッター）は真実を気にしない。例えば、トニーの発話2を考えてほしい。

2　There are weapons of mass destruction in Iraq.　イラクには大量破壊兵器があります。

イラクに大量破壊兵器があるかどうか、トニーは全く知らなかったとしよう。彼が2を発話したのは、そうすることが自分の目標を達成するよい方法だと思ったからだ。トニーにとって、何を言うべきかという計算の中には、それが真実かどうかという点は、単純にまったく含まれなかった。そうだとすれば、トニーの発話2はいかさまだったことになる[44]。

第2章　「言われていること」をめぐる議論

この章では、「言われていること」について論じる研究者らの概念（およびそれに類するもの）と、嘘とミスリードの通常の直観的な区別との間にある関係を検討する。「言われていること」という概念（およびそれに関連する概念）に関する文献が急増しているにもかかわらず、そういった概念のどれも嘘とミスリードの区別について私たちが持っている直観をうまく表現できないと分かるだろう。したがって、この章の主要な結論には解決すべき問題が残る。次章でそれを解決しうる方法の概略を論じたい。

1　背景と舞台設定

これまで言語哲学者や言語学者は嘘とミスリードの区別にあまり注目してこなかったが、[01]「言われていること」という概念には大いに注目してきた。現代のほとんどの議論は、「言われていること」と「暗示されていること」をめぐるポール・グライスのきわめて直観的な区別を出発点としている。本書もそれを出発点にしよう。

「言われていること」に関するグライスの見解

グライスは、「言われていること」と「それ以外の方法で伝えられていること」を体系的に区別し、「それ以外の方法で伝えられていること」の少なくとも一部がどう伝えられるのかについて、説得力のある説明をした最初の哲学者である。もちろん、本書が焦点を当てるのは「言われていること」だ。グライスは「言われていること」に申し分のない明瞭な定義を与えることはせず、その代わり次の例を示すことでこの概念に注意を向けさせる。

AとBは、銀行（bank）で働いている共通の友人Cのことを話している。AはBにCの仕事の調子はどうかと尋ねると、Bは「まあまあだと思うよ、彼は同僚を気に入っているし、まだ刑務所にも入っていないし」と答えた。（Grice 1989: 24〔邦訳34頁〕）

Bの返答が、Cが刑務所に入っていないという単なる事実以上のことを伝えているのは明らかだ。もしかしたらCは不正をしているのかもしれないし、同僚がCを陥れようとしているのかもしれない（いずれが示唆されるかは、文脈で知られる特定の事実に大きく依存する）。しかし、どちらのことについても、Bの返答が何も言っていないこともまた同じく明らかだ。グライスはさらに「この種の文脈の中では「言う」の意味が直観的に理解されているのをかなりの程度」前提とせざるをえない、と説明をする（Grice 1989: 24–25〔35頁〕）。だが、彼は「ある人が言った内容は、その人の発した語（文）の規約的な意味（conventional meaning〔言葉の規則に従って文の表現に結びつけられた意味〕）と密接に関係をもつはずだ」と明言する（Grice 1989: 25〔35頁〕）。Bの返答が示唆するものを、グライスは「会話の含意　conversational implicature」と呼ぶ。つまり、かいつまんで言うなら、聞き手は話し手の言うことを協調的に理解する〔会話の目的・方向性を聞き手と共有する〕ためには、自分は話し手を信じていると仮定する必要があるのである。[02]「言われていること」をめぐるグライスの議論（と、彼が編み出したこれとは対照的な概念）を通して、いくつかの点が明らかになる。

①「言われていること」は、発せられた文と密接に結びついており、文脈によってほとんど変化しない（会話の含意とは異なる）。

②「bank」〔銀行または土手を意味する〕のような多義的な言葉を含む文では、「言われていること」〔銀行か土手か〕は文脈によって異なる。

③発話の真理値〔真、偽、真偽不明など〕は、「言われていること」によって決まる。[03] さらに、もしある事柄がこの真理値に関係しない場合、たとえそれが発話された文の意味の一部であっても、それは「言われていること」の一部ではない。グライスは「彼はイギリス人だ。ゆえに彼は勇敢だ。He is an Englishman; he is, therefore, brave」(Grice 1989: 25) という例を考察する。「ゆえに」の意味は、発話の真理値に影響を与えないので、「言われていること」の一部ではない（グライスにとって、それは「規約的な意味」である）。

これは、一見すると、とてつもなく魅力的な図式であり、嘘をつくこととミスリードすることをめぐる本書の考察によく合っている。[04] もし私が臨終の床にある女性に聞かれて「昨日会った時、息子さんは、元気で幸せそうでしたよ」と返答したとしても、私の発話の時点でその女性の息子が亡くなっているという事実によって、私の発話が誤りとなることはない。その女性の息子がまだ生きているという主張は、

「言われていること」には含まれていないので、私の発話の真理値とは関係ない。これには強い確信を持てる。なぜなら「言われていること」は私が発した文と密接に関連しており、またその文には「生きている」とか「死んでいる」というような言葉は一切含まれていないからだ。むしろ、これは「会話の含意」〔言語的な意味とは別に、特定の文脈の中だけで生じる意味〕である。女性が私を協調的〔この場合、彼女が知りたい情報を与えるという意味で〕であると理解するためには、私が彼女の息子はまだ生きていると信じていると理解する必要がある。

複雑な問題

しかし、後続の哲学者や言語学者が発見したように、とても重要な、しかもどこにでも見られるようなものなのに、グライスが単に論じていない事例がいくつかある。そして、それらのほとんどは、グライスの図式には全く容易に当てはまらない。だが、これらに取り掛かる前に、グライスによる枠組みに比較的よく適合する事例の一つに少し注意を向けてみよう。それは、いわゆる「純粋な指標辞 pure indexical」である〔指標辞は言葉の規則に従って文脈における関連項を指す。例えば、「私」は人称直示、「ここ」は空間直示、「いま」は時間直示と呼ばれる〕。

❖指標辞（指標詞） indexical

グライスは〔指標辞である〕「私」「ここ」「いま」などの語についてあまり詳しく触れていない。これらの語は、文脈によってその指示（reference〔語や身振りなど記号が対象を指すこと〕）が異なる。だが、これらの語に対する指示はそれぞれの文脈において言語的なルールによって完全に決定される〔例えば「私」が話者を指すように[05]〕。ところが、グライスは、多義的な言葉を扱うのとほぼまったく同じように、指標辞を扱っているようにみえる。つまり、指標辞を含む文で「言われていること」が文脈によって変化することを許容しているのである。真理値は「言われていること」によって決まるのだから、このような非常にありふれた発話に真理値を持たせるためには、これは必然的なことである。これは前記の図式にうまく、簡単に当てはまる。私たちは多義的な語に意味を選ぶのと同じように、純粋な指標辞が「言われていること」にどう寄与する〔意味内容を与える〕かは文脈が決定する、ということを追加してやればよいのである。

❖指示詞　demonstrative

これよりはるかに問題なのは、「これ」「それ」「彼女」「彼」などの真に指示的な語である。言葉が指示し発話が真理値を持つためには、これらの語のどれかを含む文の発話には、文脈による〔情報の〕補足が必要である。文脈による補足がどう機能するかは全く明らかではない（話し手が指し示しているのは〔言語外の〕指示対象（referent）なのか。話し手が考えていることを指し示しているのか。もし話し手が指し示していないとしたらどうなるのか。それは話し手が指示しようと意図するものなのか。それは聞き手が話し手が指示していると受け取るものなのか。それは聞き手が話し手が指示していると受け取るのが妥当であるものなのか）。[06] とはいえ、きわめて明確なのは、「私」のような完全に規則で規定されている指標辞に対しては、指示を明確にしたり提供することに関わる以上に、文脈による補足が必要であるということだ。グライスは、指示詞をめぐって、指示がどのように決定されるかを全く論じていない。ただし、彼は指示詞を含む例を実際に使用するなかで、指示詞が「言われていること」に寄与する〔意味内容を与える〕ことを明らかに前提としている。例えば、「彼はイギリス人だ。ゆえに彼は勇敢だ」（Grice 1989: 25）の文について考えてみよう。グライスはこの文を使って「規約的な含意」について説明し、イギリス人であることと勇敢であることの関連性は「言われていること」の一部ではないと主張する。そう述べているくだりで、グライスは「私は彼がイギリス人だと言った」と付随的に注記しているのだ。これは重要なことである。グライスは明らかに、「彼」のような指示詞を用いて何かを言うことについて、不可解な点は何もないと思っている。このような指示詞を発することが「言われていること」を指示するのに寄与するとグライスが理解しているのは明白だ。にもかかわらず、こういった指示詞が引き起こす難解な問題はグライス派の論者にとって論争となる点を残した。ほとんどの論者は指示詞が何らかの形で「言われていること」に寄与するはずだとするが、ケント・バック〔言語哲学〕はそれを否定している。このことは本章の後半で見ることにする。

❖完成化　Completion

他の種類の構文はさらにやっかいだ。例えば、1の発話を例にとろう。

1　Amanda is ready.　アマンダは準備ができています。

文脈が、「アマンダ」の指示として、特定のアマンダを選別することになるだろう。「いる　is」も「準備ができて　ready」も純粋な指標辞ではない。また、多義的でもない。そうすると、これまで見てきた図式では、「アマンダ」に関する指示以外に、「言われていること」に文脈が寄与する余地はない〔文法によって「言われていること」を完全な命題にできないとき、文脈によって聞き手が欠落を補完する〕。だがアマンダ以外に文脈による寄与がなければ、1は真偽判定できるようなことを言っているようには見えない（アマンダは何の準備ができているのだろうか。フルーツカクテルをもう一杯飲めるような状態にあるということなのか。

プールで泳ぐ準備ができているということか。就職の面接の準備のことか）。しかし、グライスの見解では、「言われていること」には真理値を決定する意味づけがされており、ふつう私たちは１のような文の発話を真理値を持っていると受け止めるだろう。しかも、私たちはいつもこのような文を用いている。

２　Beau is late.　ボーは遅れています。（結婚式に遅刻しているのか。ハッピーアワーに間に合わないのか。税務署の書類を送る期限が過ぎたのか）

３　Charla's had enough.　シャーラはもう十分です。（十分飲んだのか。十分食べたのか。太陽にうんざりしているのか）

１のような文の発話に対して真理値を得るには、指標辞そのものが指す何かだけではなく、さらに文脈による寄与が必要である。これらはケント・バックが「完成化」（文が曖昧でなく、指示対象が確定しても、言語的な意味が不確定な場合、文はまだ完全な命題を生み出す過程にあり、何が完全な命題かは話し手によって明示されない）のケースと呼ぶものだ（Bach 1994）。本書でもこれを「完成化」と呼ぶことにしよう。

❖拡　張　Expansion

今度は、４の文を考察してみよう。

４　Billy went to the top of the Empire State Building and jumped.
ビリーがエンパイアステートビルの屋上に行って、ジャンプしたんだ。

「ビリー」に対する指示が文脈によって固定されていると仮定するなら、グライス的な図式によれば、4の発話によって「言われていること」に、文脈がさらに寄与する方法はない。しかし、「言われていること」が単に4の言葉の意味によって決まると見なすなら、そして（伝統的なグライス派がそうするように）言葉の意味が真理値を決定すると見なすなら、ビリーがただ上下に跳ねたり、走り高跳びの練習をしたりしても、4の発話は真になる。多くの人はこれを直観に反すると考え、ふつうの文脈なら4は、ビリーがエンパイアステートビルの上から飛び降りた場合にのみ真実だと主張するだろう。この結果を得るには、グライスのやり方ではなく、文脈からさらに何らかの寄与があることを許さなくてはならない（文脈に依存する必要があるのは、「jumped」という語を使うことで「（ビルから）飛び降りた」以外の意味を伝える文脈がたくさんあるうえに、4の文が用いられている文脈なのに「（ビルから）飛び降りた」という意味を伝えない場合もあるからだ）。さらに、似たような事例はたくさんある。5の発話はグライスにとって、たとえ結婚が子どもの誕生後に執り行われていたとしても真実であろう。また6の発話は、話し手が人生で一度だけ、一〇年前に朝食を食べたことがあったとしても真実であろう。

5　Amanda and Beau got married and had children.　アマンダとボーは結婚し、子どもを持ちました。

6　I've had breakfast.　私は朝食を食べました／食べたことがあります。

これらのケースは、バックが「拡張」と呼ぶものである（Bach 1994）〔発話が（おそらく完成化の結果として）完全な命題を表現するとき、さらに別の命題がもたらされる。だが、それは話し手によって伝達されたとしても明示されないので、発話の中に存在しない何らかの概念を聞き手が読み取ろうとすること〕。本書でも「拡張」と呼ぶことにしよう。

やっかいな事態に対処する

すでに言及したように、グライスは前項で述べたようなケースを考慮していなかった。もし彼がそういったケースを考察していたら、どんなことを言ったのか、私たちには分からない。〔グライス以降〕このようなケースを検討することで、「言われていること」についての多様な見解が増え、またこれに関連する専門的な概念も急増することになった。これらの見解の相違における重要なポイントの一つは（それらの観点からの描写ではないが〔ソールの言葉でまとめると〕）、「言われていること」は発話された文と密接に結びついているはずだというグライスの見解を第一とするか、「言われていること」は真理条件の担い手であるはずだという考えを第一と見なすか、ということだった。一般的に、前者を第一と見なす見解は、後者を第一と見なす見解よりも、〔「言われていること」に対する〕文脈による変化はずっと少ないと考えられる。しかし、これ〔文脈による変化を少なく見積もること〕でもまだ過度に単純化されている。その理由は次の二つだ。(a) 理論家の中には、発話された文には表面的な形で明示されない「隠された」要素が多数含まれ、文と密接に関連した文脈による膨大な種類の変化が可能だと考える人がいる。(b) ほぼすべての理論家が様々に異なる専門用語を使用する。これらの相違の多くは私たちの議論には関係がないので、可能なかぎり避けることにする。

ここでの私の目的は、嘘とミスリードを区別するために「言われていること」についてどんな概念が必要かを探ることである。この「言われていること」の概念は、前章で到達した嘘の定義から必然的に導き出されるものである。その定義にしたがうなら、嘘は「言われていること」によって決定的に変わる。

定義「嘘をつくこと」
話し手が、言語的な思い違いやマラプロピズムの犠牲者ではなく、また隠喩（メタファー）や誇張、皮肉を用いていない場合に、(1)その話し手がPであると言い、かつ、(2)その話し手がPは誤りだと信じており、[07] (3)保証を与える文脈に自分がいると見なしている場合にかぎり、その話し手は嘘をついている。

私のこの試みは、「言われていること」（およびそれに関連する概念）をめぐる通常の試みとはまったく異なる。これはいくつかの重要な帰結を伴う。一つは、私がここで言うことが、議論の対象となる見解のどれに対しても異議を唱えるものと受け取らないでほしいということだ。それらの見解は、嘘とミスリードの区別を捉える方法として提案されたものではない。実際、序文で述べたように、「言われていること」についての様々に異なる概念が、様々に異なる目的（理論的な目的と日常的な目的の両方）のために必要とされているのではないかと私は疑っている。ある概念がある目的のために適さないからといって、その概念が別の目的のために有用でないことにはならない。もう一つの重要な帰結は、私の試みが様々な見解についての新しい分類法を必要とするということだ。私は「言われていること」についての見解が、文脈による変化をどの程度許容するかに応じて、三つの大まかなカテゴリーに分けよう。私が議論する見解は、先行研究から得た見解に実際に基づく。[08] 私がこれから行うのは、意味内容、「言われていること」、表意（字義通りの意味）、含み、断言をめぐる見解に基づく「言われていること」の諸概念を検討し、これらの見解が嘘とミスリードの区別に関してどの程度うまく機能するかを確認することだ。どれも成功しないことが確認できるだろう。

本書では様々な見解のカテゴリー化のために独自の用語法を導入してみたい。その理由は、一つには「文脈主義的 contextualist」や「極小主義的 minimalist」のような、〔専門家の間で〕より馴染みのある用語の意味が、さかんに議論されているからだ[09]。さらに、私が概念的な領域をやや斬新な方法で分類したいと考えているからでもある。「言われていること」についての、文脈主義の最も緩やかな理解から議論を始めたい。このような「言われていること」の理解を「非制約的 unconstrained」〔意味は文脈に依拠する〕な理解と呼ぶことにする。これらの理解によれば、Sという文を発話する話し手によって「言われていること」は、Sの顕示的〔明示的〕な構成要素に対応するものを何も含む必要がない。次に、「言われていること」の「制約的」〔意味は言語形式に依拠する〕な理解と私が呼ぶものを扱う。その理解とは、「言われていること」が発話された文の顕示的な構成要素に対応する諸要素を含むと見なす見解のことだ。ただし、「言われていること」は「文脈による寄与」[10]によって大幅に拡張される。最後に「言われていること」についての「厳格な austere」概念と私が呼ぶものに目を向けることにしたい。その概念によれば、「言われていること」は、文脈からはまさに極小の関与しか見積もらない[11]。

偶発的な誤り

「偶発的な誤り」という概念については、すでに本書で触れた〔第1章第7節〕。ある人が嘘をついているのかどうかを判断しようとするとき、その人が単にミスリードしただけだった場合、「嘘はついていない」と私たちは言うかもしれない。なぜなら、その人が言ったことは真実であり、その人はそれが真実だと分かっているから、というわけだ。また、別の理由で「〔ある発言が〕嘘ではない」と言うかもしれない。すなわち、彼らが言ったことは誤りであったが、彼らはそれが真実であると信じていたという理由からだ[12]。前章で述べたように、私はこれを「誤ったことを偶発的に言う」ケースと呼ぶ。ここで注意したいのは、誰かが「嘘をついた」という判断も、「嘘をついたのではなく、誤ったことをたまたま言っただけ」という判断も、「言われていること」の概念が明らかに関係しているように思える点だ。このように、「誤ったことを偶発的に言うこと」についての判断を考察することは、嘘とミスリードの区別にとって必須である「言われていること」の概念を考察するのにも役立つだろう。実際、私たちは「嘘をつくこと」「ミスリードすること」「誤ったことを偶発的に言うこと」の三者を区別する。本書では便宜上、この嘘とミスリードの区別にたびたび言及することになる。「偶発的な誤り」が関連する場合には、それについても言及したい。

2 「言われていること」の「非制約的な概念」

「言われていること」という概念がどんなものであれ、嘘とミスリードと偶発的な誤りの区別に関連して重要な事実の一つは、話し手にとってその区別は直観的に把握できるきわめて明確なものであるということだ。[13] 一般的な話し手はこれらをたやすく区別する。このことは、話し手が抱く概念がまさに直観的であることを示唆する。「言われていること」に関する最も直観的な概念は、多くの人にとっては最も緩やかで、最も文脈に沿った概念であるようだ。この考えが示唆するのは、私たちは「言われていること」についての非常に緩やかで、文脈主義的な概念を検討することから始めるべきだということである。これを念頭に、「言われていること」についての「非制約的な概念」と私が呼ぶものから検討を始める。

非制約的な概念を提唱する理論家たちは、文の発話によって伝達されうる事柄が幅広いことを重視する。「伝達されていること」は、極度に予測不可能な仕方で文脈によって大きく変動することになっている。非制約的な概念の論者たちはこの事実を公平に扱おうとする。「言われていること」についての非制約的な概念は非常に緩いため、「言われていること」がその発話された文から根本的に逸脱するのを許容する。実際、上述したように、「言われていること」は、発話された文の構成要素に対応する構成要素を含む必要すらないのだ。ハーマン・カペレン〔言語哲学、認識論〕とアーネスト・ルポア〔言語哲学、哲学的論理学〕による「言語行為多元論」（Cappelen and Lepore 2005）が論じる「言われていること」に関する見方は、こうしたものである。[14] 嘘とミスリードを区別するためには、非制約的な概念を脇へ置いて論を速やかに進めてよいと分かるだろう。嘘とミスリードを区別するには、「言われていること」をもっと文の意味と関連づける必要がある。

カペレンとルポアの「言語行為多元論」における「言われていること」の概念を実例として検証しよう。「一つのこと〔だけ〕が発話によって言われる（言明される、主張される）わけではない。むしろ、無限に多くの命題が言われ、言明され、主張され、述べられる」（Cappelen and Lepore 2005: 199）。彼らは、発話でどんな命題が語られるかを理解するための定式は与えない。その代わり、理性的な人が発話で何かが言われていると主張するならば、たとえそれが発話された言葉からかなり離れた内容であっても、それはその人が主張するとおりの命題をもつということをカペレンとルポアは許容しているようである。例えば、彼らは、Ｏ・Ｊ・シンプソン〔元アメリカンフットボール選手。元妻と友人を殺害した容疑で裁判にかけられ、刑事裁判では無罪となり、民事裁判では殺人が認定された。通称ＯＪ〕の発話「午後一一時五分に、白いシャツとヨウジヤマモトの青いスーツを着て、濃い色の靴下、ブルーノマリの靴を履いた」（196）について論じる。カペレンとルポアは、ＯＪが「言ったこと」に関する事実でありうる命題をいくつか提示している。その中には、「彼は、ちょうど午後一一時過ぎに、近隣に姿をさらすのをやめたと言った（午後一一時前に、ＯＪが裸で窓の前に立っていたのは周知の事実だという文脈で、彼はこう言った）」というものがある次の定義が有効な場合にだけ、その人は嘘をついている（Cappelen and Lepore 2005: 196）。

定義「嘘をつくこと」
話し手が、言語的な思い違いやマラプロピズムの犠牲者ではなく、また隠喩（メタファー）や誇張、皮肉を用いていない場合に、⑴その話し手がPであると言い、かつ、⑵その話し手がPは誤りだと信じており、[15] ⑶保証を与える文脈に自分がいると見なしている場合にかぎり、その話し手は嘘をついている。

先ほど述べた「非制約的な考え方」に基づくなら、どんな発話も多くのことを言っている、ということになる。だから、「非制約的な考え方」を嘘とミスリードの区別に用いると、ある人が嘘をついていると見なされるのは、その人が多くの事柄のうち一つでも誤りと知っていて、定義の残りの条件が満たされる場合だけである。この考え方だと、嘘をつくのは非常に簡単で、嘘をつかないことは非常に難しい（少なくとも、〔多くの可能な命題のうちの一つへと〕ミスリードしようとする場合は〔ほとんどが嘘になってしまう〕）。このことは、本書の最初の例を振り返ってみれば、すぐに分かる。クリントンは7を発話したとき、本当のことを言ったが、誤ったことも言ったことになる。

7　There is no improper relationship.　不適切な関係はありません。

一部の人はこれを、「クリントンは不適切な関係は一度としてなかったと言った」と報告するだろうと私たちは知っている。なぜなら実際彼らはそうしたからだ。確かにこれは、「言う」という言葉を緩く理解して、過去にあったかもしれない関係が議論されていた文脈だったと考えれば、筋が通る。カペレンとルポアに従うなら、この場合、クリントンは不適切な関係はこれまで全くなかったと言ったことになる。これを偽りのPと呼ぼう。クリントンが嘘をついたと判断するためには、彼がPは誤りだと信じていたことが必須だ。実際、彼はそう信じていたはずだ。そうすれば、項(1)と項(2)は満たされる。クリントンは保証を与える文脈に自分がいると自覚していたし、隠喩（メタファー）を用いて話していなかった。また、彼は言語的な思い違いやマラプロピズムの犠牲者でもなかった。それゆえ、定義の残りの条件は満たされている。同じことは、慎重に作られた文「昨日会った時、息子さんは幸せで元気そうでしたよ」にも当てはまるだろう。結局、年老いた女性はこの一文を「彼女は私の息子が元気だと言った」と理解し安心しただろう。それが話し手の意図することである――話し手は彼女の息子が決して元気でないことを知っているにもかかわらず。したがって、この発話もまた嘘である。もちろんアタナシオスも嘘をついたことになる。（ミスリードはしつつ）嘘をつかないように細心の注意を払うという努力は、すべて失敗に終わる。それでも、こういった（嘘をつかないようにする）努力がどんな道徳性を持つのであれ、私たちは、こういう発話をする人たちのことを嘘をついていると見なすより、むしろミスリードに成功していると考えるはずだ。

もしそうなら、「言われていること」の非制約的な概念は、私たちが嘘とミスリードの区別のために求めるものとは明白に異なる。より一般化して言えば、「言われていること」の非制約的な概念は、この区別に全く適さない。直観的に言えば、この区別に関わる「言われていること」は、言語的な意味とかなり密接に結びついた種類の概念になるだろう。非制約的な概念の提唱者たちは、嘘とミスリードの区別を論じるためにこれを提案したわけではないので、この区別には明白に不向きだということに間違いなく同意するだろう。[16]

3 「言われていること」の「制約的な概念」

続いてここでは、「言われていること」のやや厳密な概念、すなわち発話された文とより密接に結びつく概念について検討しよう。多くの論者はそのような概念を（多くの場合、より厳密な、あるいはより緩い概念の付属物として）様々な名称を与えて提案する。これらの提案された概念に共通しているのは、「言われていること」は、発話された文の構造と何らかの形で決定的に結びついていなくてはならないということだ。より具体的には、Sを発話することでPであると言うために必要な条件は、PがSのすべての顕示的な構成要素に対応する構成要素を含むことだ。比喩的に言えば、発話された文の顕示的な構造は、少なくとも「言われていること」が肉付けされる骨格を私たちに与える（発話文が骨格となる文の意味を提供し、文脈から発話内容を補強する）。これらの理論によって、以下で私が「完成化」と「拡張」と呼ぶプロセスにおいて（発話の背景や前提から「言われていること」を肉付ける）要素をさらに追加できるようになる。[17]このような概念を「言われていること」の「制約的な概念」と呼ぶことにしよう。「言われていること」の「制約的な概念」は、「言われていること」という概念として、次の諸概念のいずれかを用いる場合に私たちが辿り着くものである。すなわち、関連性理論における「表意」（Sperber and Wilson 1986/1995, および Carston 1991, 2002）、バックの「含み」（Bach 1994）、ジェフリー・キング、ジェイソン・スタンリー、ゾルターン・サボーによる「意味内容」「言われていること」（Stanley 2000, 2002, 2005, Stanley and Szabo 2002, King and Stanley 2005）、レカナティによる「言われていること」（Recanati 1989, 2001）、ロバート・ステイントンによる「言われていること」（Stainton 2006）、ケネス・テイラーによる「意味内容」（Taylor 2001）、そしてスコット・ソームズが「濃縮された命題」と呼ぶものである（Soames 2010）[18]（これらの論者の中には、自分の概念を「言われていること」と呼ぶことに強く反対する人もいるだろう。だが本書は、もっぱら嘘とミスリードの区別に必要な「言われていること」を検討するための概念を探究していることを思い出してほしい。この概念は本来は「言われていること」とは呼べない概念に基づくといえるかもしれない）。

このような「言われていること」の概念は一見すると、嘘とミスリードの区別に必要な考察をするために、かなりよい見通しを示すように見える。前節で見たように（そして疑ったように）、嘘とミスリードを区別するには、（発話で）「言われていること」がその文の意味に結びついている必要がある。先行研究には今日まで、私たちの直観が「言われていること」の概念を必要とすることを証明しようとする例が数多くある。その概念は、文によって顕示的に要求される寄与を超えた実質的な文脈による寄与（命題の補完）を認める。嘘とミスリードの区別が直観的なものであるため、このような文脈による補足を可能にする概念が必要であることは間違いない。だが、この考え方には実際上の問題があることを以下で見ていこう。

完成化

「制約的な概念」によれば、「言われていること」は、発話された文の構成要素そのものの外にある、かなり重要な文脈による寄与と関わる。文脈による寄与の一つは、すでに「完成化」（完全な命題を生み出す過程）として挙げたものである（44頁）。このようなケースで起きることに関する詳細には議論の余地がある。しかしすべての理解に共通するのは、標準的に受け入れられている指標辞（「私」「今日」など文脈で指示対象が異なるもの）を含まない文の中には、完全で真偽判定のできる命題を表現するために、文脈による補足を必要とするものがあるという考え方である。

適切な文脈を前提とすれば、制約理論は、次の文の発話はそれぞれ＊の付いた文の発話が伝えるようなことを通常は述べていると主張するだろう。あるいはこれ以外にも様々なヴァリエーションがあるだろう。

1 Amanda is ready.　アマンダは準備ができています。

1* Amanda is ready for another fruity cocktail / her job interview / a swim in the pool.
アマンダはフルーツカクテルをもう一杯飲む用意があります／就職の面接の準備ができています／プールでひと泳ぎする準備ができています。

2 Beau is late.　ボーは遅れています。

2* Beau is late for his wedding / for Happy Hour / submitting his taxes.
ボーは自分の結婚式に遅刻しています／ハッピーアワーに間に合いません／税金の申告が遅すぎます。

3 Charla's had enough.　シャーラはもう十分です[1]。

3* Charla's had enough to drink / to eat / of the sun.　シャーラはもう十分飲みました／食べました／太陽にうんざりしています。

拡張

もう一つの文脈による寄与は、すでに本章で「拡張」〔発話にない概念を聞き手が読み込むこと〕として提示した〔45頁〕。論者によって、「拡張」で何が起きているかの説明は様々である[19]。しかし、基本的な考え方は次のようなものだ。つまり、標準的に受け入れられている指標辞によって求められる以上の文脈による補足がなければ、発話は話し手による意味のなさない命題、あるいは聞き手が理解できない命題を表現することになる。意味をなし、理解される命題を得るためには、文脈の補足が必要である。例えば、次の各文のような典型的な発話は、＊付きの文の発話が伝えるようなことを通常述べうると受け取られる。

4　Billy went to the top of the Empire State Building and jumped.
ビリーがエンパイアステートビルの屋上に行って、ジャンプしたんだ。

4*　Billy went to the top of the Empire State Building and jumped off the edge of the building.
ビリーがエンパイアステートビルの屋上に行って、ビルの端から飛び降りたんだ。

5　Amanda and Beau got married and had children.　アマンダとボーは結婚し、子どもを持ちました。

5*　Amanda and Beau got married and then had children.
アマンダとボーは結婚し、それから子どもを持ちました。

6　I've had breakfast.　朝ごはんを食べました／食べたことがあります。

6*　I've had breakfast today.　今日、朝ごはんを食べました。

偶発的な誤り

この〔拡張という〕観点のためにここで検討することになる最初の問題群は、「誤ったことを偶発的に言うこと」という概念に関わる。一つの例から考え出される三つのヴァージョンによって、それらの問題を探ることにしよう。

❖ビリーとエンパイアステートビル（ヴァージョン1）

ビリーがエンパイアステートビルの屋上に行き、三度飛び跳ねているのを私が見ているところを想像してほしい。一日を終えて帰宅した私は――聞き手が私の言うことをどう解釈するかを意識せずに――、4を発話することで、自分の見たことを振り返る。

4　Billy went to the top of the Empire State Building and jumped.
　ビリーがエンパイアステートビルの屋上に行って、ジャンプしたんだ。

聞き手であるフレッドは、ビリーがビルの端から飛び降りたと私が証言していると解釈する。この証言はもちろん誤りだ。私は嘘をついたのだろうか。明らかに違う。私が故意に誤ったことを言っていないのは明白だ。では、私はたまたま誤ったことを言ったのか。これも明らかに違う。ビリーがエンパイアステートビルの屋上に行ってジャンプしたのは端的な事実だ。フレッドが、私がそれ以上のことを言っていると解釈したという事実は、この発話内容とは何の関係もない。したがって直観的には、私の発話は真実ではあったが、ミスリードする発話だった。私は嘘をついたわけでも、たまたま誤ったことを言ったわけでもない。

制約理論に従うと、4が〔*付きの文が通常伝えるような〕典型的な発話ならミスリードは生じえない。というのも、4が典型的な発話なら、それは4*と言っていると制約理論の提唱者たちは考えるからだ。私の発話を典型的な発話と見なすならば、私は何か誤ったことを言ったことになる。この見方では、私は自分が何か誤りを言っている認識がなかったので、嘘はついていないことになる。それにもかかわらず、制約理論の提唱者たちは、私が偶発的に誤ったことを言ったと主張しなければならない。

制約理論の提唱者たちはこの判断をどう阻止するのか。答えは簡単だ。私の発話は典型的ではなかったと何らかの方法で主張することである。明白にその候補となるのは、私が自分の発話を〔フレッドが理解したように〕解釈されることを意図したわけでも、期待したわけでもないという事実だ。この考え方は、「言われたこと」に対していくつかの可能な必要条件を提供し、ここで必要とされる働きをするかもしれない。

話し手の条件1……Pと言うためには、話し手はまさにそのPを伝えようと意図しなければならない。[20]

話し手の条件2……Pと言うためには、話し手はまさにそのPが伝わるのを期待しなければならない。

話し手の条件3……Pと言うためには、話し手はPの意識的な表象を持っていなければならない。

ただし、これらのいずれかが「言われていること」の必要条件として採用される場合、明白に潜在的な問題が生じる。最初に挙げた、誤ったことを偶発的に言う例の一つは、ここには全く当てはまらない。つまり、アンナがイギリスでは多くの人が服を着ずに登る〔29頁〕と言ったとは、もはや主張できない。なぜなら〔この三つの必要条件に従うなら〕彼女はそれを意図したり予測したり、意識的に表象していたわけではないからだ。

だが、この種のケースはそれほど懸念しなくてよいのかもしれない。私たちは、このようなケースに対する標準的な直観が間違っている、と単純に主張すればよい。これは、結局、言語的な思い違いを伴う変則的なケースなのだ。ここでは、言語的な思い違いを特殊なケースとして扱い、「間違った」結果を得ても気にしないのが合理的対応だろう。ただし、そうしたとしても、問題は残る。

❖ビリー（ヴァージョン2）

もう一つ、これとはやや異なる出来事を想像してほしい。私はビリーがエンパイアステートビルの屋上に行き、端まで歩いて、ビルの外に飛び降りるのを見る。私はビリーがエンパイアステートビルの上から身を投げるのをたったいま目撃したと思い、愕然として逃げ帰る。私はジンジャーにこのことを話そうとして、4を発話する。

4　Billy went to the top of the Empire State Building and jumped.
ビリーがエンパイアステートビルの屋上に行って、ジャンプしたんだ。

この発話を、私はビリーがビルの上から身を投げたという意味で言っている。そうではなかったかもしれないという考えは私には生じない。だがジンジャーは、ビリーがパフォーマンス・アーティストで、エンパイアステートビルのてっぺんで跳び跳ねるシーンを含む作品のリハーサルをしているのを知っている。しかも、ジンジャーは私がこのことを知っているものと勘違いしている。したがってジンジャーは、私が言っていることの中に、ビリーがビルから飛び降りるということが含まれるとは全く想定していない。結局のところ、ビリーの行動に関するジンジャーの推測は正しいことが判明する。

これが全部正しいなら、たとえビリーが私が思ったようにビルの上から飛び降りなかったとしても、私が言ったことは真実だったのだ。その証拠に、私は〈ビリーがリハーサルをしていたという〉真実を知った時点で、自分が誤ったことを偶然言ったのだとは考えない。むしろ、私が言ったことは真実だったと考えるだろう。しかも、私は誰もミスリードしてさえいなかった。私自身の誤った信念にもかかわらず、私が言ったことは真実であり、ミスリードではなかったのだ。

ビリーがビルの端から飛び降りたと私が言っていないとの結果を得るためには、制約理論派は、私の発話を非典型的な〔字義通りでない意味をもつ〕発話と見なす何らかの理由が必要になる。なぜなら、もしそれが典型的な発話であるならば、彼らは、私が4*の発話内容と同じことを言ったと主張しなければならないからだ。

4*　Billy went to the top of the Empire State Building and jumped off the edge of the building.
ビリーがエンパイアステートビルの屋上に行って、ビルの端から飛び降りたんだ。

4*の発話は、偶発的ではあるが、誤りであろう。しかしすでに見たように、私の発話４は直観的に真実であり、ミスリードですらない。

私の発話を非典型的な発話だと判断する理由は、本書が先程、検討した「言われていること」にとっての話し手中心の〔話し手を念頭に置く〕必要条件の一つにはなりえない。これらの必要条件はすべて満たされていた。私は、ビリーがビルの端から飛び降りたという意味で発話し、この主張を意識的に表象し、そう伝わることを予測していた。この筋書きでは、私が「これを言った」という結論を妨げる可能性のある要因は、聞き手側にある。つまり、ジンジャーは私が4*が表現することを意味しているとは受け取らなかった。さらに、ジンジャーが私が意味していたことを理解することは、彼女が予備的にもつ信念〔ビリーがパフォーマーであること〕に照らし合わせれば、合理的ではなかっただろう。「言うこと」が〔聞き手側で〕成立するための必要条件として、次が考えうる。

聞き手の条件1……ある発話がPと言うためには、その発話の聞き手は、話し手がPを意味していると理解しなければならない。
聞き手の条件2……ある発話がPと言うためには、話し手がPを意味していると理解することがその発話の聞き手にとって合理的でなければならない。
聞き手の条件3……ある発話がPと言うためには、その発話の聞き手は話し手がPを意味していると合理的に理解しなければならない［この条件は単に最初の二つを組み合わせている］。

ここまで、Pと言うためには、制約理論派にとっては話し手指向と聞き手指向の両方の必要条件が含まれなければならない理由を見てきた。そうであると仮定すると、話し手の条件1から条件3まで、そして聞き手の条件1から条件3までのどんな組み合わせでも、制約理論派にとっては問題が残ることが分かる。

❖ビリー（ヴァージョン3）

ビリーの件の三つ目のヴァージョンでも、その出来事についての私の観点は先ほどの例と全く同じだと想像してほしい。私は、ビリーがエンパイアステートビルの屋上の端から飛び降りた、と誤って信じている。私はハリーにも4を発話する。

4　Billy went to the top of the Empire State Building and jumped.
ビリーがエンパイアステートビルの屋上に行って、ジャンプしたんだ。

ところがハリーは認識の上で私と同じ立場にいるので、これを4*のような意味に取る。

4*　Billy went to the top of the Empire State Building and jumped off the edge of the building.
ビリーがエンパイアステートビルの屋上に行って、ビルの端から飛び降りたんだ。

最終的に、ハリーも私も、ビリーはパフォーマンス・アートの練習をしていただけで、ビルの端で上下に跳ねていただけだったと知ることになる。私の発話についてどのような結論を導き出せるだろうか。私には非常に明らかに思えるのだが、本書では私はたまたま誤りを言ったとは見なされないことになるだろう。その代わりに、私が言ったことは、意外な仕方ではあるが、真実だったと認識されることになる。直観的には、私の発話は真実だったが、（意図せずに）ミスリードする発話だった。

制約理論派に代わって、「言うこと」の必要条件について考察してきたが、どの条件もこの結果を回避できない。いずれにせよ、私は4*の「言われていること」を伝えようとし、それを自分自身に表象し、それが伝わることを予測している。ハリーはかなり合理的に、私が言っているのは4*で「言われていること」を意味すると考える。これまで考慮した条件はすべて満たされているのに、4*で「言われていること」を私が言ったようには思えない。この（4*の発話内容と私の発話4が合致しないという）結果を得るためには、制約理論は私の発話を非典型的なものと見なす新しい理由を見つける必要がある。

嘘をつくこと

「言われていること」の制約的な概念は、嘘とミスリードを区別するときに間違った方向に向かうこともある。このことは、言語哲学の文献に見られる古典的な事例と、これまでの議論で学んだことを考慮することで、かなり容易に知ることができる。

きわめて標準的な「拡張」の例として5を考えてみよう。[21]

5　Amanda and Beau got married and had children.　アマンダとボーは結婚し、子どもを持ちました。

制約理論の提唱者によれば、5の発話は通常は5*が表現することを伝える。

5*　Amanda and Beau got married and then had children.
　　アマンダとボーは結婚し、それから子どもを持ちました。

ここで、私がアマンダの金持ちで原理主義者である叔父に、アマンダとボーについて報告している場面を想像してもらいたい。彼はアマンダに財産を残すことを考えているが、アマンダが健全で伝統的な生活を送っている場合にかぎり、そうするつもりでいる。図らずも、アマンダとボーは非嫡出子を二人産み、後に結婚した。私は、アマンダに叔父のお金を受け取ってほしいと思っているが、彼女の叔父に嘘をつきたくない。だから私は、子どもの誕生に先立って結婚が行われたと彼が私の発話を解釈するだろうと分かっていながら、5を発話する。私の想像通り、彼はそう解釈する。

私の道徳性についてどう考えるかはさておき、直観としては、私はアマンダの叔父に嘘をつかずにミスリードすることに成功した。だが制約理論ではこの結果を得られない。それを理解するために、定義「嘘をつくこと」を思い出してほしい。

定義「嘘をつくこと」
話し手が、言語的な思い違いやマラプロピズムの犠牲者ではなく、また隠喩（メタファー）や誇張、皮肉を用いていない場合に、⑴その話し手がPであると言い、かつ、⑵その話し手がPは誤りだと信じており、[22] ⑶保証を与える文脈に自分がいると見なしている場合にかぎり、その話し手は嘘をついている。

制約理論に基づくと、私の発話5が典型的なものであるかぎり、結婚が子どもの誕生に先行する、と私は言ったことになる。それは誤りであり、かつ、私はそれが誤りだと知っているので、定義の項⑴と項⑵は満たされる。さらに、私は保証を与える文脈におり、そのことを知っている。また、私は文字通りに話しており、言語的な思い違いやマラプロピズムの犠牲者でもない〔2〕。それゆえ、私は嘘をついたことになる。しかし、これは明らかに間違った結果だと思われる。

この結果を避ける目的からすると、私の発話5は、適切な理解からすると非典型的だ、と制約理論は主張する必要があるだろう。だがこの結果はどうすれば得られるのか理解しがたい。これまで考察してきた必要条件のどれも、どうすればこの結果を得られるかを示さない。私は5*が表現する内容を念頭に発話し、アマンダの叔父は私が5*が表現することを念頭に発話していると理解しており、彼がそう理解するのは理にかなっている。私の発話を非典型的だと判断しうるような理由が、ここで検討したこと以外にないなら――そう考えられるようなことが、実際、私には思いつかない――、結婚は子どもが生まれる前だったと私が言ったことになるだろう。したがって、私は嘘をついたことになる。

つまり、「言われていること」についての制約理論は、嘘とミスリードを区別するために本書が求めているものではない。

4 「言われていること」の「厳格な概念」

まずは、「言われていること」の非常に緩い概念は、嘘とミスリードの区別に必要な働きをしてくれないことが分かった。前節では、「言われていること」の「制約的な概念」について検討した。それは、発話された文とより密接に結びついているが、それでもかなりの文脈による寄与（命題の補完）を許すものである。これらもまた、本書が望んでいたものではないことが判明した。この時点における次に取るべき一手は、発話された文にかなり緊密に結びつく「言われていること」の概念に注目することだ。このような意味での「言われていること」は「意味内容」とよく呼ばれる。もっとも、この語は制約的な概念にも使われる。本節で議論される概念は、バックの意味内容や「言われていること」に触発されたものである。すなわち、エマ・ボーグの意味内容（Borg 2004）、ソームズの意味内容（Soames 2002, 2005, 2010）、カペレンとルポアの意味内容（Cappelen and Lepore 2005）である。[23]

「発話された文と緊密に結びつく」ということは様々に解釈できる。そして、「言われていること」にも、様々な厳格な概念がある。それを検討していこう。これらの概念に共通しているのは、文脈による寄与をまさに極小に抑えることだ。したがって、これらの概念は「完成化」や「拡張」の過程が「言われていること」を決定する際に役割を果たすのを許さない。しかしこれらの概念は非常に多様である。ここではとりわけ次の三点に注意しよう。(a) これらの概念は指示詞を用いた指示をどのように扱うのか。(b) これらの概念は他の論者らが「完成化」として扱うケースをどのように扱うのか。(c) これらの概念は、「tall（高い）」（ソールは「enough　十分だ」を例に挙げる（例文3））といった、他のほとんどの論者が文脈によって変化する内容を持つと考える語をどう扱うのか。

これら厳格な概念の見解によると「完成化」と「拡張」は「言われていること」に寄与できないので、第3節で議論したすべての例について正しい決定が手に入る。ビリーとエンパイアステートビルを用いた例で私は、ビリーはビルの上に行きジャンプしたとしか言っていない。ビリーがビルの端から飛び降りたという主張は、決して「〔私の発話で〕言われていること」に当たらない。まさにこれは、すでに見たように、これらの例について直観が指し示すことだ。5の発話によってアマンダの叔父を慎重に欺いたとき、私は彼をミスリードしたが嘘はつかなかったのだ。

5　Amanda and Beau got married and had children.　アマンダとボーは結婚し、子どもを持ちました。

繰り返すが、これはまさしく直観が指し示すことである。このように、「言われていること」について厳格な概念〔文脈の補足を排除する〕を持つことで、私たちはこれらのケースについて正しい判断を下しうる。だが、この見解は、嘘とミスリードを正確に区別するために必要なものを依然として与えないことが分かるだろう。

「言われていること」についての三つの厳格な概念を検討しよう。ケント・バックの意味内容と「言われていること」、エマ・ボーグの意味内容、そしてハーマン・カペレンとアーニー・ルポアの意味内容である。本章をとおして実践してきたことを維持し、これらの概念をすべて「言われていること」と呼ぶことにする（ボーグ、カペレンとルポアは、この用法に強く反対するだろう）。

バックの意味内容と「言われていること」

第1節の「複雑な問題」の項〔42頁以降〕で私は、グライスが「拡張」と「完成化」のケースを考慮しておらず、指示詞についても詳細に論じていないと指摘した。さらに、「言われていること」についての彼の議論が、これらの問題に関して二つの異なる方向に引っぱられているようだとも述べた。もし「言われていること」が本来、発話された文と緊密に結びつくと考えうるなら、文脈による補足の余地はあまりない。しかしそうなると、むしろ直観に反する真理条件が生じることになるだろう。もし「言われていること」が本来、真理条件を担うものだと考えられるなら、他方で私たちは文脈による補足をより多く許す方に牽引されると感じるだろう。バックは断固、前者を選ぶ。

バックは部分的にグライスを引用しながら、発話する話し手によって「言われていること」は、「[発話される文]の要素、その順序、その統語論的な性質に対応しなくてはならない」(Bach 2001: 15) とする。さらに「発話の内容の要素、すなわち話し手が伝えようと意図する要素のいずれかが、発話されている文の要素に対応しない場合、それは「言われていること」の一部ではない」(Bach 2001: 15) という。「言われていること」に関するバックによる概念に基づくと、文脈は役割を持つことを許されているが、その役割は限定されている。バックにとって文脈は場所、時間、話し手などしか含まない。それは無論、話し手の意図や興味、聞き手の解釈といった、会話の参加者の心理状態に関係するものは一切含まない。ゆえに、こういった要素は「言われていること」を決定するにあたり何の役割も果たさない。

この理解に基づくと、「言われていること」とは、時として、あるいはもしかすると大抵は、完全な命題にはなりえないほど、あまりに小さなものである。

これは、1や2のような「完成化」の例で生じる。

1　Amanda is ready.　アマンダは準備ができています。

2　Beau is late.　ボーは遅れています。

指示詞が用いられるときも同様である。バックの言う限定された意味での文脈によって指示が固定されていない指標辞（「私」「それ」）は、そういった指標辞を含む文を発話する話し手による「言われていること」を理解するのに、何の寄与もしないことになる。

例えば、発話８を考察してみよう。

8　I want to eat that.　私はそれを食べたいです。

バックにとって「私」が指し示すものに疑問の余地はない。この語の指示は文脈の要素の一つ（話し手という〔「私」〕）によって完全に確定される。だが「それ」の場合は事情が異なる。特定の文脈で「それ」という語の指示対象を固定する規則はない。発話８や、あるいはどんな文でも、指示詞「それ」は「言われていること」に何も寄与しない（意味内容を与えない）。指示詞を含む文の使用はすべて、真偽判定のできる何かを言うことに失敗する。なぜなら、そのような文はみな部分的な命題を表現し、その命題が真偽判定のできる何かに到達するためには、埋めねばならない空隙（その文の命題を完成するのに必要な要素）があるからだ。

❖問　題

❈指示詞

嘘とミスリードの区別に関して、非常に重要な場の一つが法廷だ。法廷でのきわめて重要な発話の一つに、人や物の識別がある。次の文を考察してみよう。

9　That is not my blood-stained letter opener.
　それは私の血のついたペーパーナイフではありません。
10　That is the man I saw leaving the scene of the crime.
　その人は私が見た犯行現場を離れて行った男性です。

もし偽証罪法を〔真偽判定に〕大いに参考にするなら、9や10の発話は嘘に当たる可能性があるに違いない。[24]私たちは、人が9や10を発話した場合、そこで「言われていること」が真か偽かを言えなくてはならない。それができないなら、誰かが9や10を発話をすることで嘘をつくのは不可能になる。ところが、私たちが嘘とミスリードを区別する際に、バックの意味での「言われていること」を用いるなら、まさにそうした結果になってしまう。結局のところ、〔指示詞が対象を固定できず、真偽判定できる命題がないため〕話し手が言った命題は存在しないことになる。つまり、話し手が言ったことは、話し手が誤りだと見なすことと食い違うことになる。「は私の血のついたペーパーナイフではありません」という〔指示詞「それ」以外の〕発話の部分が虚偽と見なされうると示唆するのは、かなり奇妙なことのように思える。[25]

加えて、9の発話はあるときは真実を言っているが、別のときは誤ったことを言っていることになりうると考えられる。だが、バックの見解に基づくならこれは端的に不可能である。なぜならどちらも真偽判定が可能なことを言っていないので、私の正直な発話9はペーパーナイフを振り回す殺人者の不正直な発話9と、真偽に関するかぎり完全に同等である。だがそれは明らかにおかしい。

このさらなる懸念のために、例を少し変えよう。仮に殺人犯が実は三〇年前に友人からペーパーナイフを借りていて、それを返せなかったとする。厳密に言うと、それは彼のペーパーナイフではなかった。だが文脈からして「それは私のペーパーナイフではありません」と彼が言うのは、まさにミスリードである。ところが直観としては、そのような発話は嘘ではないだろうし、実際には真実だろう。とはいえ、「あのペーパーナイフは見たことがありません」と言うのは嘘であり、かつ誤りであろう。バックの見解に基づく見方では、両方の発話が全く同じ真理値をもつことになる。つまりどちらも真ではない。明らかにこれらの発話には異なる真理値を割り当てたいのに、それができなくなってしまうのだ。

❖完成化

「完成化」のケースに関しても、バックの見解は直観に反する結果を一定程度もたらす。バックはこうしたケースではどんな場合も真偽判定できることは言われていないと見なすのを、思い出してほしい。直観としては、もし「完成化」が必要な文によって嘘をつけるならば、バックの見解は嘘についての私たちの直観を乱す。そうであることを例示しよう。

この問題を理解するために、クリントンによる文７の発話を再考しよう。

7　There is no improper relationship.　不適切な関係はありません。

直観としては、クリントンは慎重に言葉を選び、真実ではあるが、ミスリードする発話をした。だが、いまなら７には「完成化」が必要だと分かる。というのも、この発話は何らかの仕方で〔情報を〕補足されないかぎり、特定の「不適切な関係」を指し示さないからだ。バックによれば、７は真偽判定できることを何も言っていないことになる。もし私たちが嘘とミスリードを区別するために、「言われていること」に関するバックの概念を採用すると、クリントンが誤りと信じる命題は何も言われていないので、クリントンはそもそも発話7で嘘をつきようがなかった。[26] そして同じことが発話7*にも当てはまる。

7* There was no improper relationship. 不適切な関係はありませんでした。

もし7*が正しいなら、クリントンは言葉を慎重に選択する必要などなかった。どちらの発話も、真偽に関わるかぎり、完全に対等である。つまりどちらも真理値は一切ない。ただし、クリントンが慎重に言葉を選んだ発話7は、7*の過去形での否定による発話よりも真実味が薄いと主張するのは、間違いとしか言えないだろう。[27]

指示詞と「完成化」のケースを見ることで、バックの「言われていること」は、嘘とミスリードを区別するために本書が求める「言われていること」の役割を果たすものではないということが、十分示された。

ボーグの意味内容

意味内容に関するエマ・ボーグの考え方は、「言われていること」(ボーグはこの用語を用いないだろうが)のヴァージョンの一つを提供する。それはさほど厳格ではないため、嘘とミスリードの区別に必要だと思われるものにはるかに近い。ボーグとバックの見解の重要な相違は、(a)ボーグは「完成化」のケースに含まれる文が文脈による補足なしに、完成化された命題の意味を表現すると捉える点、および、(b)ボーグは指示詞が「言われていること」(ボーグの言い方では「意味内容」)の一部であると認める点である。

ボーグは、１や３のような、他の論者が完成化を必要とすると考える文に対して、完成化が必要ないと主張する。

１　Amanda is ready.　アマンダは準備ができています。

３　Charla's had enough.　シャーラはもう十分です。

反対にボーグの主張によると、これらは命題として完成されていて、存在する何かについて一般化された命題の意味を表現している。つまり、１はアマンダが何かの準備ができているという命題を表現し、３はシャーラが何かにもう十分であるという命題を表すということだ。その場合、これらの文の発話は真である可能性が非常に高い。

法廷での指示詞を用いた発話の扱い方では、バックに比べ、ボーグははるかに優れている。９や10を発話する話し手は、真実もしくは虚偽を〔私たちの用語法では〕言う〔本節で「言う」の代わりに「表現する」が使われている〕かもしれないのだ。

９　That is not my blood-stained letter opener.
　　それは私の血のついたペーパーナイフではありません。

10　That is the man I saw leaving the scene of the crime.
　　その人は私が見た犯行現場を離れて行った男です。

「言われていること」についてのこの概念を用いれば、９や10のような文を発話することで嘘をつくことが可能になる。これは本書が求める結果である。[28]

❖問　題

だが、意味内容についてのボーグの見解は、嘘とミスリードの区別において「言われていること」のもつ役割に関し、すべてが魅力的な候補というわけではない。[29]

❖ “完成化”

問題の一つは、これまで「完成化」と呼んできたものを必要とする文に関わる。もう一度クリントンの発話7を考えることで、この問題を理解することができる。

7　There is no improper relationship.　不適切な関係はありません。

直観によれば、7は慎重に言葉が選ばれた否認である。真実を言うが、ミスリードしている。そして、直観的には、この努力は成功した。すなわち、クリントンは真実を言ったが、ミスリードしたのだ。ただ、私たちが嘘とミスリードを区別する上で、「言われていること」のもつ役割に、ボーグの「意味内容」を採用すると、これは正しいとは言えない。なぜなら7が言っていることは、不適切な関係がどこにも全く存在しないという否認になるからだ。7は確実に、そして明白に誤りだ。その場合、クリントンは真実を言うことに成功しなかった（つまり、クリントンはおそらく、あらゆる場合のあらゆる不適切な関係の存在を自分が否認していると捉えていなかったので、意図的に誤ったことを言ったのではない。よって、嘘をついたのではない）。だが、これは間違っているようにみえる。

カペレンとルポアの意味内容

ハーマン・カペレンとアーニー・ルポアは、指示詞の指示対象が意味内容を与える点で、エマ・ボーグに同意する。ここまではいい。というのも、もしカペレンとルポアの意味内容に基づいて「言われていること」について考えるなら、指示詞を用いて嘘をつくことが可能だという直観を得られるからだ。また彼らは、〝完成化〟と呼ばれるケースが実際には「完成化」を必要とせず、「tall（高い）」〔本書では「enough（十分だ）」〕のような表現を含む文が、文脈によって変化しない完全な命題の意味を表現することにも同意する。だが、彼らは〝完成化〟のケースについては同意しない。ボーグにとっては、これまで見てきたように、3はシャーラがもう十分に得た何か〔対象〕がある場合にかぎり、真である。

3　Charla's had enough.　シャーラはもう十分です。

カペレンとルポアにとって、3はシャーラがもう十分に得た場合にかぎり、真である。カペレンとルポアは、ボーグに同意すると同時に、バックに反対しつつ、3はそれ自体で完全な命題を表現すると主張する。しかしボーグが、3がどのような完全命題を表現していると見なしているかは容易に理解できるのに対し、〔カペレンとルポアの〕「シャーラはもう十分だということ」が示す完全な命題が何なのかは、やや分かりにくい。

それにもかかわらず、その分かりにくさとは裏腹に、意味内容についてのカペレンとルポアの見解が、嘘とミスリードの区別のために「言われていること」の役割を果たしてくれないことは、よく分かる。

❖問　題

多くの人は（私も含めて）「シャーラはもう十分だということ」[3]が、完全で真偽判定できる命題であるという考え方はいささか分かりにくいと感じる。この命題がいつ真あるいは偽になるかは全く明らかではない。だが非常に明確なのは、「十分だ　enough」[4]の内容には文脈による変化がないこと、そして「十分だ」を補足する追加要素はないことである。このことは、意味内容という概念が嘘とミスリードを区別するのに必要な作業に向かないことを示すのに十分である。

❖「完成化」

再び、クリントンの発話7に戻ろう。

7　There is no improper relationship.　不適切な関係はありません。

直観的には、すでに述べたように、クリントンはミスリードしつつ真実を言うのに成功した。だがもし彼が動詞の過去時制を使っていたら、嘘をついたことになっただろう。ところで、これと同じ事実は常に真実になるが、例外として、同僚のジェーン・スミスと自分が不倫中かどうかについて話しているジョー・ブロッグスによって、7が発話された場合について想像してみよう（実際、彼は不倫している）。直観からすると、ジョーが7を発話したときに言ったことは誤りであり、彼は嘘をついた。だがもしカペレンとルポアの意味内容を「言われていること」の概念として用いると、7はクリントンとジョーのどちらの文脈においても全く同じことを言っており、したがって必然的に全く同じ真理値を持つことになる。もし7がジョーの文脈で誤ったことを言っているなら、クリントンの文脈でも誤ったことを言っている。この場合、クリントンに関する私たちの直観が間違っていることになる。つまり、クリントンはミスリードしつつ真実を言うのに失敗したことになる。仮に7がクリントンの文脈で真実を言っているなら、7はブロッグスの文脈でも真実を言っている。ところで、たとえブロッグスが真実を言っているとしても、彼は嘘をついていると依然として見なされるかもしれない――彼は自分が誤ったことを言っていると思っていたからである。もしそうなら、意味〔内容〕を多少とも理解していれば、ブロッグスは嘘をつくのを避けられただろう。つまり、彼が自分の言っていることを理解していたら、それは真実で、ただミスリードしているだけだと気づき、嘘をつく必要がないと分かったはずだ。しかしこれもまたかなり間違っているようにみえる。[30]

だからカペレンとルポアの意味内容は、本書が求める「言われていること」の役割を果たすものではないのだ。

統語的な省略――「言われていること」の「厳格な概念」にとっての問題を最小化する

このように、嘘とミスリードと偶発的な誤りの区別にとって、「言われていること」の「厳格な概念」は、最初にそう思えたほどには、全く期待できないわけではない。「統語的な省略 syntactic ellipsis」を認識することは、いくつかの問題となるケースを解決するのに役立つ。統語的な省略は本来、具体例で明示するのが最も分かりやすいが、ロバート・ステイントンから引用して、この概念の一般的な説明を見てみよう（Stainton 2006: 97–98）。

ある言語表現 r が文法的に省略されているのは、当の言語には別の言語表現 r' が存在し、r' は r よりも長い音韻形式（phonological form）を持ち、r' は正確に r と同一の文脈不変的な〔文脈の影響を受けない）内容を持つ場合であり、かつその場合にかぎる。……統語的な省略では、音声は型（タイプ）（われわれはこれを「より長い」音韻形式の存在から得る）に付随する内容と突き合わせて短縮される。それにもかかわらず、その短縮化された音声が何らかの形で「より長い」メッセージ（これが共有された不変的な内容によって提供されるものである）を言語的に符号化するので、聞き手は完全なメッセージを復元することができる。

統語的な省略の例を示すにあたり、誰からも異論のない例から始めよう。

13　Has Bill gone?　ビルは行ってしまった？

14　Yes, he has.　うん、彼は〔…〕してしまったよ。

14は一般に14Eの代わりとなる統語的な省略だと受け取られるだろう。

14E　Yes, he has gone.　うん、彼は行ってしまったよ。

14Eの構成要素は、その直前にある言語的な文脈（13）で明示されている。その結果として、14は統語的な水準では実際には、13の一部である。[5]「厳格な概念」論者でも、このような主張を受け入れられるし、こういった構成要素が意味内容（本書の用語では「言われていること」）の一部であるかもしれないということも受け入れられるだろう。

❖統語的な省略と「完成化」

7の発話が〔返答で省略される要素が、14の例のように、直前の文で明示されるような〕相応しい言語的な文脈でなされるなら、それはこれまで想定してきた以上のことを言う〔意味内容を表現する〕かもしれない。

7　There is no improper relationship.　不適切な関係はありません。

そのことを踏まえて、クリントンの発話7に関して二つの想定しうる文脈を検討しよう。

❖インタヴュー

第一の文脈では、このクリントンの発話がインタヴューでなされる場合である。インタヴュアーが「これまでにあなたとルウィンスキーさんとの間に不適切な関係はありましたか」と質問し、クリントンは7と答える。

7　There is no improper relationship.　不適切な関係はありません。

この場合、この発話に先行する統語的な省略を可能にする言語的な要素が存在する。7が7Eの統語的な省略だと主張するのは完璧にもっともらしく聞こえる。

7E　There is no improper relationship between me and Miss Lewinsky.
私とルウィンスキーさんとの間に不適切な関係はありません。

これによって、「厳格な概念」論者は、クリントンは7Eが言うことを7で言ったので、彼の発話7は真実だと主張できるようになる（誰かとの、どこかでの、何らかの不適切な関係があることによって偽りとされるのではなく）。真実を言いつつミスリードするクリントンの努力が実ったわけだ。

❋怒鳴ること

〔第二の文脈では〕クリントンは特定の質問を受けていない。その代わり、彼はホワイトハウスのドアを開け、群がる記者に向かって「There is no improper relationship! 不適切な関係はない！」と叫ぶ。この文脈では、先行する言語的な要素がないため、特定の関係を指定して、7を完成できない。したがってこの文脈では、クリントンの発話は特定の関係を指定することを何も言っていない。直観に反するどのようなことが言われているかは、すでに見たように、理論によって異なる。前出のインタヴューのケースなら、これはほぼ問題にならないだろう。実際、文の背景に明確な言語的な文脈——統語的な省略という筋書きを支える種類の文脈——がなければ、クリントンが真実を言いつつミスリードしたかどうかについての直観は全く明瞭には働かないのではないかと思う。そこには特定の関係を確定する言語的な文脈が、指示されたものとして、存在しないのだ。

❖統語的な省略の限界

統語的な省略は、少なくとも私が説明したかぎり、限定的な解決策である。それは確かに厳格な概念論が「完成化」のケースで妥当な判断を下すのに役立つ。嘘とミスリードを区別するためには、統語的な省略ができない完成化のケースでは、直観的には役に立たないと思われる。

だがさらに問題なのは、「インタヴュー」と「怒鳴ること」の中間にあるような完成化のケースである。「怒鳴ること」の重要な特徴は、言語的であれそれ以外であれ、クリントンの怒号にとって想定できる文脈がほぼないことだ。そこで今度は病室を想像してほしい。デイヴはベッドに横たわり、二人の看護師が彼に必要な治療について話し合っている。エドは心臓病の薬の瓶を掲げ、それを指差し、15を発話する。

15　Has Dave had enough?　デイヴはもう十分ですか。

フレッドは16で答える。

16　Dave's had enough.　デイヴはもう十分です。

実のところ、フレッドはデイヴを憎んでいて、彼が死んでほしいと思っており、彼に必要な心臓病の薬の投与を否定することで、これを実現しようと計画している。フレッドが16を発話したとき、彼は16*を意味したが、それが誤りだと彼は分かっていた。

16*　Dave's had enough heart medicine.　デイヴは心臓病の薬を十分飲みました。

直観的に、フレッドの発話16は嘘である。だが、フレッドの発話16が誤ったことを言うために必要なこの発話に先立つ言語的な要素は、存在しない。私たちが見てきたような統語的な省略は役に立たない。

最後に、はっきりした嘘であるが扱うのが難しいケースを提示するロバート・ステイントンの見解を見てみよう（Stainton 2006: 58）。中古車販売員が、車の走行距離計を指差しながら、顧客と会話をし始め、17を発話する。

17　Driven only 10,000 kilometers.　一万キロしか走っていません。

販売員は車が実際には一一万キロ走行したこと、そして最初の一〇万キロの走行後に走行距離計がリセットされたことを知っている。ステイントンは、販売員が明らかに嘘をついていると適切な指摘をする。だが、この文の直前に先行する言語的な文脈がなく、統語的な省略のための要素は与えられない。

❖統語的な省略のより広い理解

ジェイソン・スタンリーは統語的な省略の理解をはるかに広げる（Stanley 2000）。統語的な省略は先行する文脈で明示された言語的な要素を用いる必要はない、と彼は主張する。彼にとって「顕著さ salient」〔それが意味内容だと聞き手が受け取るほど、文脈や状況の中で目立つこと〕があれば十分であり、統語的な省略は、先行する言語的な要素が全くない場合でも起こりうる。スタンリーは、ある友人グループがバンジージャンプをしていて、ジョン以外の全員がすでにジャンプしたケースを考察する。ジョンが高所恐怖症だと知っているので、サラは18を発話する。

18　John won't.　ジョンはしないよ。

スタンリーは、この文脈は「バンジージャンプ」と表現することを「顕著さ」にまで引き上げるのに十分で、その結果、18は18*に代わる統語的な省略となると主張する。

18* John won't bungee-jump.　ジョンはバンジージャンプをしないよ。

これが正しいなら、エドが心臓病の薬の瓶を指差すことは、「心臓病の薬」を「顕著さ」に引き上げ〔そこに聞き手の注意が受動的に引きつけられる〕、それによって次の例では16を16*に代わる統語的な省略にするのに確かに十分である。

16 Dave's had enough.　デイヴはもう十分です。
16* Dave's had enough heart medicine.　デイヴは心臓病の薬を十分飲みました。

このような見方をすれば、フレッドが16を発話したときに嘘をついたという直観を支持することができそうである。

レイナルド・エルガルドとステイントンは、統語的な省略に対するこの見解を支持できない理由を説得力をもって示した〔Elugardo and Stainton 2004: 458–459〕。問題は、統語的な省略が可能となるには、特定の表現が顕著さを高める〔注意を引きつける〕必要があるということである。そして見かけとは異なり、スタンリーの例でも私の例でもこの点が当てはまらない。このことを考えるために、まずスタンリーに目を向けよう。はたして18を18**や18***ではなく、18*の省略と解釈しなければならない理由があるのだろうか。

18 John won't. ジョンはしないよ。
18* John won't bungee-jump. ジョンはバンジージャンプをしないよ。
18** John won't jump. ジョンはジャンプをしないよ。
18*** John won't do it. ジョンはそれをしないよ。

先行する発話に「バンジージャンプ」という語がなければ、18*が18**や18***よりふさわしい理由は全くない。統語的な省略は特定の表現を必要とするので、先行する言語的な発話がなければ、実際には機能することができない。

同様に、私の殺人看護師の例では、16が16**ではなく16*に代わる統語的な省略だと主張する理由は全くない。

16 Dave's had enough. デイヴはもう十分です。
16* Dave's had enough heart medicine. デイヴは心臓病の薬を十分飲みました。
16** Dave's had enough of that. デイヴはそれを十分摂取しました。

ステイントンの17でも同じである。

17 Driven only 10,000 kilometers. 一万キロしか走っていません。

17は17*や17**に対する省略になる可能性があるだろう。

17* This car was driven for only 10,000 kilometers.　この車は一万キロしか走っていませんでした。

17** This one was driven for only 10,000 kilometers.　こちらは一万キロしか走っていませんでした。

したがって、これらのケースの説明として、統語的な省略は実際には利用できないように思われる。

それでは、本書の立場はどこにあるのだろうか。これまで議論してきた三つのカテゴリーのどれかに当てはまる概念では、嘘とミスリードを区別する目的においては、「言われていること」の役割を果たせないことを見てきた。「言われていること」についての非制約的な概念では端的にこれを区別できない。制約的な概念は、二、三例をあげれば、単にミスリードする人に嘘つきの烙印を押したり、真実を「偶発的な誤り」に分類したり、まさに直観に反する判断をもたらす（これらの事例はすべて「拡張」に関係している）。「厳格な概念」ではさまざまな欠陥に悩まされる。嘘つきが嘘つきと見なされなかったり、真実を言いつつミスリードしようとして回りくどい言い方をする者が、明らかに誤ったことを言っていたことになったり、あるいは全く何も言っていないことになってしまう。統語的な省略という可能性を認め、真摯に検討したとしても、こういった問題は残されたままである。先行研究における「言われていること」の概念（や他の関連する概念）はすべて、これらの三つのカテゴリーに当てはまるように思われるし、嘘とミスリードの区別は、本書が少なくとも保持しようと試みるべきテーマだが、以上のことから分かるのは、先行研究には重大な欠落があるということである。次の章では、嘘とミスリードを区別するために、「言われていること」の概念としてどのようなものが必要とされているのかを考察しよう。

第3章　「言われていること」とは何か

ここまで、現在の言語哲学の先行研究が提示する「言うこと」（またはそれに関連する概念）に関する諸見解を用いても、嘘とミスリードを区別するためになすべき作業ができないことを見てきた。本書の要求を満たす「言うこと」の概念を見つける論理的な第一歩は、これまで見てきた概念の何が間違っていたのかを問うことである。それに対する不十分で無益な答えは、それらの概念が嘘とミスリードの区別を念頭に定式化されなかったからだ、というものだ。しかし、それらが何をするために定式化されたのかを見れば、もう少し有益な答えが得られる。それがこの章の前半の課題だ。その次の課題として、それらの問題を回避する「言われていること」の説明へと移ろう。

1　問題の分析

非制約的な概念

まず「言うこと」についての「非制約的な概念」から始めよう。カペレンとルポアは、彼らの「言語行為多元論」の背後にある方法論は、「話し手が言う、言明する、主張する等々についての私たちの非論理的な信念や直観を（あえてそうしないというきわめて強い動機が与えられていないかぎり）額面通りの価値で受け止める」ことだと書いている（Cappelen and Lepore 2005: 191）。「言う」という言葉にはきわめて広い用法があるだけでなく、嘘とミスリードの区別に関しては、さらに厳密な用法があるのは疑いようのない事実である。そのため、これらの用法をすべて「言う」の用法として単純に分類する概念は、嘘とミスリードの区別に関しては、間違った方向に進むことになる。これまで見てきたように、この区別は「言うこと」の概念の厳密さにかかっている。この区別を正しく行うには、広範な概念を除外した「言うこと」の概念が必要である。「言うこと」についての「非制約的な概念」では、ミスリードの事例はほとんどすべて嘘と見なされることが分かった。これを理解するには、話し手が意図的にPだと考えるよう聞き手をミスリードする場合はいつでも、（「言う」の広い用法を使って）その話し手はPと言っていると表現するのが妥当であることに注意すれば十分だ。もしPが誤りで、話し手がそのことを知っているなら、この発話は嘘と見なされる。これは（例えば）前章で見たように、クリントンは1の発話をしたとき、ミスリードしたというよりも嘘をついたのだということを意味する。

「言うこと」についての制約的な概念

「言うこと」についての（私が呼ぶところの）「制約的な概念」は、背景にある様々な関心事から生まれ、コミュニケーションの本質に関するそれぞれにかなり異なる見通しの一部を形成する。だが、それらの見通しはすべて、かなり巧妙なミスリードの事例を考察すると不具合が見えてくる。

❖レカナティの「言われていること」と「関連性理論　Relevance Theory」の表意

「言われていること」や「表意　explicature」といった概念は、関連性理論の論者が心理的な現実を捉えようとする努力の中で生まれた。すなわち、言葉が話され、発話が処理されるあいだに、実際に聞き手の（ときには話し手の）頭の中で何が起こっているのかを彼らは理解しようとする。もし聞き手によって意識的に何かが表象されていなければ（そして、時には話し手によって表象されていなければ――表象されない理由は様々である）、それは言われていない、つまり意味が明示されていないことになる。このことは、これらの考え方が嘘とミスリードを区別するのに不向きである理由ともいえよう。なんといっても、慎重に（言葉を選び、嘘にならないよう）真実を言いつつミスリードする場合の優れた点の一つは、円滑にそして自動的にそれが行われる点だ。聞き手は、話し手が言った命題を自分自身の中で十分明示的に表象していない可能性がある。聞き手は、多くの場合、かなり後になって思い起こすときに（仮に思い起こすとして）、話し手が嘘とミスリードの区別に関連する意味で、実際は何を言ったかに気づく。例えば、1のクリントンの発話を考えてみよう。

1　There is no improper relationship.　不適切な関係はありません。

聞き手を欺こうとするクリントンの策略は、もし聞き手が（クリントンによって）「言われていること」は不適切な関係がないという現在時制の命題だと意識的に表象し、後になって（関係を持ったことがないという）全面的な否認だと推論するなら、完全に失敗に終わるだろう。聞き手が、クリントンは現在時制において不適切な関係だけを否定した（「いまは関係がない」）と気づけばすぐに、彼のミスリードの試みは失敗する。聞き手がこの（現在時制の）命題を、クリントンの言ったこと（現在の関係のみの否定）として意識的に表象しない場合にかぎって、ミスリードは成功する。ただし、聞き手がそう表象せずとも、これは事実、クリントンが言ったことだ。このケースのように、慎重に構築されたミスリードを理解するためには、（ある文が話し手によって）言われていても、聞き手によっては意識的に表象されないという命題を考慮に入れる必要がある。

❖ケント・バックの含意

バックにとって「会話の含意」は意味されていなくてはならない。含意とは、話し手が明示的には言わないが、何かを意味するということだ。しかし、嘘とミスリードを区別するのに必要な「言うこと」の概念は、少なくとも標準的に理解されるようなものとしては、意味されることを必要とするものではありえない。通常の理解では、話し手が何かを意味する場合、その人はそれを聞き手に伝える意図（少なくとも、そのつもり）がなければならない。そうでなければ、話し手は何かを意味できず、聞き手がその何かを理解することを期待も意図もできない。バックは確かにこのような概念を前提にする。[01] 大多数のケースでは、慎重に巧妙にミスリードする人の言うことは、自分が言うこと（字義通りのこと）を意味していない。そのような人たちは、聞き手が解釈の一要素をなす「言われていること（字義通りのこと）」を見いだすことを意図しない。むしろ彼らが意図するのは、聞き手になるべく「言われていること」について検討させずに、「言われたこと（字義通りのこと）」とは異なることを信じるようミスリードすることだ。自分の技量に自信があるならば、彼らはこうなることを期待する。だから、私たちが必要とする概念は、話し手の意味することの一部ではありえない。

❖ジェイソン・スタンリーの意味内容と「言われていること」

スタンリーは「発話によって表現されていると聞き手が直観的に信じる命題の構成要素はすべて、発話された文の要素に価値を割り当て、それら要素を文構造と一致するよう組み合わせた結果である」（Stanley 2002: 149）、それゆえ命題の構成要素は意味内容の一部である、と考える。聞き手が何を理解しているかについての考察は、「言われていること」を解明するためのスタンリーの方法の重要な部分である。ここでもまた、嘘とミスリードの区別にとってなぜ問題が生じるのかをすぐに見てとることができる。巧みにミスリードする話し手は、自分が言うことを聞き手に気づかせないことに成功する（クリントンのミスリードが成功した時点で、聞き手は彼が不適切な関係を現在時制で（いまはないと）否定したとは思わなかった。聞き手は、彼が不適切な関係を時制とは無関係に否定したと思ったのである）。

このようにして、「制約的な概念」は話し手が何を意味し、聞き手が何を理解するかに焦点を当てるため、嘘とミスリードの区別を捉えることができない。巧みにミスリードする話し手のケースを考えると、「制約的な概念」は嘘とミスリードの区別に有効ではないと判明する。

厳格な概念

「厳格な概念」は、嘘とミスリードの区別にとって、ある点で最初は期待できそうに見えた、（制約的な概念の）心理に焦点を合わせる立場とは、いわば距離をとっている。厳格な概念は、「言われていること」が誰かによって意味されたり、あるいは意識的に表象されることを必要としないため、巧妙なミスリードのケースで制約的な概念が直面する問題を避けることができる。厳格な概念の諸理論は、「言われていること」への文脈の関与は実に極小であると主張し、そのほとんどが「言われていること」を決定する上での話し手の意図の役割を否定する。しかし、「言われていること」を決定する上で、話し手の意図にいかなる役割も認めない理論では、私たちが検討してきた多くのケースにおいて、説得力のある判断を下すのは不可能であることも明らかになった。

私たちが見てきた問題のうち最も際立つケースは、指示詞だった（第2章第4節）。「言われていること」に関するバックの理解では、指示詞を含む文が発話されるときに、真偽判定できることは何も言われない〔第2章の発話9と10〕。この理解を用いて、嘘とミスリードの区別をすると、明らかに間違った結果になる。これは、嘘をつく能力と真実を話す能力の両方に対して、直観に大きく反する結果をもたらすのだ。バックの「言われていること」は嘘とミスリードの区別にとって必要なものではありえない。

ボーグは、意味内容の決定要因として話し手の意図を除外する点でバックに同意するが、意味内容は依然として指示詞のための指示対象を含みうると主張する〔第2章第4節の「ボーグの意味内容」72頁〕。このような考え方がどのように機能するかは、実際には推測のしようもない。だが、この考え方によって嘘とミスリードの区別を捉えるようになると、バックの説は確かに改良される。それにもかかわらず、ボーグの見解では、〔殺人看護師フレッドのような〕完成化の問題をやはり解決できない。

カペレンとルポアは話者の意図に役割を与えることに反対はしない〔第2章第4節の「カペレンとルポアの意味内容」75頁〕。これによって、彼らは指示詞の指示対象を得るための明晰な方法を使用可能にする。だが彼らの見解は、文脈が意味内容にもたらす変化に関して、かなり限定的である。これは、すでに見てきたように、彼らの意味内容の概念では、嘘とミスリードを区別する目的のためには「言うこと」が役割を果たせないことを意味する。

緩和された厳格さ——「完成化」と「拡張」を区別することの重要性

制約的な概念および非制約的な概念の説明は、どちらも「言われていること」への文脈による関与を過大に認めていた。しかし、厳格な概念の説明は、文脈による関与をあまりに過小にしか認めない。本書が必要とするのは、第2章で見たように、大抵は「言うこと」の厳格な概念ではあるが、ただし指示詞が「言われていること」に指示対象を提供し、少なくとも一定の「完成化」のケースでは文脈による補足〔命題の欠落を補完〕を認めるような概念である。

嘘とミスリードの区別に必要な「言うこと」の概念に関して特筆すべきは、それが「拡張」（発話にない概念を聞き手が読み込むこと）を拒絶しつつ、完成化を受け入れるものでなくてはならないと考えられることだ。私たちが制約的な概念の説明をすべて否定できたのは、それらがみな拡張を許容していたからである。エンパイアステートビルでのビリーの例や、アマンダの叔父を私が慎重にミスリードする例は、嘘とミスリードの区別に必要な「言うこと」の概念が、拡張を許容しないことをまさに明確にする。しかし、その後に挙げた例（「ボーは遅れています」など）は、私たちが完成化を認める必要があることを明示している。

拡張と完成化は通常、一緒に扱われるため、両者の間にあるはっきりした直観的な違いを認識するのに私はかなりの時間を要した。片方を受け入れる論者はもう片方も受け入れる傾向がある。すでに述べたように私の考えからすると、これは制約的な概念を支持する論者が、かなり心理を重視することを示す。彼らは話し手が何を意味するのか、聞き手が何を理解するのか、あるいは何が伝達されるのかに関心がある。そして、（私が定義した）完成化と拡張の両方がこれらのすべてに関わることは確かな事実である。これらのいずれかを「言われていること」という名で呼ぶならば（いずれもこれまでに何度かこう呼ばれてきた）、完成化と拡張の両方が、「言われていること」の決定に関わることになる。さらに言えば、完成化と拡張は、それぞれ発話された文のどんな明示的な要素によっても求められないにもかかわらず、文脈によって要素が与えられる興味深い例を提供することがよくある。しかし、嘘とミスリードの区別のために必要な「言うこと」の概念にいったん目を向けると、事態は変わってくる。

では、このような種類の「言うこと」の概念をどう捉えればよいのか。結論から言うと方法は一つだけではない（私がここで概略的に述べた以外の概念がほかにもあるかもしれない）。大まかに言うと、私がこれから行うのは、想定される「文脈による寄与」（命題の補完）が（実際に）「言われていること」の一部であるための必要条件を提示することだ。その方法としてまず、「制約的な概念」をどのように説明すれば、文の特定の発話によって、文脈による寄与が「言われていること」として仮定されるのかを、問うところから始めたい。次に、嘘とミスリードの区別を捉えるために、「言われていること」の一部を成さない文脈による寄与を除外しよう。こうすることで、嘘とミスリードを区別する目的のために、「言われていること」を適切に理解する上での一定の制約を捉えたい。

2 文脈による寄与をどこまで許容するか

真偽判定にとっての必要最小限の要件

「拡張」ではなく「完成化」を許容するための分かりやすい方法は、「言われていること」が真偽判定できるようになるために必要な「文脈による補足」を認めるしかない。文脈による必要な補足を認めれば、ある文の中の発話によって想定される文脈による寄与を、「言われていること」へと作り変えるための必要条件が与えられる。

「言われていること」に対して想定される文脈による寄与が、「言われていること」の一部となるのは、文脈によって与えられる要素がなければ、ある文における発話が真偽判定できる何かを言うことにならない場合のみである。

しかしこの基準は、いま取り組んでいる作業に適さない定式化である。これは、「言うこと」〔意味すること〕という概念を「言われていること」〔意味〕を決定するための基準の一部として使用する。「言われていること」の要素として想定される何かが、実際に「言われていること」の一部であるかどうかを知るためには、その要素なしで発話が何を言っているのかが理解できなくてはならないだろう。だが、どのようにしてそれを知ることができるのだろうか。おそらく、上記の基準に照らし合わせて、それぞれの文脈による寄与を一つ一つ調べねばならなくなる。そうなると、この基準は解決困難な堂々めぐりに陥ることになる。

これを避けるためには、この基準に別の概念を使わねばならない。興味深いことに、これらの問題の議論にこれほど多くの意見の不一致がある一方で、どのように意味内容を定義するかについては、驚くほど合意が得られている。ケント・バック、ロビン・カーストン、ジェフリー・キング、ジェイソン・スタンリーは意外にも似た方法で意味内容を定義する。これは驚くべきことである。なぜなら、これらの論者は、意味内容に実際に何が含まれるのかについて全く異なる見解を持つからだ。スタンリーとキングは、かなり広範囲にわたる文脈による寄与が意味内容に含まれ、その寄与は拡張と完成化に由来すると考える。バックとカーストンは、意味内容がこの上なく極小で、文脈による寄与をほぼ含まず、（あるとしても）ほとんど真偽判定できる命題になることはないと考える。だが、意味内容の実際の定義は、彼らの間でそれほど劇的に違わない。ここで彼らの定義を二つ実例として紹介しよう。

> 文脈における文の意味内容とは、「文脈に関連する［ある表現の］構成語がもつ指示内容どうしを、その表現の統語構造に対応する意味組成の規則に従って組み合わせた結果」である。（King and Stanley 2005: 116）

> 文脈における文の意味内容とは、その文脈において「言われていること」である。その「言われていること」は、「［その］文脈と関連する……統語関係の機能として、文の構成素（「要素」）からなる意味内容によって、その意味組成が決定される」。（Bach 2002: 22）

この二つの定義は実際のところ、大差がない。両方の論述の大きな違いは、文の構成素が正確には何であるかについての違いに由来する。

それに同意してもらえるなら、次のように書き換え、これを私たちの基準としてNTE（Needed for Truth Evaluability）と呼ぼう。

基準NTE〔真偽判定の必要条件〕

「言われていること」に対して想定される文脈による寄与は、もしこのような文脈によって与えられる要素がなければ、文が文脈において真偽判定できる意味内容を持たない場合のみ、「言われていること」の一部となる。[02]

これが改良版だ。これは〔「言われていること」を決定するために「言うこと」の概念を使うような〕循環ではない。また、これは拡張のケースを除外する。なぜなら拡張のケースでは、真偽判定できる意味内容に達するためには不可欠ではない、文脈によって与えられる要素が付加されるからだ。意味内容が真偽判定できるようになるには指示詞が必要であるため、これは指示詞のために文脈が提供する指示を認める〔基準NTEは文脈によって指示詞が指す対象が確定すると定義する〕。これは意味内容が真偽判定できるようになるために必要な、「言われていること」の文脈が与える要素を除外しないので、これによって完成化のケースは認められる。

ところが、本書でこれまで見てきた特定の「完成化」の例で何が起こるのか、まだ明確な答えを得ていない。明示的な指標語の指示対象だけでなく、文脈によって与えられる要素が、基準NTEに通用するのかはまだ分かっていない。この問題を見るために、エマ・ボーグの見解やカペレンとルポアの見解では、２が文脈による補足なしに、完全に真偽判定できる意味内容を持つということについて考えてみよう。

2　Dave's had enough.　デイヴはもう十分です。

ボーグにとって、２はデイヴが何かを十分に得たという完全に真偽判定できる命題を意味内容として持つ。カペレンとルポアにとっては、２はデイヴが十分に得たという完全に真偽判定できる命題を意味内容として持つ。したがってどちらの見解でも、基準ＮＴＥは、発話２による「言われること」が、デイヴが何を十分に得たかを特定することで完成するということを排除する。

こういった結果を避けるには、多種多様な語の意味内容について考える必要がある。ここでも興味深いことに、バックやスタンリー、カーストンの見解はみな完璧に申し分ないといえよう。他の点でどれだけ異なっていようとも、彼らの見解は全体として、〔ボーグやカペレン、ルポアの見解に反して〕「enough（十分だ）」のような語を含む文が、文脈による補足なしに真偽判定できる意味内容を表現することはないと捉える。本書ではこれらの条件については、あえてボーグの見解を却下しなくてはならない。いま一度、このバックらの総意に従うことにしよう。結果として、基準ＮＴＥは、これらの事例における「言われていること」に対する文脈による寄与を認めることになる。

文脈による寄与の選択

❖対立するケース

「完成化」の議論で驚くほど看過されてきた問題に、文脈によって与えられる要素はどう決定されるのかという問題がある。論者らはこの問題に気づかぬまま、聞き手の解釈と話し手の意図、そして何が「顕著 salient」(何かが意味内容だと聞き手が受け取るほど目立つこと) かといった議論を行きつ戻りつ繰り返す。なぜなら彼らは、この三つ (聞き手の解釈、話し手の意図、顕著さ) がすべて集約する問題、すなわち文脈による寄与が最も強まるケースに注目してきたからだ。しかし、本書で検討している問題に注目するやいなや、これら (解釈、意図、顕著さ) が互いに食い違うケースを検討しなければならなくなる (例えば、「エンパイアステートビル」の例のいくつかのヴァージョンを考えよう。そこでは、それらの相違が「拡張」の本質を示すのに、きわめて重要な役割を果たした)。

すでに指摘したように、最も分かりやすいケースは、話し手が (自分の文の) 完成化を意図しており、完成化が顕著 (何で補完されるか明らか) であり、聞き手がそれを把握しているケースである。例えば、殺人看護師フレッドが患者のデイヴに心臓病の薬を与えないことで、殺そうとするケースを考えよう。エドは不審そうな顔で心臓病の薬瓶を掲げている。そこでフレッドは2と答える。

2　Dave's had enough.　デイヴはもう十分です。

フレッドは「デイヴは心臓病の薬を十分飲みました　Dave's had enough heart medicine」を意味しているつもりであり、エドはフレッドが「デイヴは心臓病の薬を十分飲みました」を意味して言っていると理解しており、明らかに「心臓病の薬」が顕著である (エドが薬瓶を掲げることでこの文脈で薬が顕著になり、情報の不足が補完される〕。これは、嘘をつくことの明確なケースであり、かつ完成化の明確なケース（この場合は「心臓病の薬」で完成される）だろう。[03] これらすべて〔解釈、意図、顕著さ〕が、完成化が「言われていること」になるための必要条件であると考える価値がありそうだ。すなわち、完成化は話し手によって意味され、聞き手によって把握され、〔指示対象が〕顕著でなければならないという条件である。

ところが、これは過剰な要求だとすぐ判明する。ここで、これと同じ筋書きで同じ問いかけと同じ応答がなされるのを想像しよう。ただしエドはフレッドの返事を聞き間違え、4を発話したと考える。その返事をエドは、デイヴはもっと薬が必要だと間接的に示していると理解する。

4　Dave's looking rough.　デイヴは具合が悪そうです。

この場合、デイヴにとっては幸運なことに、フレッドが意図する完成化にエドは気づかない。しかし、フレッドがいずれにせよ嘘をついたことは疑いない。フレッドが伝えようとする誤った主張は、「デイヴは心臓病の薬を十分飲みました」である。これをPと呼ぼう。フレッドが発話によって嘘をつくための第一の必要条件は、彼がこのPを発話することだ。たとえ聞き手が「心臓病の薬」を完成化できなくても〔実際はその発話の大部分を把握できていない〕、私たちにとってフレッドが間違いなく嘘をついたという事実は、〔フレッドの発話で〕「デイヴは心臓病の薬を十分飲みました」が言われていると私たちが解釈していることを示す。したがって、聞き手の解釈は、文脈によって与えられる完成化が「言われていること」の一部であるための必要条件ではありえない。

ほかに必要条件と考えられるのは、顕著さと話し手の意図である。この二つについて確実なことを述べるのは、私にはさらに難しい。まず、顕著さから取りかかろう。可能な完成化のうち顕著でないものを考える必要がある。例えば、エドが天気についてデイヴと楽しげに会話をしていて、デイヴにお茶を出すために立ち上がるところを想像しよう。そこに殺人鬼フレッドが病室に入ってきて、エドがデイヴにとって必要不可欠な心臓病の薬を与えようとしていると誤解する。フレッドはこれを回避しようと、2を発話する。

2 Dave's had enough. デイヴはもう十分です。

2の発話でフレッドが意図した完成化は「心臓病の薬」である。だが「心臓病の薬」は〔ここで「言われていること」として〕全く顕著ではない。実際、エドは、デイヴにお茶をもう飲ませないようフレッドが警告していると理解する。この場合、フレッドは嘘をついたのだろうかと私たちは問わざるをえない。フレッドが嘘をついたことになるには、彼が、デイヴは心臓病の薬を十分飲んだ、と言っているのでなければならない。この場合〔フレッドの発話内容に対する私たちの〕直観はきわめて不確かだ。さしあたり、次の点を指摘しよう。顕著さは、想定される完成化が「言われていること」を成立させる必要条件なのかは、よく分からない。

必要条件としての話し手の意図に関しても同様に不明瞭な点があるが、その理由は少し異なる。今度は若干、異なる場面を想像しよう。殺人鬼ではないがやや近視の看護師ガートルードがエドやデイヴと一緒に部屋にいる。エドが心臓病の薬を掲げ、ガートルードを訝しげに見つめる。ガートルードは、エドの掲げる物が見えず、ウイスキーのボトルを掲げていると理解する。当然ながら、ガートルードは、デイヴがウイスキーを十分に飲んだと理解し、2を発話する。

2　Dave’s had enough.　デイヴはもう十分です。

ガートルードの意図した完成化は「ウイスキー」である。だが、ここで顕著であり、かつ彼女の意図した完成化だと聞き手が理解するのは「心臓病の薬」である。では、この例について私たちの直観は何を告げるだろうか。私には、彼女の言ったことについての直観がかなり不確かに思える。彼女はデイヴが心臓病の薬を十分に飲んだと言ったのだろうか。もしそうだとしたら、彼女は偶然、誤ったことを言ったことになる。だが、彼女がデイヴはウイスキーを十分に飲んだという真実を言った、と示唆することも同様に合理的だろう。あるいは、彼女は混同して真偽判定できることを言えなかった、というのも合理的だろう。いずれにせよ、彼女が嘘をつかなかったのは明らかだ。この結果を得る別の方法はいくつかある。「嘘をつくこと」の定義を思い出そう。

定義「嘘をつくこと」
話し手が、言語的な思い違いやマラプロピズムの犠牲者ではなく、また隠喩（メタファー）や誇張、皮肉を用いていない場合に、(1) その話し手がPであると言い、かつ、(2) その話し手がPは誤りだと信じており[04]、(3) 保証を与える文脈に自分がいると見なしている場合にかぎり、その話し手は嘘をついている。

Pを「デイヴは心臓病の薬を十分飲みました」だとする（これは、ガートルードが言ったかもしれない誤った主張だ）。もしガートルードが何か言い損ねたか、あるいはデイヴがウイスキーを十分に飲んだと言ったなら、ガートルードはPと言っていないので、嘘をつかなかったことになる。だがもしガートルードが確かにPと言ったなら、彼女の〔薬とウイスキーの〕混同を一種の言語的な思い違いと見なし、それを根拠に彼女が嘘をついたのを否定することは完全に妥当だろう[05]。では、ガートルードは偶然、誤ったことを言ったのだろうか。ここでもまた直観はかなり不確かだ。私には、ガートルードは何も言わなかった、彼女は心臓病の薬について偶然、誤ったことを言った、あるいは彼女はウイスキーについて真実を言ったと主張することは、等しく受け入れられるように思える。このような不確かさについては後でまた触れる。

現時点で私たちは何を理解しているだろうか。私たちは、完成化が聞き手に理解されなくても「言われていること」の一部でありうると分かっている。しかし、それが聞き手にとって顕著である必要があるのかは不明だ。また、それが話し手の意図したものである必要があるのかも分からない。嘘とミスリードの判断について考察しても、これらの疑問に明確な指針を得ることはできない。これにはそれなりの理由があると私は考える。あらゆるケースで明確な判断を伴う「言うこと」の概念は、嘘とミスリードの間にある区別を利用するためには不要である。例えば、先ほど見た、話し手のガートルードによって〔心臓病の薬は〕意図されたものではないが、心臓病の薬が顕著である完成化のケースを考えてほしい。私たちが答えようとしているのは、彼女が意図せずに心臓病の薬について何か言ったのかどうかだ。だが、私たちには確信がない。彼女が正確には何を言ったのか判断できなくとも、嘘をつかなかったことは確かに知っている。嘘とミスリードを区別するには、これで十分だ。彼女が偶然、誤ったことを言ったのか判断できないが、嘘とミスリードの間に〔あるはずの〕道徳上の区別をするには、その判断はあまり重要ではない。いずれにせよ、彼女は嘘をつかなかった。先程〔100頁〕に挙げた、フレッドが心臓病の薬について何かを言う意図で2〔デイヴはもう十分です〕を発話するが、心臓病の薬が顕著ではない事例は微妙に異なる。フレッドが心臓病の薬について何かを言うか否かで、フレッドが嘘をついたかどうかが決まる。

ここではひとまず、バックやスタンリー、カーストンらの意味内容の本質と「enough（十分だ）」のような語がもつ意味内容の両方に関する見解を組み合わせて、「言われていること」の必要条件である基準NTEを示すことでよしとしよう。

基準NTE
「言われていること」に対して想定される文脈による寄与は、もしこのような文脈によって与えられる要素がなければ、文が文脈において真偽判定できる意味内容を持たない場合のみ、「言われていること」の一部となる。

ただし、話し手の意図、聞き手の解釈、顕著さが互いに緊張状態にある場合、多岐にわたる不明瞭なケースが生じることを念頭に置かねばならない。

❖不確定なケース

前項では、話し手の意図、聞き手の解釈、顕著さの間にある不一致が原因で、直観が不明瞭（または不在）となるケースを見た。だが、たとえこのような不一致がなくても、「言われていること」は別の事情で不明瞭なことがある。

それを理解するために、殺人看護師フレッドのケースを改変して、「言われていること」に関して誤解や不一致のない、はるかに明瞭なヴァージョンを見てみよう。

デイヴはベッドに横たわり、二人の看護師がデイヴに必要な治療について話し合っている。エドは心臓病の薬瓶を掲げて指差し、5を発話する。

5　Has Dave had enough?　デイヴはもう十分ですか。

フレッドは2と返答する。

2　Dave's had enough.　デイヴはもう十分です。

実のところ、フレッドはデイヴが嫌いで、死んでほしいと望んでおり、デイヴにとって不可欠な心臓病の薬の投与を否定することで、それを実行しようとしている。フレッドは2を発話したとき、誤りだと分かっていながら2*を意味していた。

2*　Dave's had enough heart medicine.　デイヴは心臓病の薬を十分飲みました。

直観では、フレッドは嘘をついている。私たちはこの直観を理解する必要がある。2*における完成化が基準NTEを満たすのは明らかだ。すでに見たように、2の意味内容は、文脈による補足なしに真偽判定できる命題ではない。だが、問題なのは、ほかにも例えば2**や2***などの完成化が機能する可能性があり、それも全く同じように機能しうるということだ。

2**　Dave's had enough of that.　デイヴはそれを十分摂取しました。

2***　Dave's had enough of the stuff in that bottle you're holding up.

デイヴはあなたが持ち上げている瓶の中のものを十分飲みました。

これらは二つとも、直観的に言えば、「言われていること」の完全で自然な候補である。いずれもフレッドは嘘をついているという判断を与えることになる。デイヴの意図に対するエドの解釈によって、このうち「言われたこと」の唯一の解釈が特定されるとは考えにくい。２で「言われていること」は、明らかにある種の完成化を含む。ただし、その完成化が正確には何であるのかを答えるのは非常に難しい。

❖選択肢１「事物による完成化」

この種の問題は、ほとんどの議論であまり注目されていない。先述した完成化の中から特定のものを選ぶには、話し手の意図、顕著さ、聞き手の解釈があれば十分だと想定しているのだろう。ところが、レイナルド・エルガルドとロバート・ステイントンは、そのような意図や解釈ではこれら完成化の中から一つを特定するのには不十分だと、見事に論じている（Elugardo and Stainton 2004: 459）。第２章で見たように〔第４節83頁〕、これによってエルガルドとステイントンは、一見すると完成化に見える多くのケースが、実際には統語的な省略のケースだというジェイソン・スタンリーの指摘への反論を可能にした。エルガルドとステイントンは、統語的な省略が発話された文の中に何らかの形で実際に存在する言語的な選択肢をもとに完成化されることはないと指摘する。彼らの指摘によると、統語的な省略には、言語的な選択肢のうちの特定の一つが、発話された文に何らかの形で実際に存在することが必要とされる。それらの言語的な選択肢のうちから、実際に存在する特定の選択肢として一つを選び出すことはできないと彼らは主張する。

ステイントンはこの難題を解決するために、「事物による完成化　de re completions」を主張する(Stainton 2006)。すなわち、話し手の意図によってある対象が命題の構成要素として決定され、この対象が命題を完成し、真偽判定できるものにする。したがって、殺人看護師フレッドのケースでは、(特定の指示方法ではなく) 薬瓶そのものが、フレッドの発話2で「言われていること」の一部を成す。この方法なら、2、2*、2**のような命題のうち一つを選択する必要がない。

ステイントンの「完成化」に関する見解に基づけば、フレッドが嘘をついたという直観にたやすく適応できるだろう。つまり、直観によって、「言われたこと」が命題としてもたらされるのだ。フレッドが嘘をついたという主張に適応する障害になっていたのは、このことだった。だが、この見解はすべてのケースでこれほど好ましいわけではない。

ここで、ある光景を考えてみよう。ヘルガは様々なことに対して「準備ができている　ready」。ヘルガは家を出る準備ができていて、パーティーに行く準備ができていて、パーティーに連れて行ってくれるイギーに会う準備ができている。ただし、私はイギーとヘルガの間に芽生え始めた友情を妨害しようとしている。イギーは時間を守らない人を軽蔑することで有名だ。イギーが家に現れ、ヘルガについて尋ねる。私は、6*、6**、6***のうちどれを意味するか何も考えずに、6を発話する。

6　Sorry, Iggy —— Helga's not ready.　ごめん、イギー。ヘルガはまだ準備ができてないよ。

6*　Sorry, Iggy —— Helga's not ready to leave the house.
ごめん、イギー。ヘルガはまだ家を出る準備ができてないよ。

6**　Sorry, Iggy —— Helga's not ready for the party.
ごめん、イギー。ヘルガはまだパーティーへ行く準備ができてないよ。

6*** Sorry, Iggy —— Helga's not ready to see you.
ごめん、イギー。ヘルガはまだあなたと会う準備ができてないよ。

イギーはふてくされ、ヘルガとは二度と計画を立てないと決意する。そして、私の悪意は成就する。直観的には、私は嘘をついた。ヘルガが何かに対して準備ができていないのは、もちろん事実だ（おそらくヘルガはアメリカ大統領に就任する準備もまだできていない）。だからといって、私が真実を言ったと主張しても全く説得力はない。あるいは、ヘルガが何の準備ができていないか特定しなかったことをもって、私が何かを言うのに失敗したと主張しても説得力がない。本書が求めるのは、私が嘘をついたと言い切るための方法だ。そのためには、私が言った特定の命題が必要なのである。ただし、どんな「事物による完成化」なら、その命題を完成するのかを合理的に主張するのは非常に難しい。これは、様々な仕方で記述される一つの対象があるケースではない。むしろ、私が意図した意味は、6*から6***によって示されるいくつかの可能な完成化のうち、どれを指すのか確定できないように思われる。これらの完成化はただ一つの対象を記述する方法として理解することはできない。

◈選択肢2「不確定な完成化」

選択肢2は、「事物による完成化」とは異なる種類の解決を提案する。6の完成化は、話し手の意図や聞き手の解釈、顕著さによって限定される可能な完成化のうちのどれになるかを確定することはできないと主張できる（話し手の意図や聞き手の解釈、顕著さが一致している場合、事態はかなり単純だが、一致していない場合、直観は非常に曖昧なことはすでに見た）。例えば、6は「アメリカの大統領職」によって完成されないのは明らかだ。だが6*から6***は完全に許容できる完成化であろう。許容範囲のうちにある完成化の中に正しいと主張できるものがあったとしても、これらの完成化〔6*から6***〕はそれ自体では、どの主張が正しいか述べることはできない。この見解を「不確定な完成化」と呼ぶ。

これでもまだ厳密さに欠ける。これらのケースで「言われていること」は、不確定な命題だと考えるべきか、それとも何らかの理由で、精確な命題群からなる領域のうちのどれかが不確定だと考えるべきか。これらの問いは「重評価論 supervaluationism」の議論でよく知られる〔曖昧な述語の場合、それが成り立つ領域と成り立たない領域の間に「……の場合ならば成り立つ」という中間領域がある。中間領域の事例を「精確」に評価し、成り立つ場合と成り立たない場合の境界線が引かれる。境界線にある文には真理値がないという形で真理値を知ることが普遍的に不可能なケースを説明する〕。これらは深刻かつ難解な問いであり、どう解決するか全く不明だ。これらが嘘とミスリードの区別に関わるとは思えないので、ここではなるべく避けたい。便宜上、「言われていること」が厳密な命題群からなる領域のどれなのかは不確定だと仮定しよう。

私たちは6の発話を使って、「私は誤ったことを言った」と主張するための洞察を「重評価論」から引き出すことで、「誤りを言うこと」とはどういうことかを理解できる。なぜなら6の発話で「私が言ったこと」は、許容できる「完成化」〔6*から6***〕のすべてにおいて間違いだからだ。〔6はそれだけで完成しておらず、「言われていること」が不確定なので〕私が嘘をついたという考えが成り立つのは少々難しい。「嘘をつくこと」の定義は、言われている単一の命題という観点から〔「言われていること」が一つであるという前提で〕表現される。

定義「嘘をつくこと」

話し手が、言語的な思い違いやマラプロピズムの犠牲者ではなく、また隠喩(メタファー)や誇張、皮肉を用いていない場合に、(1)その話し手がPであると言い、かつ、(2)その話し手がPは誤りだと信じており[06]、(3)保証を与える文脈に自分がいると見なしている場合にかぎり、その話し手は嘘をついている。

「不確定な完成化」の見解を採用するなら、この定義は修正が必要だ。この定義を満たすには、話し手によって言われ、誤りだと信じられ、知られている特定の命題がなければならず、またその命題は話し手が聞き手に信じさせようとするものでなくてはならない。「言われていること」が不確定な場合は、そのような命題はない。だが定義に多少の変更を加えて、この問題に対処することができる。

この完全な定義を「嘘をつくこと（完成版）」と呼ぼう。これはＡとＢの二つの条件を含むが、実際にはＡはＢの特殊なケースにすぎない。

定義「嘘をつくこと（完成版）」

話し手が、言語的な思い違いやマラプロピズムの犠牲者ではなく、また隠喩（メタファー）や誇張、皮肉を用いていない場合に、ＡまたはＢが有効である場合にかぎり、その話し手は嘘をついている。

Ａ　(1)その話し手がＰであると言い、かつ、(2)Ｐは誤りだと信じており、(3)保証を与える文脈に自分がいると見なしている。[07]

Ｂ　(1)その話し手が許容できる完成された命題CP_1……CP_nの範囲内で確定できない何かを言い、かつ、(2)CP_1……CP_nの範囲内の完成された命題それぞれについて、誤りであると信じており、(3)保証を与える文脈に自分がいると見なしている。[08]

これで、「私は嘘をついた」という（望み通りの）結果を伴う定義を得た。完成された命題（例えば6*、6**、6***……）それぞれについて、私は誤りだと分かっており、聞き手にそれが真実であると信じさせようとしている。「私は自分の意識にこれらの命題を表象しておらず、したがって、聞き手にそれらの命題を信じさせようとしているとは言えないのではないか」と疑う人もいるだろう。だが、これは暗黙の心理状態というよく知られた問題である。意図に関するつじつまのあう理論なら、行為者によって意識されるでもなく明示的に表現されるでもない意図を認めなくてはならないので、このことは「不確定な完成化」の見解にとって特に問題にはならない。

「不確定な完成化」の見解は「事物による完成化」の見解の代わりとなるものを提供する。それればかりでなく、「不確定な完成化」は、私の悪意ある発話6の例に見られるように、よりほころびのないものである。ただし、まだかなりの作業が必要とされる。特に、可能な完成化の範囲をどう決定するか、その範囲をどう精確にするかという難問がある。不確定な完成化を含む、「言うこと」に関する見解を完全に発展させるのは手ごわい課題であり、本書の目的からはあまりにかけ離れている。この本の残りの部分では、なるべくこれらの複雑な問題を避ける。

3 結論

この章で私は、嘘とミスリードを区別するのに必要な「言われていること」の概念について概略的に論じた（この概略は、嘘とミスリードの区別のための「言うこと」についての、満足のいく概念に対する制約のようなものと理解できる）。この「言われていること」の概念は、基準NTEが想定される文脈による寄与に対して有効で、また「enough（十分だ）」のような語に対するボーグの理解を拒否する場合にのみ、「言われていること」に対する文脈による寄与を可能にする。私たちはまず、「言われていること」の制約的な概念が認めるものから検討し、想定される文脈それぞれによる寄与を基準NTEに照らし合わせて検証しなくてはならない。

基準ＮＴＥ
「言われていること」に対して想定される文脈による寄与は、もしこのような文脈によって与えられる要素がなければ、文が文脈において真偽判定できる意味内容を持たない場合のみ、「言われていること」の一部となる。

これは、第2章で検討した厳格な見解よりも緩和され、制約的な見解や非制約的な見解よりも厳格化されている。このような考え方の重要な特徴の一つは、他の利用可能な見解とは違って、完成化を認められると判断し、拡張を認められないと判断することである。私は、「言われていること」に対する想定される文脈による寄与を基準ＮＴＥに照らして検証することで、この結果を獲得できることを示した。そして「言われていること」への指示詞を用いた指示が可能であることを示した。基準ＮＴＥが文脈による寄与を許容するのは、文脈による寄与を意味内容から除外することで真偽判定できない意味内容になる場合のみである。だが、まだいくつか不明確な点がある。

①　基準ＮＴＥはどの発話が完成化の対象になるのかは教えてくれるが、どの完成化が「言われていること」に入り、どれが入らないのかは、まだ完全に明らかではない。完成化は〔発話や文脈の中で〕顕著でなければならないのか。完成化は話し手が意図したものでなければならないのか。

②　完成化は、大まかに言えば誰の目にも明らかだが、その精確な性質が特定されていないケースをどう扱うべきかは十分に明らかではない。少なくとも二つのアプローチが可能だ。一つはステイン

トンの「事物による完成化」、もう一つは私が「不確定な完成化」と呼ぶ見解である。どちらの見解も完全に正当と見なされるには、さらに膨大な作業が必要である。

不明確な点①が不明確なままである可能性があり、さらには不明確なままであるべきことは、すでに示唆した。少なくとも道徳的な関心について言えば（第4章で詳しく説明する）、嘘とミスリードを区別するために①を解決する必要はない。だが不明確な点②は違う。これは、どのケースが嘘やミスリードのケースなのかといった不明瞭な直観の問題ではない。あるいは「言われていること」に対する直観が不明確かといった問題ですらない。むしろ問題は、私たちがもつ直観を捉えるための正しい技術的方法を見つけることだ。これを追究すると嘘とミスリードの区別という主要な関心から離れてしまうため、別の機会に先送りする。その代わりに、ここで展開された「言うこと」についての見解とグライス自身の見解との関係について簡単に振り返ろう。

第2章では、この議論の伝統的な出発点であるグライスとともに「言われていること」に関する議論を始めた。グライスは実際、私たちが行き着いた結論にかなり共感するだろう。グライスによる「言われていること」の概念をめぐって私が引き出した重要な点は次の通りだ。

① 「言われていること」は発話された文と密接に結びついており、（会話の含意とは異なり）文脈によってほとんど変化しない。
② 「言われていること」は「bank」（土手あるいは銀行の意味がある）のような多義的な言葉を含む文では、文脈によって異なる。
③ 「言われていること」によって真理値が決まる。また、真理値に関係のないことは、たとえそれ

が発話された文の意味の一部であっても、「言われていること」の一部ではない。

グライスは完成化のケースや、多義性以外の文脈によって起きる変化のケースを考慮しなかった。これらを「言われていること」に加えてしまうと、「言われていること」は、グライスが認めたほどは、発話された文と密接に関連していないことになる。だがもし、これらを「言われていること」に加えないなら、「言われていること」は膨大なケースにおいて真理値を持たないことになる（間違いなく、ほとんどの発言はそうなるだろう）。これは、真理値は「言われたこと」によって決まるというグライスの見解に反する。これまで見てきたように、この状況に対処する方法はいくつかある。

嘘とミスリードの区別にとって必要なのは、真偽判定できる何か（基準ＮＴＥ）に至るために「文脈による寄与」が必要な場合に、その寄与を認めることのできる「言われていること」という概念であると明らかにした。これは、グライスが「言われていること」について述べた多くの点とよく合致するだろう。特に、グライスが真理値の担い手として「言われていること」を用いたこと、この目的を果たすために実際に必要な程度を超えた「文脈による寄与」を避けようと望んだことによく合致する。

だが、これはグライスが「言われていること」について述べたすべてに一致するわけではないことも認めねばならない。特にこれは、グライスが取り組んだが看過されていた考え――「言われていること」はすべて意味されていなければならないという考え――とはうまく合致しない[09]。だが、このグライスの意見（後続の論者の間ではかなり不評だ）は、嘘とミスリードの区別に必要な概念を捉えるなら、放棄されねばならないのは明らかだ。この上なく巧妙な単なるミスリードケースのでは、話し手は言われている真の命題を意味しない。というのも、ミスリードする話し手は、聞き手が真の命題を把握したり考えたりせずに、誤った命題にまっすぐ飛びつくことを企んでいるからだ。

したがって、本書が到達した「言われていること」の概念は厳密にはグライスのものではない。完成化のケースや（多義性に関わるもの以外の）文脈による変化について何らかの判断を与える概念は、厳密にはグライス的ではない。話し手が「言われていること」を意味するのを要求しない概念もグライス的ではない。ただし、真偽判定できる命題が「言われていること」であることを重視し、真偽判定のために必要なだけしか文脈による変化を認めない点では、グライス的である。さらに、「言われていること」は、それについて話し手が直観的に把握しているものでなければならないと主張する点で、非常にグライス的である（これは、例えばエマ・ボーグの意味内容と対照的であり、彼女によれば意味内容はきわめて理論家向きの概念である）。実際、これは本書の出発点そのものの中に組み込まれている。すなわち、嘘とミスリードを区別するための、まさに直観的で普通の概念に到達したいという願望である。

第4章　嘘は本当にミスリードより悪いのか[01]

アラスデア・マッキンタイアは、嘘の道徳性に関しては二つの大きな伝統（功利主義とカント主義）があると主張する（MacIntyre 1994）。一方の伝統は嘘をかなり広く定義し、特定の動機を伴う嘘、または特定の結果を伴う嘘があると認識する。この伝統では、意図的に人を欺く発話をすべて嘘と見なす傾向があるが、それらの中には道徳的に問題のないものもあると主張する傾向がある。もう一方の伝統は、嘘は決して許されないと主張するが、嘘をかなり厳密に定義する。その結果、人を欺く多くの発話を嘘でないと見なす。[02] 第一の伝統（功利主義）の見解の方が正当化するのがはるかに簡単である。結局、この伝統は欺きをその動機や結果によって判断する。だから、その動機や結果には道徳的な関連性があると主張するのもなんら驚くことではない。第二の伝統（カント主義）の見解は、はるかに不可解である。この伝統によれば、ある欺きの行為は、全く同じ結果と動機を伴うにもかかわらず、他の欺きの行為よりも優れている可能性がある。それは、単に選択された欺きの方法だけを理由に、道徳的により優れているかどうかが決まる。[03]

第一の伝統にとって重要なのは結果と動機であるから、嘘とミスリードの区別はこの伝統には全く無関係である（この伝統の信奉者は第二の伝統の支持者のことを、バーナード・ウィリアムズ（道徳哲学）の絶妙な表現を用いるなら、「主張をフェティシズム化している」と見ている可能性が高い）[04]。それに対し、第二の伝統にとって嘘とミスリードの区別は決定的に重要な意義を持つ。この伝統によれば、人を欺く行為のうち、嘘をつく行為よりも単なるミスリードの方が道徳的にはましだとされる。これは、（他の条件が不変ならば〔ceteris paribus〕）嘘をつくという欺瞞の行為が単にミスリードするという欺瞞の行為よりも悪いことを意味する。この伝統には多くの支持者がおり、多くの人がこれを本能的に好ましいと感じているように見える。

以前に言及した聖アタナシオスは、明らかにこの見解を支持していた。だからこそ彼は、「アタナシオスはずっと遠くに行った」と明らかに誤ったことを言うのではなく、「アタナシオスはここから遠くないところにいる」と自分の追っ手に伝えることが重要だと考えたのだ。

嘘がミスリードよりも悪いという信念は、不実な恋人に浮気しているのかと聞いたときに、相手が「違う」とは答えず、「残業が多くて」と答える（ミスリードする）のはなぜかを説明する（少なくとも時々は）。これは実際のところ、とても不可解なことだ。浮気がばれた場合、自分は決して嘘は言わなかったと相手が分かってくれたら、相手の気持ちが軽くなるだろう、などと心からは思えないはずだ。このような状況では、ミスリードによってもたらされる痛みが嘘よりも軽いことなど決してない。では、なぜわざわざこんなことをするのだろうか。

重要なのは、多くの人がこの種のことをわざわざしているということだ。おそらく、私たちは親切のために人を欺くケースにおいて最も正当性を感じるだろう。序文で紹介した例をまた取り上げよう。年老いた女性に死期が近づいている。彼女は自分の息子は元気かと問う。あなたは昨日彼に会った（その時点では幸せで元気そうだった）。だが、あなたと会った直後に、彼がトラックにはねられて死んだことを、あなたは知っている。私の考えでは、多くの人が直観によって、文2よりも1を発話する方がより善いと感じるだろう。なぜなら、1が単なるミスリードであるのに対し、2は嘘だからである。

1　I saw him yesterday and he was happy and healthy.　昨日会った時、彼は幸せで元気そうでしたよ。
2　He's happy and healthy.　彼は幸せで元気そうにしています。

このミスリードに対する選り好みは実際とても奇妙だ。年老いた女性を真実を知ることから守る〔真実を伝えない〕ことが正しいと考えるなら、なぜそれを嘘によって行うか、ミスリードによって行うかが重要なのか。もしこの女性に真実を伝えないことが〔倫理的に〕間違っているなら、なぜ彼女をミスリードして真実を伝えないことがその過ちを緩和すると考えるのだろうか。

この章で最初に反例によって示したいのは、ミスリードが嘘より常に好ましいと主張するのが端的に誤りだということである。しかし、そこから一気に第二の伝統の全面否定に突き進んでしまうと、間違えることになるだろう。なぜならそれよりも有益な別の説明があるからだ。第二の伝統の擁護者は嘘よりもミスリードを好むのは普遍的だと主張しすぎたのであり、このことは無効化できる〔必ずしも普遍的ではない〕場合もあると主張すべきだった、という見方もある。確かに、これも一つの考え方だろう。だが、私が論じたいのは、直観が第二の伝統を好むように見えることには別の説明ができるという、もっと興味深い考え方である。この説明は嘘よりもミスリードが好まれることの道徳的な動機づけを非常に真摯に捉えると同時に、ミスリードする行為が一般的に言って嘘をつく行為よりも道徳的に好まれているということを否定する。それによって嘘よりもミスリードの方がましだという主張は否定されるが、同時に、こうした区別が道徳心理学（moral psychology）にとって重要であることを理解させ、嘘とミスリードの区別がもつ意義を解明してくれるだろう。

1　明確にすべき問題点

本格的に始める前に、いくつかの点を明確にする必要がある。なぜなら、以下のような複雑な問題があるからだ。

◉ミスリードは嘘と異なり、成功を表す語である。[05] Aは、BがAを信じないかぎり、Bをミスリードすることはない。しかし、AはBがAを信じていなくてもBに嘘をつくことはできる。問題を正確に指摘するには、成功した嘘をミスリードと比較するべきである。そして嘘とミスリードを試みることを比較すべきである。

◉嘘はミスリードと異なり、意図的でなければならない。誤って嘘をつくことはできないが、偶発的にミスリードすることはありうる。嘘が偶発的なミスリードよりも道徳的に悪い理由に疑問の余地はない。意図的に悪事をなすのは偶発的に悪事をなすよりも、議論の余地なく、道徳的に悪いからだ。そこで、私が着目するのは判断が難しい事例だ。そこでは、私たちは嘘を意図的なミスリードと対比させる。

◉私が浮気をしているかどうかについて恋人に嘘をつくことが、私がエンドウ豆を食べるのがどれだけ好きかについて誰かをミスリードするよりも悪い理由を理解するのは難しくない。ここで焦点をあわせる難問は、他の条件が不変ならば、嘘がミスリードよりも悪いとされる理由はなぜかである。

便宜上、ミスリードは嘘よりも道徳的に好ましいとする主張を正確に表す条件をＭと呼ぶことにしよう。

主張Ｍ……他の条件が不変ならば、嘘をつくことは、単に意図的にミスリードしようとするよりも道徳的に悪であり、成功した嘘は、単に意図的にミスリードするよりも道徳的に悪である。

嘘はミスリードよりも道徳的に悪であるかという問いに関連して、私は場合によっては大まかに叙述することになるが、私が本当に関心を持っているのは、主張Ｍである。

2　主張Ｍへの反例

この節では、嘘よりもミスリードを選り好みする道徳的な理由がないと思わざるをえないようなケースを提示する。すなわち、主張Ｍへの反例を提示する。

主張Ｍ……他の条件が不変ならば、嘘をつくことは、単に意図的にミスリードしようとするよりも道徳的に悪であり、成功した嘘は、単に意図的にミスリードするよりも道徳的に悪である。

シャーラ、デイヴ、ＨＩＶ

シャーラはＨＩＶ陽性だが、まだエイズは発症しておらず、彼女はこの二つの事実を知っている。デイヴはシャーラと初めてセックスをしようとしていて、慎重に、しかし曖昧に３と尋ねる。

3　Do you have AIDS?　きみってエイズ？

シャーラは4と答える。

4　No, I don't have AIDS.　ううん、エイズじゃないよ。

シャーラとデイヴは感染対策せずにセックスをして、デイヴはＨＩＶに感染する。シャーラがＨＩＶについてデイヴを欺いたことは紛れもない事実だ。そして、シャーラが嘘をついていなかったことも紛れもない事実である。彼女は彼をミスリードしただけである。とはいえ、シャーラが嘘をつくのを避けたことで彼女の欺きがわずかでも善くなった、と考えるのはまったく不条理だろう。この場合、ミスリードは嘘よりも道徳的に好ましいことではない。もしミスリードが、嘘よりも道徳的に好ましいと本当に一般的に言えるなら、このケースでも道徳的に好ましいと言えるだろう。しかしそうではないのだから、一般に根強く支持される主張Ｍは棄却すべきである。

ジョージとピーナッツオイル

ジョージはフリーダのために夕食を作る。彼はフリーダにピーナッツ・アレルギーがあり、少量のピーナッツオイルでも彼女を殺しうる致死量になると知っている。ジョージはフリーダを殺したいので、ピーナッツオイルを使って料理した。フリーダは、当然のこととして用心深く、ジョージが料理にピーナッツを入れたか尋ねる。ジョージは、6の誤った発話をする代わりに、真実であるがミスリードする文５を発話する。

５　No, I didn't put any peanuts in.　いや、ピーナッツは入れてないよ。

６　No, it's perfectly safe for you to eat.　いや、君が食べても全く安全だよ。

ここでもまた、このジョージによる選択が彼の行為をわずかでも善くすると考える人がいるとは思えない。

玄関先の殺人鬼

嘘であるかミスリードであるかが問題にならないような事例から、主張Mに反対するさらなる根拠をおそらくは得ることができるだろう。ただし、これに関して私はあまり確信がない。例として、ある殺人鬼が殺そうとしている相手の居場所をドアの前で尋ねる（そして、実は殺人が自分の目的だと明かす）という古典的な例を考えてみよう。この答えは不評なのだが、カントは、このような場合でも嘘をつくことは間違いであり、ミスリードすることを試みるべきだと考えた。だが、私たちの多くはカントとは異なる反応を示す。私たちは殺人を防ぐという目的を成功させる最も可能性の高いことは何でもすべきだと考える。すなわち、殺人鬼に嘘をつくことに、道徳的な障害は絶対にないと考えるし、さらに言うなら、この目的のためにミスリードよりも嘘の方が悪いとも考えない。[06] もし私たちが熟慮の上で主張Mを本当に信じていたら、このような〔嘘が道徳的に問題ないといった〕反応をしないだろう。[07]

3 無効にできる（defeasible）主張とは何か

主張Mに対するこれらの反例を受け入れたとしても、[08] 第二の伝統を完全に否定する必要はない。その代わりに、第二の伝統の論者らは自分の主張を誇張したのだと論じることができる。つまり彼らは、嘘よりもミスリードに対する道徳的な選り好み〔が正しいという主張〕を、〔状況に応じて〕無効にできると議論すべきだった〔つまり、嘘がミスリードよりも悪いと言えない例外を認めるべきだった〕。その選り好みは、一般的には有効であるが、特定のかなり特殊なケースでは無効となるものだ。むしろ、私が主張M-Dと呼ぶものを主張すべきかもしれない。

主張M-D……特定の特殊なケースを除いて、他の条件が不変ならば、嘘をつくことは、単に意図的にミスリードしようとするよりも道徳的に悪であり、成功した嘘は、単に意図的にミスリードするよりも道徳的に悪である。

私が提示したいくつかの反例が、ここで問題となっている特殊なケースであると正当に主張できるなら、主張M-Dはそれらの反例に影響されないだろう。その代わり、それらの反例は特殊なケースとして扱われ、なぜこれらが特殊であるのかが語られるかもしれない。私は、通常の直観が主張Mよりも主張M-Dによってうまく捉えられると確信している。そしておそらく、主張Mの支持者の中にも〔明らかに全員ではないにしろ〕、主張Mへの反例を考慮したとたん、進んで主張M-Dに寝返る人はいるだろう。したがって現段階で私たちが手にしているのは、主張Mに対する反例に影響を受けない主張M-Dである。[09]

しかし、第二の伝統を擁護する人が直面する問題は、反例だけではない。はるかに大きな問題は、非常に悩ましい道徳的な区別をどう正当化するのか、ということだ。嘘よりもミスリードに傾く私たちの道徳的な選り好みによって（たとえ無効にすべきようなものであっても）、私たちはそもそも困惑しなくてもよい、となぜ言えるのか説明が必要だ。

カントとマッキンタイア――異なる義務

マッキンタイアは、カントが次のように主張していると解釈する（MacIntyre 1994: 337）。

私の義務は、真実のみを主張する［本書の用語では「言う」］ことであり、私の言うことや私のすることから他の人が導き出す可能性のある誤った推論の結果は、［……］私の責任ではなく、彼らの責任である。[10]

ここで言われているのは、私の義務は私の主張が真実かどうかに限定されるということだ。この解釈によるなら、私が真実だけを主張するかぎり、他人の信念に対して私に責任は全くない。

一見、この見解は魅力的にみえる。自分の義務とは、他人がすることではなく、自分がすることだけに関係すると考えることは、直観に完全に背くものではない。これは確かにかなり合理的にみえる。だが問題は、私が故意にミスリードするとき、私は誰かに誤った信念を抱かせようとしている、ということだ。これは私のすることである。[11] 私には誤ったことを主張する（言う）のを控える義務があるなら、なぜ故意にミスリードするのを控える義務がないかを理解するのは非常に難しい。私の義務は自分の主張が真実であることに限定されるというだけでは、何の正当化にもならない。もし死に際の女性に誤ったことを言わない義務があるなら、なぜ彼女を故意にミスリードしない義務がないのだろうか。聖アタナシオスに追っ手をミスリードしてはいけないという義務がないのなら、なぜ追っ手に誤ったことを言ってはいけないという義務があるのか。重大な問いが全く答えられていない。なぜ私の義務は自分の主張が誤りになるのを避けることに限定されるのかを知る必要がある。

チザムとフィーアン――背信行為

チザムとフィーアンは、嘘をつく人はミスリードする人がしない仕方で聞き手の信頼を侵害すると主張する。彼らによれば、聞き手には〔話し手によって〕「言われていること」が真実だと話し手が信じていると期待する権利があるが、〔そこに含意される仕方で〕伝えられた他の要求に関してはそのような権利はない。その結果、チザムとフィーアンは「嘘は他のタイプの意図された欺瞞と異なり、本質的には背信行為である」と主張する（Chisholm and Feehan 1977: 153）。[12] 彼らは、カントが嘘を非言語的な欺瞞として示した事例――旅行に出発するという誤った信念を持たせるためにカバンに荷物を詰める――と比較することで主張を裏づける。

だが、言語の事例、特にグライスの「会話の含意」に注意を向けると、チザムとフィーアンの主張を支持するのは難しくなる。「会話の含意」は、大まかに言えば、話し手を協調性のある者として理解するためには、話し手は何かを伝えようとしている、と受け止める必要が聞き手にはあるという要求である。話し手はその要求〔としての「会話の含意」〕を伝えるために、話し手には協調性があると聞き手が仮定することに依拠する。そこで、次の会話を例に取り上げてみよう。

A　Does your office have a working heater?

あなたのオフィスには稼働しているヒーターがありますか？

B　I had to order electric gloves from Hong Kong last winter!

去年の冬は、香港から電熱手袋を注文しなくてはなりませんでしたよ！

〔例文で〕「言われていること」だけを見ると、Bの対応は全く非協調的に聞こえる。Aはヒーターについて質問し、Bは手袋の話で答えている。だが、AはBが協調的であるという仮定を維持しようとするので、おそらくこの答え方でBの反応が的外れだとは考えないだろう。Aは、Bが暖房の効きが悪く、暖を取るために電熱手袋を注文せざるをえなかったと伝えようとしていると仮定することで、Bが協調的であるという仮定を維持できる。したがって、この要求は会話に含意されている。[13]「会話の含意」は、嘘をつかずにミスリードする方法として悪用されることが多い。

その一例が、アマンダの叔父に対する、事実に基づく私の発話７である。

7　Amanda and Beau got married and had children.　アマンダとボーは結婚し、子どもを持ちました。

アマンダの叔父は、私が意図したように、この発話をアマンダとボーが子どもが生まれる前に結婚したと理解する。これはまさに誰もが期待することである。つまり、アマンダの叔父は、私が協調的だと仮定しているのだ。グライスによる「会話の格率」〔グライスの理論では、通常は守られると想定される規則のこと〕の一つは「マナーの格率」であり、これは人が出来事を起きた順に列挙することを指す。アマンダの叔父が私を協調的だと理解するためには、私が「マナーの格率」に従っていると仮定しなければならない。したがって、彼らの結婚が子どもの誕生に先立つと私が信じていると仮定することを、叔父は要求される。こうしたことにもかかわらず、彼には、結婚が子どもより前だと私が思っていると期待する権利がないなんてことが、本当にありうるだろうか。明らかにそんなことはない。チザムとフィーアンの考え方は、嘘を非言語的な欺きと比較するなら、十分に納得がいく。確かに、カバンに荷物を詰めることが、旅行に出かけると期待する権利を聞き手に与えることにはならない。だが、言語による欺瞞——おそらくとりわけ「会話の含意」を用いた言語による欺瞞——は別問題である。[14]

繰り返すが、本書では嘘とミスリードの区別を別の区別によって説明する。それは、「話し手が「それ」を信じているだろうと期待する権利が聞き手にあるところのもの」と「話し手が「それ」を信じているだろうと期待する権利が聞き手にないところのもの」の間にある区別である。チザムとフィーアンは、聞き手にはただ、話し手が自分の言っていることを信じていると期待する権利しかないと主張する。ただし、二人はこれについて説得力のある論拠を何も挙げない。となれば、聞き手にはそれ以上のものを期待する権利があるということは、立証可能だろう。

“聞き手に用心させよ——Caveat Auditor”

以上の説明に関連しつつもそれと区別されるものとして、スチュアート・グリーンは「聞き手責任負担の原則」(principle of Caveat Auditor〔聞き手が「言われていること」、つまり発話内容の理解に伴う責任を負うこと〕)はミスリードに適用されるが、嘘には適用されないと主張する。「聞き手は発話を信じる前に、それが真実であるかどうかを確認する責任がある」(Green 2006: 165)。この考えはおそらく、聞き手には〔表向きは誠実にみえると自分が仮定する話し手によって〕「言われていること」を単純に信じる権利があるが、もしそれが言われているのではなく、単に伝えられて〔含意されて〕いるだけなら、そのような権利はない、ということだ。この特別な規則がどのように、そしてなぜ働くようになるのかを理解するのは、繰り返しになるが、難解である。しかしもっと重要なのは、この規則が働くと考えるのも確実に間違いだということだ。次の二つの会話を比べ、もしこの規則が働くならどうなるか想像してみてほしい。

会話１
アマンダ　Where does the visiting speaker want to go to dinner, the Thai restaurant or the Ethiopian?
来賓の講演者は、夕食にタイ料理店かエチオピア料理店、どちらに行きたいのかな？
ボー　She says she likes Ethiopian.
彼女はエチオピア料理が好きだと言ってるよ。

会話２
アマンダ　Where does the visiting speaker want to go to dinner, the Thai restaurant or the Ethiopian?
来賓の講演者は、夕食にタイ料理店かエチオピア料理店、どちらに行きたいのかな？
ボー　She wants to go to the Ethiopian.
彼女はエチオピア料理店に行きたがってるよ。

会話２でアマンダは自分の質問に直接答えを得ているが、会話１では答えは単に含意されている。グリーンが正しいなら、〔発話された内容の理解に〕責任を負う聞き手は、会話１では来賓の講演者がエチオピア料理店に行きたいのが真実だと確認する義務を感じるべきだろう。だが、会話２では聞き手はそんな義務を感じない。ここでの含意はかなり明確なため、確認にそれほど手間はかからないだろう。それでも、〔グリーンの説が正しいなら、それぞれの会話にこのような〕追加の義務が生じている。私には、聞き手がこの義務があると感じたり、二つの事例で違いが目に留まることすら、ほとんどないと思われる。さらに、このような事例は通常の会話で常に生じているし、それに気づくことすらない。それゆえ、グリーンの提案する規範が実際に有効とは思えない。[15]

努力と犠牲

ジョナサン・アドラーは、嘘と単なるミスリードの間の重要な違いの一つは、「誤った信念を生み出す確かな保証のない単なるミスリードの方が嘘よりも多くの努力」を必要とすることだと指摘する（未刊、10頁〔Adler 2018: 306〕）。アドラーの捉え方では、このことは被害者にとっては、（欺瞞が明らかになった場合）被害者と真実の両方に対して、より大きな敬意が払われることになるかもしれないという。

私は、慎重なミスリードには嘘よりも若干多くの努力が必要になると思うし、誤った信念を生み出す可能性を高めることで、そのような努力が埋め合わせされることはないだろうという点でも、アドラーに同意する。しかし、これが倫理的な違いを根拠づけるのに役立ちうるとは思えない。理由の一つは、ミスリードがこの少しの余分な仕事のおかげで別の保証を提供するからだ。すなわち、言い逃れの余地（「そんなつもりで言ったんじゃありません！」）を与えることである。それはまた、ミスリードが嘘よりも倫理的に優れていると捉える人たちに責任から逃れる可能性を与える。

だがもっと重要なのは、一般に私たちは、努力がより多く必要で成功率のより低い悪事を選んだからといって、自分の悪事が倫理的により善くなるとは考えないということだ。例えば、右利きのサッカーフーリガン〔対戦チームの支持者を攻撃するサッカーファン〕を考えてみよう。彼は左手だけで人々を殴ることにした。なぜなら、被害者に重傷を負わせる可能性が左手だけで殴ることで低くならないようにするには、彼には〔右手で殴るより〕もっと多くの努力が必要になるからだ。この奇妙な選択にもかかわらず、被害者に大きなダメージを与えるという同じ結果を得るために、彼は多大な努力を払う。このフーリガンが右手を使って殴るフーリガンより〔倫理的に〕優れていると人は考えるだろうか。誰もそうは考えないだろう。だから私は、努力を重ね、また成功する可能性が低いからといって、ミスリードする行為が嘘をつく行為よりも〔倫理的に〕ましになると考えるのは納得がいかない。

とはいえ、アドラーは、特定のケースでは、事態を正しく捉えていると私は考える。彼はこう述べる。「ミスリードにおける含意は、誠実さ、いわれのない危害〔を与えること〕への抵抗、他人が良い気分になるよう仕向けることの間で努力して妥協することである。慈悲深い嘘はただ迎合的なだけで、真実に無関心である」（未刊、12頁〔Adler 2018: 308〕）。この洞察は、本章第4節で要点を論じる見解によって、もっとよく捉えられると思う。

生産的な交流を継続する能力

アラン・ストラッドラーによれば、嘘と単なるミスリードとの間には次のような重要な違いがある。それは、いったん嘘がばれたら信頼関係は崩れ、それ以上の生産的な会話ができなくなることだ（Strudler 2010）。しかし、単なるミスリードがばれても、信頼は低下するが、生産的な会話は可能である（〔会話で〕「含意されていること」は信頼せず、「言われていること」を信頼し続ける）。ストラッドラーはこの区別を不動産の交渉におけるミスリードと嘘を対比させる例で裏づけるが、この事例では彼の言うことが正しいと思われる。

とはいえ、私はストラッドラーの主張が嘘やミスリードについて一概に正しいとは確信していない。第一に、嘘がばれたからといって、交渉の場で信頼関係が完全に崩壊するとは限らないからだ。ここで実際によくある類いの例を挙げよう。

A　How's your business going?
仕事はどう？

B　Excellent —— we have lots of clients.　順調だよ。顧客がたくさんついたよ。

A　Really? Mine has dried up.　本当？　うちは仕事がないよ。

B　Well, actually, mine's dried up too. I was just afraid to say it.
いやあ、実はうちも仕事がないんだ。言う勇気がなかっただけで。

面白いことに、Bが最初の嘘を認めると、AとBの会話は改善され、より信頼できるようになる可能性がある。その前までは、どう考えても堅苦しく素っ気なかっただろう。

ストラッドラーの主張で次に問題なのは、誰かがミスリードしていたと判明すると、実際に信頼に壊滅的な影響を与えうる点である。彼が取り上げる事例の一つは、ミスリードによる背信行為が嘘の形式を取ったとしても、もはやこれ以上悪化させようがないほど深刻なケースだ（シャーラとデイヴの事例やジョージとフリーダの事例は、そのようなものとして理解できる）。だが、これは非常に些細な欺瞞でも起こりうる。あなたがボーで、先ほどの会話が行われていると想像してほしい。

アマンダ　Where does the visiting speaker want to go to dinner, the Thai restaurant or the Ethiopian?
来賓の講演者は、夕食にタイ料理店かエチオピア料理店、どちらに行きたいのかな？

ボー　She says she likes Ethiopian.
彼女はエチオピア料理が好きだと言ってるよ。

ここで、ボーがアマンダを大いにミスリードしたことが判明したとしよう。講演者はエチオピア料理が好きだと確かに言ったが、この五日間、夕食にエチオピア料理を食べ続けていたので、どうしても違うものが食べたい、とも言っていた。しかもボーはそれを聞いて、忘れていなかった。私なら、ここまでひねくれてミスリードすることを選ぶような人と、信頼できる生産的な会話を継続するのは、少なくともミスリードすることに正当な理由が示されないかぎり、非常に困難だろう。

それゆえ、ストラッドラーが描く対比は、彼が示すほど明確とは思えない。さらに彼の、不動産の交渉における欺瞞という中核的な事例は、第4節の「特別な文脈」〔152頁〕で論じる特殊な事例として容易に理解できる。

カントとアドラー――推論と責任

ジョナサン・アドラーは、カントが嘘と単なるミスリードとを道徳的に区別する理由について、マッキンタイアとは異なる見解を持つ（Adler 1997）。

> おそらく根本にある考えは、各個人が理性的で自立した存在であり、自分の行為に責任があるのと同じく、自分の導き出す推論にも完全に責任がある、というものだ。誤った推論を成立させるのは、［ミスリード］であって嘘ではなく、誤った推論は聞き手の責任である。（Adler 1997: 444）

ミスリードの被害者は、自分が誤った信念を抱いたことに対して責任の一端を負う。なぜなら誤った信念に対する責任は、この考え方によれば両者が分かち持つので、ミスリードする話し手は嘘をつく者ほど罪深くはないからである。結局のところ、ミスリードする者は自分の欺きに対して部分的にしか責任を負わず、嘘をつく者は全責任を負う。ミスリードされた聞き手が誤った信念を抱いたことに責任の一端を負うのはなぜか。なぜならそれは、聞き手が結論に至るには推論をしなければならなかった〔そして、誤った推論をした〕からだ、という考え方になる。嘘が成功する場合、話し手はPであると言い、聞き手はこれを信じ、それによってPであるという誤った信念に到達する。ミスリードが成功する場合、話し手はPであると言い、聞き手は話し手の発話からQであると推論し、それによってQであるという誤った信念に到達する。嘘の場合、聞き手がするのは、話し手を信じることだけだ。ミスリードの場合、聞き手は推論をして、自分が推論したことが真であるという信念を形成する。したがって、聞き手はミスリードの場合により多くのことをする。聞き手がより多くのことをするという事実は、聞き手が到達する信念に対してより多くの責任を負うという考えの根拠になる。[16]

このような発想が、私を悩ませている〔嘘とミスリードの間の〕境界線の背後に潜むと推定するのは、不合理ではないだろう。一般的な考え方を見てみよう。「言われていること」は聞き手が推論なしに自動的に辿り着くものである。それ以上のもの〔を受け取ること〕は、聞き手側の推論の問題である。したがって、話し手は、〔自分の発話で〕「言われていること」を信じる聞き手に対して完全に責任がある。「言われていること」は話し手が言うことに自動的に従うものであり、話し手はそれを知っている。だが、それ以上のこと〔を解釈すること〕については、少なくとも部分的には聞き手次第である。それは自動的ではなく、推論を必要とする。聞き手は自分の選択に応じて、推論をしてもしなくてもよい。したがって、カントが示唆するように、話し手の義務が〔自分の発話において〕「言われていること」で完了するということは理解できる。同様に、これがチザムとフィーアンの考えを導いていることも理解できる。「言われていること」が真実だと期待する権利を、聞き手がどういう形で持ちうるのかは理解できる。では、聞き手は、自分たちの行う推論が真だと期待する権利をどういう形で持ちうるのだろうか。ミスリードは聞き手の推論の問題で、成功した嘘はそうでないと主張するのは、嘘とミスリードの道徳的な区別を根拠づける目的にとって、期待できる方法のように見える。

しかし、これがはらんでいる問題は、ミスリードされる側の推論の役割を過大評価していることである。この上なく巧妙なミスリードの事例では、聞き手は「言われていること」から推論するというより、伝えられた誤った主張をすぐに把握する。例えば、私の発話7を例に取ろう。子どもが生まれた後にアマンダとボーの結婚が執り行われたと知っているにもかかわらず、私は次のように述べる。

7　Amanda and Beau got married and had children.　アマンダとボーは結婚し、子どもを持ちました。

この種の事例では、見事なまでに聞き手は推論によって私の発話の解釈を検討する必要なしに、その解釈として8にすぐ辿り着くだろう（例えば、Grice 1989: 31 を参照）。

8　Amanda and Beau got married and then had children.
アマンダとボーは結婚し、それから子どもを持ちました。

それでもなお、私の発話7は嘘であるよりもミスリードの事例であるのは、かなり明らかだろう。もし聞き手が8の解釈にすぐ辿り着くなら、これは聞き手の側の推論が、誤った信念に対する〔話し手と聞き手の〕共同責任の主張に関与できない事例である。[17]

この事例に対して、発話された文7から8の解釈に至るまでに推論が関与しないのは本当に正しいのかと問う人もいるだろう。結局、私たちの心的過程はすべて直接に把握できるわけではない。実際、この過程では無意識の推論が関わる可能性が非常に高い。

だが、無意識の推論が嘘とミスリードの道徳的な区別を根拠づけるには、「言われていること」に聞き手が辿り着く過程に推論が関わらない事例が必要になるだろう。これは、推論の過程を必要とせずに、「言われていること」が自動的に発話から読み取られるという考え方である。だが、これはかなり非現実的な状況だ。一例だけ挙げよう。「彼」や「それ」のような指示語の発話によって話し手が何を指示するのかを聞き手が理解するには、文脈による手がかりを頼りに推論しなければならない。時には意識的な推論をすら必要とするだろう。例えば、聞き手は、「話し手が「彼」という言葉で意味しているのは誰だろう」と自問し、その後で、話し手が指で誰かを指し示しているのに気づくこともある。さらに頻繁に、無意識の推論が関わるだろう。ゆえに、嘘とミスリードのいずれかが聞き手の推論に関わるからといって、両者の道徳的な区別を根拠づけることはできない。

より緻密な推論の捉え方とは何か[18]

嘘やミスリードの事例に関わる推論についての何かが、責任の違いに繫がり、それが嘘を単なるミスリードよりも悪いという主張を裏づけることになるという考えを、私があまりに早く取り下げてしまったと指摘する人がいるかもしれない。そこでこの考え方を別の方向からさらに緻密に見てみよう。

（聞き手が）指標辞の指示対象が何かを理解しようとする際に行う推論は、重要な仕方で、必須のものである。その推論なしに聞き手は話し手の発話に対して真偽判定できる内容に到達できない。もし聞き手が（嘘の場合のように）話し手の発話内容を理解することだけによって誤った信念を得るなら、聞き手はもっぱら必須の推論によって誤った信念を得ることになるだろう。だが、聞き手が単にミスリードされるだけなら、なんらかの必須でない推論を行うことで誤った信念に至る。聞き手が「言われたこと」に慎重に注意を払っていれば、こういった推論は真偽判定できる内容を得るのに必要ではなかったのだ。もし聞き手がそうしていたなら、誤った信念を持つ結果にならなかっただろう。したがって聞き手は、単なるミスリードの事例で起きることに部分責任を負う。話し手は嘘がもたらす結果に全責任があるが、ミスリードの発話がもたらす結果には部分責任しかないので、嘘の方が悪質なのだ。

この見解の問題点はすでに述べた。つまり、多くのミスリードの事例で「会話の含意」の理解は、任意ではなく、話し手が協調的であると理解するために必要なのだ。それでも、これが真偽判定できる内容に到達するための要件とは別の要件であるのは分かる。ゆえにこの懸念は脇に置こう。私は、道徳的な区別をこのように正当化することには、もっと重要な問題があると考える。

〔ミスリードにおいては、聞き手の側の〕誤った信念に対する責任を〔話し手と聞き手が〕共有することで、ミスリードが嘘よりも道徳的に問題が少ないと考えるのは、確かに非常に好ましい見方である。だが私には、この考え方は重大な間違いを、それもかなり根本的な理由によって犯していると思われる。それは、ある人に対してなされた過ちの原因に、聞き手が部分責任を負ったとしても、その過ちの性質を変えることにならない、ということだ。これを理解するために、次の二つの事例を比較しよう。

◉「慎重な被害者」……強盗の「慎重な被害者」は、安全だと言われている街の照明の多い場所だけを歩き、常に財布を上着の内ポケットにしっかりと入れている。それにもかかわらず、彼は強盗に遭った。

◉「無謀な被害者」……強盗の「無謀な被害者」は、ほとんど照明がなく危険だと分かっている街の一角を歩き、尻のポケットは膨らんで財布の形がはっきり見える。彼は強盗に遭った。

私たちは、「無謀な被害者」は自分が強盗に遭ったことに対して何かしらの責任を負うが、「慎重な被害者」はそうではないと考えるだろう。この考えは、それぞれの立場にある人々に対する私たちの見方に影響を与える。とはいえ、強盗についての見方に影響を与えることは全くない。どちらの場合でも強盗という行為は同じように間違っている。また強盗する人についての考え方にも全く影響しない。たとえ街の劣悪な場所にいる強盗が、街の劣悪な場所に注意深く活動範囲を絞る努力をして、無謀な人だけを襲うので、自分のすることは少しだけ〔倫理的に〕より善いと言い聞かせるのかもしれないと想像しても、である。

嘘の被害者がその被害に対して部分責任を負わないような仕方で、ミスリードの被害者が自分の誤った信念に対して部分責任を負うものだと仮に見なしてみよう。「無謀な被害者」が街の安全で照明の多い場所に留まりえたはずであるように、ミスリードの被害者は「言われたこと」だけに注意深く耳を傾け、それ以上何かを推論しないでいることもできたはずだ。彼らはそれぞれ少しリスクを犯し、どちらの場合も悪い結果をもたらした。だがこの事実は強盗という不正を軽減しないように、同じく欺瞞という不正を軽減しない。人に対して行った過ちに部分責任を負うからといって、その過ちを軽減することにはならない。また不正を行った者に対する非難を軽減することにもならない。それは、たとえ不正を行った者が何らかの形で無謀な人を餌食にしているだけであっても、同じである。街の劣悪な場所だけで精を出す強盗も、街の治安の良い場所で悪事を働く強盗と同じように称賛に値しない。「言われたこと」以上の何かを推論してしまう無謀な人だけを常に欺くけれども、決して嘘をつかない詐欺師に関しても同じである。被害者が被害の原因に対して部分責任を負うことが、被害者に対してなされた不正に、どんな仕方でも影響することはない。

では、なぜ私たちは〔ミスリードは嘘よりもましだと〕考える方がずっと自然に思うのだろうか。その答えは、私たちがこの種の事例の考察がかなり苦手だから、であろう。強盗の事例は明確なので、私の提案はほぼ普遍的な合意が得られるだろう。だが直観を変えるためには、犯罪の種類を強盗からレイプに変える必要がある。残念なことに、たとえば危険と知りつつ街の劣悪な場所を歩く女性に対するレイプは、安全とされる地域に閉じこもる女性に対するレイプよりも悪質さが軽減されると考える人はきわめてたくさんいる。[19] レイプを含む街頭犯罪は街の劣悪な場所により多く起きるのでそうした場所に行くと被害に遭う確率が高くなるというのがその理由だろう。これが正しいなら、強盗の無謀な被害者がその原因に対する部分責任を負うのと同じように、街の治安の悪い場所を歩く女性がレイプの原因に対する部分責任を負うと主張する人がいてもおかしくないだろう。だがどちらの場合も、部分責任を負うことを道徳的責任の主張や犯罪という不正の軽減に結びつけるのは、重大な過ちだ。

被害者がその宿命ゆえに被害の原因に対する部分責任を負うことが被害者に対する不正の軽減になると──場合によっては──仮定することが、なぜそこまで当然だと考えるのか、私には分からない。だが一見、自然に映るこの見解は、私たちが断固として拒否すべきものだ。この見解を拒否すれば、嘘とミスリードのケースで、推論に対する責任の度合いの差によって、嘘よりもミスリードが道徳的により好ましいと想定する理由はなくなる。

アドラー──欺瞞の必要性

ジョナサン・アドラーは、嘘よりもミスリードが道徳的に優先されることに関して、興味をそそる独自の正当化を提供する（Adler 1997）。彼は、場合によっては、人を欺く正当な必要性があると指摘する。

彼は主に〔欺く者の〕自由裁量や機転といった例を提示しているが、例えば、ドアの前にいる殺人鬼を欺く必要性のように、より差し迫ったケースを考慮することで、人を欺く正当な必要性を指摘することもできるだろう。こうした必要性から、ある会話の規範が生まれる。それは、単に「伝えられる」情報に対して求められる信頼性は、「言われる」情報に対してよりも低い要求に関わる、というものである。そしてこの規範は「道徳的な力を獲得する」。

それゆえ、誰にとっても望ましい規範は、〔会話の〕含意に真実性を求める期待が緩和されている事態に対応する規範だ。そういった会話の規範は道徳的な力を獲得する。相手を欺くよう私たちに強いるあまたの状況によって生じる先述の「〔他者との〕緊迫した関わり合い」を考えれば、私たち一人ひとりが他者と協調して〔互いに理解を〕適応させることを望むのは合理的である。〔会話の〕含意に比べ、〔言われていること〕に求められる真実性は、要求の度合いに違いがある。その違いが、要求に応じた倫理規範に対して、顕著な根拠を提供する。なぜなら、その違いは〔話し手と聞き手の〕双方が相手に与える期待〔が異なるから〕である。その期待のもと、私たちは〔理解を可能にする〕貢献をしたり、受け入れたり、時には異議を唱えたりする。(Adler 1997: 451)

私の考えでは、この提案には直観に訴えかける大きな魅力がある。たまたま生じる欺瞞の必要性から、嘘とミスリードの道徳的に重要な区別に至るのは、どのような過程なのかを見いだすのは大いに興味深いものだろう。だが私はこれを行うための良い方法が見いだせない。問題は、はるかに明確で、私たちの求めに完璧に対応しそうな他の規範があることだ。すなわち、聞き手を欺くべき真に正当な理由がある時には真実性への要求が緩和されるという規範である。ここでも比喩が役立つだろう。暴力は悪だと一般に認められている。しかし、例えば自衛や他者を守るためなど、状況によっては暴力行為を正当化することも一般に認められている（これは、欺瞞は間違いだが、場合によって正当な必要性があると考える私たちの見解と類似するだろう）。そして、ある種の暴力は道徳的に許容されるという一般に認められた見解があるのも確かだ。だが私たちは、道徳的に許容される暴力と許されない暴力を、その方法（ナイフ、銃、拳、蹴りなど）ではなく、暴力の起こる状況（例えば、正当防衛や怒らせる意図のないものなど）に注目して区別する。欺瞞に関する状況を扱うには、方法ではなく目的に応じて許される欺瞞と許されない欺瞞を分ける方がはるかに自然な方法だろう（方法に基づいて両者を分けるのは、キックよりパンチの方がましだ、という見解に類似するだろう）[20]。欺瞞の方法を重視する規範は、まったくもって不可解である。

これに対し、欺瞞の方法を重視する規範への期待が高まっていることを考えれば、この規範に意義があると答える人もいるかもしれない。会話の含意に対する方が「言われていること」に対するよりも真実性への要求が小さいのは誰でも知っている。その結果、人は単に「伝えられること」を信じることに関して慎重であるべきことを知っている。そして私たちは、自分が慎重でなかった場合には、欺かれたことへの責任を一部共有する。だがこの主張は、被害者がその被害の原因に対する責任を部分的に有することで、当の被害者になされた不正を軽減するという考えに依拠する。本節はすでにこの主張に反論した。

4　代替案

私がここで提案する代替的図式は、嘘よりもミスリードが道徳的に好まれるという一般的な選好を否定する。それだけでなく、こうした選好は無効にできる場合もあるという考え方も否定する。この図式は、本章の冒頭で述べた第一の伝統と一致する。端的に、この種の正当化できる道徳的な選り好みなど存在しないと主張する。とはいっても、多くの人たちがもつ道徳的な心理にとっての嘘とミスリードの区別の重要性を認めもするし、尊重もする。

行為の評価と人格の評価

この図式では、嘘とミスリードの区別がもつ道徳的な意味合いは、（一般に、他の条件が不変ならば）単なるミスリードの方が嘘よりも道徳的に優れているかどうかという単純な問題ではない。この問いへの答えは端的に「いや、違う」である。だが重要なのはこれだけではない。私たちは単に、嘘やミスリードの事例に関して道徳的な判断を誤っているだけではない。私たちは、少なくとも多くの特定の事例については正しい答えを得ている。私が提案するのは、特定の行為の道徳性を考えるなら、嘘やミスリードの事例を提示される場合にするように、実際は行為の道徳性だけでなく、それ以上のことを考えるべきだ、ということである。行為に関するかぎり、ミスリードは嘘より道徳的に優れているわけではない。[21] しかし行為の道徳性について考えるとき、大抵、私たちは行為者の徳についても——そうしていることを常に自覚しているわけではないが——考える。とすれば、嘘やミスリードに対する判定によって、行為者の人格について（単なる見かけでなく）真に道徳的な性質が明らかになるかもしれない。

これが何を意味するかを知るには、死の間際にいる女性が（実は直前に事故死した）息子の健康を尋ねる事例を再度見てみるとよい。この例を提示した際、私は女性をミスリードする1と女性に嘘をつく2とどちらが善いか読者に考えてもらった。

1　I saw him yesterday and he was happy and healthy.　昨日会った時、彼は元気で幸せそうでしたよ。

2　He's happy and healthy.　彼は元気で幸せそうにしています。

読者が大抵の人と同じなら、1の発話が2よりも道徳的に優れていると判断するだろう。ここで私は、この判断が誤りだと示唆する。1を発話することに、2を発話するよりも善いところはない。なぜなら、どちらも全く同一の事柄について、同じ動機で、年老いた女性を意図的に欺くからだ。では、なぜ読者は1が善いと思ったのだろうか。

1が善いと思う明らかな理由の一つは、もちろんミスリードという行為が嘘という行為よりも善いと（私に言わせれば、誤って）信じていることにある。したがって、この老女に嘘をつくよりも彼女をミスリードするほうが善いと判断することに驚きはない。だが、これがすべてではないことが、この例に少し手を加えるだけで分かる。ここで、私がこの老女の幸せに全く関心がないと想像してほしい。しかし私は彼女の息子の遺産受益者である。もし彼が母親の相続人のままなら、私は老女の遺産を相続することになる。だがもし息子が死んだと知ったら、老女は遺言を変更し、私は彼女の財産を相続できないだろう。ところが私は、嘘をついたことが発覚した場合に財産の相続権が法的に疑問視される可能性を少し心配している。そこで私は、彼女が息子の健康について尋ねたときに1を発話する。なぜなら、1は嘘ではないからだ。このケースを考えるなら、私たちの判断はかなり異なるだろう。2を発話するよりも1を発話する方が道徳的に善いことをする、という直観を持つ可能性ははるかに低いだろう。このように、私たちの判断は、嘘という行為がミスリードという行為よりも悪いという誤った思い込みのままでは決定されはしないのだ。

私の提案は、このようなケースについて考えるとき、人は、行為の道徳性についての考えと、行為者の道徳性についての考えを混同しやすいこと、しかも後者は前者の判断に影響を与えやすいことに注目すべきだということである。私は、嘘をつくかミスリードするかの決定がしばしば行為者の道徳性を露呈させると想定するのは、確実に正しいと考える。ただし、ある種の行為が他の行為よりも道徳的に優れているという意味でこれを理解するのは、誤りである。

問題となる行為者について考えるとき、私たちは実際、確かに道徳的な意義に強い関心を持つ。死に際の老女への慈悲に満ちた最初の例について考えるなら、この女性にむやみに苦痛を与えたくないという願望と、欺きたくないという願望によって引き裂かれた気分になる自分を想像できるだろう。そんな気分であれば、人はあからさまな嘘である2ではなく、慎重に作り上げた1を選択する。それが欺きであるとしても（そして、それにおそらく罪悪感を抱くとしても）、人はそれが道徳的に善い種類の欺きだと考える（あるいは、少なくともそう希望する）。欺きたくないという願望に反して欺いてしまったが、少なくともその願望を持ち、それによって自分の心が動かされたと感じた。そして、やらないよりは、少しでも自分の欺きをましにすると考えたことをした。2を選ぶような人を想像しようとすると、この老女を欺くのを問題としない人物を想像する可能性がきわめて高い。その人はより悪質な人物だろう。これらは道徳的な判断である。嘘かミスリードかの選択は（いずれにせよ多くの場合）真の意味で道徳的な意義について何かを明かす。

ここで私が提案する（これまで示した考え方の）代替的図式なら、ミスリードする行為が嘘をつく行為よりも道徳的に優れて*いない*と私たちが判断する事例があることを理解させてくれる。そういった事例における私たちの判断が、ミスリードする行為は嘘をつく行為よりも道徳的に優れているという信念から帰結すると説明できないのは、かなり明白だ。にもかかわらず、そういった判断が実際には行為者についての私たちの判断の結果として説明されることがある。ところが死に際の老女に関する、話し手が貪欲な場合の例を見れば、ミスリードの選択には称賛に値することが何もないのは明らかだ（実際この選択は、相当な悪質さを暴露する）。したがって、行為者についての私たちの判断によって、その行為が道徳的により優れていると考えるべきではないのだ。また、この章の冒頭で提示した主張Ｍへの反例の意味も理解できる。自分のＨＩＶステータス〔ＨＩＶ陽性か陰性か〕についてデイヴをミスリードするシャーラの選択は、彼女について称賛すべきことは何もないと暴露する。だから誰も、彼女のこのミスリードが嘘よりも道徳的に優れていると判断しようとはしない。殺人のために、料理の材料についてミスリードする料理人に関しても同じだ。おそらく私たちは、こういった人たちが善い動機から嘘よりもミスリードを選ぶという考えに疑惑を抱くだろう。そしてもし彼らが、自分たちのすることは嘘をつくよりもミスリードすることによって改善されると心から考えているなら、それは、何が道徳として意義深いかについての罪深い無知であろう。同様に、ある種の人々からすれば、殺人鬼に嘘をつかずミスリードしようと懸命に努力する人は、ともかく優先順位が何もかも間違っていて、嘘を避けるよりも殺人を防ぐことにはるかに多くの注意を払うべきだと思える。だが他の人たちからすると、殺人を防ぎ嘘を避ける両方の努力の方が立派にみえるだろう。これらすべてのケースにおいて私たちは、行為そのものの道徳性よりも、行為がその行為をする人たちについて何を明らかにしているかを判断しているのだと気づけば、私たちは自分の判断についてよく理解できる。

これは、私たちの判断には特定の党派心による偏りがあることを理解するのにも役立つ。ビル・クリントンは右派の（巨大な）共謀によって、私生活に関して不当な迫害を受けたと（私のように）考える人たちは、インタヴューで９を発話するほうが10の発話よりも道徳的に優れたことをしたと判断する傾向があるのは確かだ。

９　There is no improper relationship.　不適切な関係はありません。

ところが、クリントンについて悪く考える人たちは一般に、9が10よりも道徳的に善い選択であったとの考えを拒絶する。こういった人たちは場合によっては、9の方が道徳的に悪いとすら考えるようだ。この違いは今なら理解できる。私のような人たちは、クリントンが9を選んだのは、彼が置かれた不公平な立場に対処する賢明な方法だと受け取る。私たちは、クリントンは嘘をつきたくなかったが、この迫害から生じうる損害を回避したかったのだと考える。彼はそれを自分が置かれた状況に対する完全に分別のある対応だと見なしたのである。もし彼があっさりと10を口にして嘘をついていたら、彼には欺瞞に対する関心が欠如していることが示されただろう。したがって、私のような民主党支持者からすれば、クリントンの発話9は、彼の善い面を明らかにしたことになる。しかしクリントンを嫌う人たちにとっては、事態は異なる。そういった人たちにとっては、10よりも9を選ぶのは見苦しく卑怯で、嘘がばれた時に生じうる説明責任を回避したいという欲望を暴露するものなのだ。この考え方では、9を選ぶことがむしろ、クリントンの悪い面を明らかにする。9と10の間で板ばさみとなったクリントンの選択に対する私たちの判断は、彼の人格に対する私たちの判断に深く影響されている。それはここで示した説明に基づけば、完全に筋が通る。

同様の検討は、『ニューヨーク・タイムズ』紙の記者ジュディス・ミラーの事例でも成り立つ。ミラーは、ヴァレリー・プレイム〔元CIA秘密工作員。外交官である夫ジョゼフ・ウィルソンが、イラクに大量破壊兵器がないと調査報告を提出したが、当時のブッシュ政権はそれを破棄し、イラクに大量破壊兵器があると世論に訴え続けた。後に政府は、ジョセフに対する報復として妻のヴァレリーがCIA工作員だと暴露し、彼女は活動ができなくなった。プレイム事件として知られる〕の捜査に関連するさまざまな情報を提供した情報源を明かすのを拒んだために刑務所に入った。ミラーは、情報源であるルイス・リビー副大統領首席補佐官〔ブッシュ政権で副大統領首席補佐官、大統領補佐官を兼任。ジョージ・W・ブッシュ大統領の国防政策の基本構想を作った〕から情報源を「元連邦議会の職員」とだけ明かすよう頼まれていたらしい。ミラーは「リビー氏がかつて連邦議会で働いていたことは知っていたので、彼の新しい基本方針に同意した」と述べている（Kamen 2005）。ミラーが同意したのは、リビーについて真実をミスリードするという仕方で紹介することだった。もしミラーが「元連邦議会の職員が私にこう話した」と述べていたなら、彼女は嘘を回避しつつ、ミスリードしたことになっただろう。[22] そして彼女にとっては嘘をつかないことが明らかに重要だった。彼女はリビーについてのその説明が正しいと知っていたから、同意したのだ。発話が嘘であった場合よりもミスリードである方がより善いことになるだろうか。ミラーが情報源を守りたいという望みと虚偽を言わないというジャーナリストとして称賛すべき望みとをともに示したと主張する人もいるかもしれない。だから彼女が慎重にミスリードすることを選んだことは、彼女の善い側面のみを示すということになる。他方、ミラーが言い逃れしたいという要求とともに、ブッシュ政権の最も卑劣な行為を助長しようという、非難に値する意欲を露呈したと主張する人もいるだろう。だから彼女の選択は彼女の悪い側面しか示さなかったということになる。本書で示された見解によれば、嘘をつかずにミスリードするという選択の道徳的な意義は、もっぱら彼女の人格全体に対する評価との関連で見いだされるべきである。そして、これらは限りなく多様な仕方で関連する。

この考え方に従えば、ミスリードするのを選ぶ方が嘘をつくよりも悪いと判断されるケースを理解することさえ可能だ。デイヴィッド・ランシマン〔政治学者〕は次に引用するように、ゴードン・ブラウン〔二〇〇七年から一〇年までイギリスの首相。一九九四年の党首選挙にブラウンは立候補せずブレアを支持し、ブレア政権下で財務大臣を務めた。次期首相として席を譲る約束があったとされる通称グラニタ協定が知られる〕が首相になる前の彼の発話についてそのような判断を下している。ブラウンの発言は労働党大会という文脈でなされたが、その出席者全員はブラウンとブレアが互いに相手を嫌っていて、ブラウンはブレアが早く引退して首相の職を譲ってくれないかと切望しているのを知っていた。

ブラウンが演説で主張したのは、トニー・ブレア首相のもとで奉仕するのは特権であったということだった。夫人のシェリー・ブレアにとっては耐え難かったが、これは厳密に言えば嘘ではなかった。なぜなら、財務大臣は皆、首相に大目に見てもらっており、あれだけ長くブラウンに耐えたことは、ブレアにとってとても名誉なことだった。さらにぞっとするのは、ブラウンがそれを言ったのは、厳密には真実でないわけではないと分かっていたからだ。それに、彼の誠実さが求めたのは、ブレアとの意見の相違を解決するために言うことは何であれ、恥知らずな虚偽であってはならないということだった。ブラウンは生粋の嘘つきではない。なぜなら誰もが常に思い起こすことだが、彼は牧師館の息子〔父親はスコットランド長老派教会の牧師〕なのだ。このことが何かを意味するとしたら、まさにこういうことだろう。ところが、実際には嘘をつかないことによって、彼はより悪い印象、すなわち本音を隠すことに喜びを見いだす人物という印象を与えてしまった。(Runciman 2006)

ランシマンの考えでは、ブラウンは嘘よりもミスリードすることによって、自分が完全に容認される行い(「本音を隠すことに喜びを見いだす」)をしていると見なした、ということのようだ。もしブラウンが嘘をついていたなら、彼は自分が行ったこと、つまり人を欺いていたという現実と向き合わねばならなかっただろう。だが彼は、ミスリードしたことで、何も間違ったことはしていないと自分を納得させることができた。それゆえ、ランシマンの見解によれば、ブラウンがミスリードを選んだのは、嘘を選ぶよりも恥ずべきことなのである。

なぜ嘘かミスリードかの選択が、人格の道徳性を露呈させるのか

嘘かミスリードかの選択が、なぜその人の人格について道徳性を露呈させる可能性があるのかについて、私はまだ何も言っていない。これを修正するにあたり、まずはっきりさせたいのは、人の道徳性を露呈させるこの選択は、他の選択と同じように、特別なものであると私は考えないことだ。それでも、この選択は興味深いと考えている。

ある種の選択には、人々の道徳的な人格を露呈させる傾向がある。一般に、道徳的に善し悪しの幅がある選択肢の中から選択をする。私は歩道に倒れている人を助けることも、その人の上をただ越えて行くことも、その人を罵倒することもできる。これらの候補の中からなされる私の選択が、私に関する道徳的な意義をもつ何かをどのように露呈するかを理解するのは難しくない。その他の選択には、道徳的な意義がないものもある。その分かりやすいケースとして、つま先の色が紫の靴下とオレンジの靴下のどちらを履くかの選択を挙げよう。どちらも私の目の前の靴下用の引き出しに入っている。どちらの選択もそれぞれ道徳に対して中立であるから、この選択に道徳的な意義はない。

嘘かミスリードかの選択について何が興味深いかというと、そのような選択がしばしば〔選択する人の〕道徳性を明かすと仮定するのが妥当と思われることだ。だが私のこの考えが正しくても、どちらか一方が道徳的により善いのではない。死に際の老女が嘘によって欺かれるか、慎重に表現されたミスリードによって欺かれるかによって、道徳性に関することは何も決まらない。だから、これらの選択肢の中から選択することで道徳性が露呈するというのは不可解かもしれない。もし私たちが、嘘は単なるミ

スリードよりも道徳的に悪いと誤って信じているその他多勢の人たちに属すなら、これらの選択によって道徳性が露呈すると私たちが信じがちな事実に関して、道徳的に不可解なことなど何もないと述べておく価値があるだろう。嘘がミスリードより悪いと考えるなら、それは私たちが誤って一方の行為を他方の行為よりも道徳的に優れていると見なしてしまう状況下でなされる選択である。そのような選択はもちろん道徳性を明かすと私たちは考える。問題は、一方の行為が他方の行為よりも道徳的に優れているわけではないならば、なぜその場合の選択が真に道徳性を露呈すると見なされるのかである。

❖異常な文脈

多くのケースでは、この一見すると不可解なことには答えがある。嘘かミスリードかの選択の多くが真に〔道徳性を〕明らかにする可能性がある理由は、〔私が正しければ〕ミスリードが嘘よりも道徳的に好ましいわけではないという事実をほとんどの人が知らないからだ。正常な道徳的文脈と異常な道徳的文脈というチェシャー・キャルフーン〔規範倫理、感情の哲学、フェミニズム〕の区別は、この場合に役立つ。正常な道徳的文脈とは、「道徳的な知識の共有によって、理性的で思慮深い人々のほとんどが、どの行動方針が正しいか、間違っているか、論争の的になるかについて適切な判断を下すことができると想定される」文脈のことである（Calhoun 1989: 395）。正常な文脈では、道徳的な無知とは「道徳〔を共有する〕共同体が一般的に知っていることを知らないことである。〔この共同体があるから〕「公共の水路を汚染することが間違っているとは知りませんでした」のような言い訳を容認するには、非常に特殊な話が必要になるのだ」（Calhoun 1989: 395）[23]。異常な道徳的文脈では、小さな集団にしか知られていない道徳的な真理がいくつかある。もしミスリードが嘘よりも道徳的に好ましいわけではないという私の考えが正しいならば、両者の区別に関して私たちは異常な文脈にいるのではないだろうか。嘘をつく行為がミスリードする行為よりも道徳的により悪いわけではないという、この区別についての真実は、ほとんどの人に知られていない。ほとんどの人は、嘘をつくよりもミスリードする方が道徳的に善いと考える。したがって、嘘をつくかミスリードするかの選択がしばしば道徳性を明らかにすることに驚きはない。それらの選択は、一方の候補が他方の候補よりも道徳的に優れていると真に信じられている状況での選択だからだ。

これまで私は、嘘とミスリードの間での選択が道徳性を明らかにする理由の一つとして、ミスリードが嘘よりも道徳的に優れているという誤った信念にしばしば基づくからだと論じてきた。ここで二つの疑問が生じる。(1)道徳性についての誤った信念は、私たちのすべての判断にこの種の影響を及ぼすのだろうか。(2)その選択が明らかにこういった誤った信念に基づいていない場合はどうなのだろうか。

❖道徳性に関する他の誤った信念

先述の通り、嘘がミスリードよりも悪いという行為者の誤った信念は、彼らが嘘でなくミスリードを選ぶこととの真の道徳性を暴露する。したがって、そのような選択が別の種類の誤った信念に基づいてなされるケースについて、ここで私は何を言うべきかという問いが生じる。例えば、正確に七つの単語から成る嘘は他の嘘より優れているという信念を取り上げよう。ある人がこのルールを慎重に守り、道徳的により善い行動を取るために、七単語から成る嘘をつこうとする。七単語の嘘を発話するという選択は真の道徳性を明かすのだろうか[24]。

この選択は道徳性を真に明かすが、それは、嘘ではなくミスリードを選ぶのと同じ仕方ではないと私は考える。なぜなら私たちは、七単語の嘘というルールに関わる異常な文脈にいないからだ。これが道理にかなった道徳のルールではないことは、分別のある人なら誰でも十分に根拠が示せる。誰もこのルールに従っていないし、行為者の側も確実にそれを知っている。さらに誰もこのルールに気づいていない。結果として、この世界では七単語の嘘は、他の嘘と全く同じ仕方で機能することは明白だ。七単語の嘘が道徳的に優れているという信念を主張するのは、公共の水路を汚染するのが悪いことだと知らないと主張するのにかなり似ている。間違った道徳的な信念は、分別のある人ならそれが誤りだと容易に見抜けるのだから、非難に値する。これが道徳性を暴露するのは、行為者の道徳的な思考に関する何かを暴露するからである。それは、非難すべき誤った道徳的な信念を露呈させる。私たちは、七単語の嘘という異常な文脈にはいないので、七単語だけの嘘を用いて何かより善い行為をなそうとはしないが、〔道徳について誤った信念をもつ〕道徳的な無知は、それ自体が非難に値する。

❖嘘とミスリードの区別に関する誤った信念に基づかない選択

嘘よりもミスリードを選択することのすべてが、ミスリードが嘘よりも優れているという誤った信念に基づくわけではない。この信念に基づかない二種類の選択を考えてみよう。

❖異なる欲望に基づく選択

嘘をつくのではなく、ミスリードするという選択の中には、道徳的により善いことをしたいという願望ではなく、別の願望に基づくものがある。そのような選択の中には、例えば単に否認への欲求に基づくものがある。このようなケースでは、私たちはもちろん、行為者が嘘ではなくミスリードすることによって、道徳的に称賛に値することをしていると判断しないだろう。そうではなく、私たちは彼らが深刻な道徳的な問題をはらむことをしている――つまり、この行為者は何か過ちを犯していて、他の人からの非難を回避する助けになると考えて方法を選んでいるのだ――と判断するだろう。この選択は道徳性を明らかにするだろう、それも否定的な意味でそうなることはなんら驚くべきことではない。


定の計画的な欺瞞を実行することには、嘘よりも道徳的により善い面など（一般的に言って）全くない。

ほとんどの人たちは、このことをまだ知らない。しかし、なかには知っている人もいる。例えば、私だ（私が正しいとすればだが）。では、私が人を欺きたいという欲望に直面したとき、何が起こるのだろう。

そんなことは決して起きないと言いたいところだが、もちろんそんなことはない。それにもう、単に嘘をつくよりも慎重にミスリードする発話を選ぶ気などしないと言えたらいいのに、と思う。だがそれも真実ではない。なぜなら、繰り返しになるが、例の死に際の女性のケースを考えると、今でも私は嘘をつくよりミスリードする答えを選びたい気がするからだ。違いは、私はこの選択が現実に道徳的な違いをもたらすとはもう思えない点だ。私が実生活でそのような選択をまさにするとき（それはよくあると認めよう）、もう私は自分のしたことが別の選択の場合ほど悪くないと自信をもって安堵することはない。

❖誤りに気づいたうえでの選択

私がここで主張してきたことが正しければ、嘘ではなく故意にミスリードする発話によって、ある特

ではなぜまだこんなことをするのだろうか。一つの答えは確実に「習慣」である。ほとんどの人が幼児期のかなり早い段階で身につけた、このような習慣を断ち切るのは難しい。もう一つの答えは、私の場合、自分の哲学的な見解に自信がないことだ。自分の議論は説得力があると確信しているが、哲学的な見解としてはそこまで確信がない。私の場合、嘘でなくミスリードすると決意することが、たぶん結局はミスリードの方が嘘よりましだろうという考えに基づくように思える——それなら念のためミスリードすることを選ぼう、というように。[25] あるいは、あまり喜ばしいことではないが、それは単に偽善か自己欺瞞かもしれない（後者は、本来感じるべきよりも少ない罪悪感を抱くよう自分を欺いているかもしれない）。

ミスリードは嘘より善いわけではないという信念にもかかわらず、私が嘘よりミスリードを選ぶとしたら、その行為を道徳的にどう評価すべきだろうか。私には確信がない。もしかしたら、その判断はその行為を偽善と見なすかどうかに基づくかもしれない（私は、その選択が道徳的により優れたものだとは思わないからだ）。あるいはその判断は、認識についての謙虚な態度〔epistemic modesty. 人間の認識できる範囲はきわめて狭いことに自覚的である態度〕という両賭け〔二つある選択肢のうち、肩入れした方が失敗した時に丸損しないよう、両方に賭ける戦略〕だと評価するかもしれない（自分が正しいかそこまで確信があるわけではないので）。または、罪悪感から逃れるための自己欺瞞的な努力かもしれない。しかし、一つだけはっきりしていることがある。私は本章で主張してきた見解〔ミスリードは嘘より善いわけではない〕に至る以前の方が、自分の良心に照らしてみて、欺瞞に対してもっと気楽であった。その時は、嘘をつくよりもミスリードするやり方に気休めを見いだしていたのだ。だがその慰めはもう私にはない。[26]

特別な文脈

だが、真実はこれまで描いてきた疑いもなく複雑な状況よりもさらに複雑である。ミスリードが嘘よりも道徳的に悪い特別な文脈が実際にあることもまた真実だ。さらに、どれがそのような文脈かを決定するのは全く自明ではない。まず明確なケースから始め、それから分かりにくいケースを見ていこう。

❖法的な文脈とそれに潜在的に類似したその他の文脈

❖法的な文脈

米国の法律で偽証罪は、虚偽を言うことを要件とする。つまり、偽りを伝えるだけでは不十分である。それだけでは、法廷という文脈で道徳的な区別を根拠づけるのに十分ではない。結局、法は道徳と一致する必要がないのだ。だが、法は「言われていること」を重視するのが正しいと（以下の例でソランとティアスマが示すように）説得力をもって主張されうる。法廷という文脈がもつ特有の特徴ゆえにそうなっており、少なくとも、米国のような当事者対審主義を採用する法制度（裁判官や陪審員を前に訴訟で対立する当事者が主張を闘わせて審理する弁論主義）の中ではそれが原則である。

これを理解するために、「ブロンストン対アメリカ合衆国」裁判という古典的なケースを考えてみよう。サミュエル・ブロンストンは、個人と会社の両方の銀行口座を複数の国に持っていた。彼の会社の破産審問で、ブロンストンと弁護士との間で次のようなやりとりが行われた（Solan and Tiersma 2005: 213）。

弁　護　士　Do you have any bank accounts in Swiss banks, Mr Bronston?
ブロンストンさん、スイスの銀行に銀行口座はありますか。
ブロンストン　No, Sir.　いいえ。
弁　護　士　Have you ever?　これまで一度もありませんか。
ブロンストン　The company had an account there for about six months, in Zurich.
会社は半年ほど前にそこに口座を持っていました、チューリッヒに。

過去にブロンストンは個人名義でスイスに口座を持ち巨額の預金があったので、偽証罪に問われた。偽証罪の根拠は、二番目の発話が文字通り真実である一方で、ブロンストンがスイス銀行に個人口座を持ったことがないと周到かつ巧妙にミスリードして伝えている点だった。米国最高裁の最終的な判決は、聞き手を単にミスリードする言明は偽証罪に当たらないとした。ソランとティアスマはこの判決を分析し、これが法的にも道徳的にも正しい判決であったと説得力をもって主張する。法廷で証人は、弁護士が提出する尋問に答えるよう要求される。当事者対審主義の法制度においては、証人の回答に納得できない場合、さらに尋問で追及するのが弁護士の仕事である。弁護士は訓練を受けた専門家であり、こうした問題に精通している。証人が問われた尋問に答えていないと気づき、正確に尋問に答えるよう強制することこそがまさに弁護士の仕事である。つまるところ、ブロンストンに尋問している弁護士には、聞き手をミスリードする言明に対してブロンストンにさらに圧力をかける責任があったのだ。

> ブロンストン裁判での最高裁判所のメッセージは、誤り、曖昧さ、不明確さ、回答の不十分さは、事後に偽証罪で証人を起訴することによってではなく、尋問の過程で修正されるべきであるということだ。（Solan and Tiersma 2005: 215–216）

法廷での明確な役割分担がある法律の専門家（弁護士と裁判官）は、すべての回答が完全かつ適切で、曖昧さが完全に排除されて記録されることを確認する責任を担う。このことから、先ほど論じたカント主義的な〔マッキンタイアの〕見方は、信用することが概して難しい法廷〔という文脈〕ではある意味で有効だ。

> 私の義務は、真実のみを主張する〔本書の用語では「言う」〕ことであり、私の言うことや私のすることから他の人が導き出す可能性のある誤った推論の結果は、少なくともある種のケースでは、私ではなく、彼らの責任である。（MacIntyre 1994: 337）

これは、法廷での証言に関しては、ここで概略した理由から正しいと思われる。

興味深いことに、法律は、文字通りの意味が重要になる場合には、法廷という文脈とそれ以外の文脈とを明確に区別する。脅迫に関する法律は、間接的な脅迫を直接の脅迫と同じように扱う。例えば、犯罪の目撃者に「もし警察に何か言うやつらがいたら、「そいつらには何かが起きるだろうな」」と言う犯罪者の場合を考えてみよう（Solan and Tiersma 2005）。この発話を文字通りに取れば、これは単に明白な事実を言っているだけだ。警察に話しても目撃者には何かが起きるし、話さなくても何かが起きる。実際、彼らには多くのことが起こるだろう。最愛の人に出会うかもしれないし、雨に降られるかもしれないし、ひどくまずいコーヒーを出されるかもしれない。次の週に大きな試験に合格するかもしれないし、水道の蛇口の水漏れの処理をしなければならないかもしれない……。しかし、このように指摘しても擁護にはならない。文脈に応じて考えれば、脅迫が明確に意味され、理解されているのであって、それが字義通り言われていないことは問題ではない[27]。

法廷という文脈と日常生活における脅迫を区別すべきである重要な理由は、先述の通り、法廷では高度な訓練を受けた弁護士が、その明確で一義的な言明を証言者から引き出すことを仕事とするからだ。もし何かが明確に表現されず暗示されたままなら、相当程度が、尋問でさらに追及することに失敗した弁護士の過失になる。私たちが日常生活で脅迫を受ける場合、このようなことは起きない。私たちは（いずれにせよ、私たちのほとんどは）高度な訓練を受けた人を雇って、旅先に同行させ、自分が話しかけた相手が完全に明確なことを話していたかをいちいち確認したりしない。そのうえ（おそらくもっと重要なことには）、脅迫を受ける場合、私たちは脅迫する側よりも力の弱い立場に置かれる。通常、怯えているので、（たとえそうしたくとも）厳密な表現を引き出せる立場にない。したがって、もし裁判所が脅迫によってなされた危害と当事者への影響を真剣に受け止めるなら、文字通り〔脅迫で〕「言われていること」に焦点を絞るのではなく、文脈における発話によって〔暗示される内容を含む〕「伝えられていること」に焦点を絞る必要がある。証言台での発話〔証言〕は特異な種類の発話なのだ。証言台はかなり異質な文脈を提供し、その文脈では、厳密に何が言われているのかと、それとは異なる仕方で何が伝えられているのかとの区別が重要であると強調するだけの十分な理由がある。[28]

❖関連する文脈

しかし、証言台はこのような文脈の唯一の例ではない。政治家のインタヴュー（少なくともそのいくつか）が法廷に比較的類似しているのはかなり確かである。インタヴュアーに「ルウィンスキーさんと不適切な関係を持ちましたか」と質問されてそれに答える、ビル・クリントンの発話9を再考しよう。

9　There is no improper relationship.　不適切な関係はありません。

9*　There was no improper relationship.　不適切な関係はありませんでした。

本書で、ビル・クリントンが9*ではなく9の発話を選択したことについて考察した際に、彼の行為が行為者としてのクリントンについて何を露呈するのかによって、彼の行為に対する評価は影響を受ける可能性があることに着目した。だが今度は、クリントンが聞き手をミスリードする行為が、嘘よりも真に善だったかもしれないという可能性を検討したい。前代未聞のスキャンダルの当事者である政治家とのインタヴューは、かなり当事者対審主義の文脈に似ている。インタヴュアーはインタヴューを受ける側が言い逃れしようとする可能性を熟知している（少なくとも、そうでなくてはならない）。インタヴュアーの仕事は、インタヴューを受ける側が尋ねられた質問に答えるように圧をかけ、ミスリードする可能性のある答えで質問から逃げないようにすることだ。したがって、法廷での役割と同じ種類の明確な役割分担がインタヴューにおいてあると考えるのは理にかなっているだろう。確かに、クリントンを質問に答えさせるのがインタヴューアーの仕事であり、クリントンの仕事は誤ったことを言うのを避けることだけだったと想定しても、私には不合理とは思えない。

❖明示的な合意とそれほど明示的ではない合意

ミスリードが嘘よりも実際に道徳的に善い文脈がほかにもある。たとえば、カップルが〔互い以外と性的関係を結ぶ〕オープンな関係をもつことを決心するのを想像してほしい。彼らは互いの不倫関係を話題にするのを望まないこと、嘘が禁止であることに同意する。ところが、彼らはこれをすべて管理するのは難しいと分かっているので、単なるミスリードは完全に許容することにも同意する。この関係では、自分たちの不倫関係について嘘をつくよりミスリードする方が道徳的に好ましいのは非常に明確である。なぜなら明確なルールが定められており、当事者がこのルールに従うことに同意しているからである。自分たちの不倫関係について嘘をつくことは合意を破ることであり、単なるミスリードは合意に従うことである。ここでは、単なるミスリードの方が嘘より道徳的に好ましいということについて謎はない。

明示的な合意はかなり分かりやすいケースを提示する。だが、分かりにくいケースもある。先ほどの例をまた用いて考えてみよう。あるカップルは、先ほどの例のような合意を、無言の暗示的な合意で結ぶかもしれない。もし二人がその合意を同じように理解するなら、そのような合意があるという直観は強固だと私は考える。その結果このケースでは、ミスリードする方が嘘をつくよりも道徳的に善いと言うのはかなり正しいように思われる。

ところが、ここでカップルの片方がこの種の暗黙の合意があると考えているのに対し、もう片方がそう考えていないと想像してほしい。この場合、全く合意がないのだ。合意とは結局のところ、当事者双方が合意しなくては成立しない。しかし、私たちの判断はやや難しいものになる。ガートが、自分とハリーとの間では不倫は問題ないし、不倫について互いにミスリードするのも問題ないが、不倫について嘘をつくのは許されないという暗黙の合意があると本気で思っているとする。だがハリーは二人が不倫することには合意したが、不倫について嘘をつくことにもミスリードすることにも合意していないと考えている。そして今、ガートは不倫についてハリーをミスリードする。ガートは嘘をつくよりも、善いことをしたのだろうか。これは答えるのが非常に難しい問いである。実際には合意はないが、ガートは合意があると考えている。おそらく、ガートは嘘よりもミスリードを選んだことで善いことをしたわけではないというのが正解だろう。だが、合意があったと誤って信じていたことは、ガートが嘘をついていた場合よりも、彼女に対する私たちの総合的な評価がより好意的になることを意味する。

5　複雑な代替案

本章で叙述した説明は非常に複雑で、冒頭で取り上げた二つの伝統を否定すると同時に尊重してもいる。第一の伝統は、欺瞞の方法は決して道徳的な意義の問題にならないとする。この伝統は、嘘もミスリードも同じように悪または善であり、特定の欺瞞がもつ道徳的な評価はその目的や結果によるとする。第二の伝統は、嘘は常に悪であり、ミスリードは常に嘘よりも善であるとする（たとえそれが常に道徳的に許容されるものではないとしても）。この章で展開した見解は、これら伝統のいずれの見解も断固として拒否する。

第二の伝統の見解に対して、私はミスリードが必ずしも嘘よりも優れているとは限らないと主張する。このことを、ミスリードが嘘よりも道徳的に好ましくないケースをいくつか検討することで示した。さらに、〔ミスリードの方が善いという道徳的選好は、状況に応じて〕無効にできるとする主張〔第3節〕にさえ、なんら正当な根拠があるようには思えないことを論じた。この見解によれば、ミスリードは、特別な場合を除いて、嘘よりも道徳的に優れていることになってしまう。

しかし私は、欺瞞の方法が決して道徳的な意義の問題にならないという第一の伝統の主張にも同意できない。私は、欺瞞の方法には以下のすべての点で道徳的な意義があると捉えている。

①　行為者が嘘を選択するか、単なるミスリードを選択するかは、行為者の道徳的評価に重要な違いをもたらす。

②　法廷のような当事者主義的な文脈では、ミスリードは嘘よりも道徳的に優れている。

③　ミスリードが嘘よりも好ましいという合意が事前にある場合、ミスリードは嘘よりも道徳的に優れている。

第5章　さまざまな「欺瞞」を読み解く

これまでの章では、嘘とミスリードを区別するために、どのような「言うこと」の概念が必要か見きわめ、この区別がもつ道徳的な意義を理解しようとした。本章ではここまでの探究の成果を応用し、難解な事例や、興味深い事例、歴史的に重要な事例まで幅広い対象に光を当てる。例えば、カトリック教会に悪評をもたらした、人を欺くことに関するイエズス会のさまざまな教義を見ることになる。これらの教義にちなんで、ビル・クリントンが「モニカ・ルウィンスキーとのセックス・スキャンダル」のさなかに、慎重に言葉を選んで発話したことが、「イエズス会のようだ」と称された。本章ではさらに、クリントンのそれらの発話に——今度は広範囲に——目を向けていこう。その理由の一つは、偽証罪法の議論にとって彼の発話が重要だからである。しかし、さらに重要な理由は、ここで議論される同様のケースと同じように、彼の発話——最終的にクリントンは、これらの問題のせいで罷免されそうになった——が、〔嘘とミスリードの〕さまざまな区別にまさにどの程度影響を与えるのかを示すのに役立つからだ。本章では、個別に独立した議論をするのではなく、一連の事例研究を提示するつもりだ。言語哲学の内部でも外部でも重要性をもつ問題に光を投げかけることによって、倫理学と言語哲学を応用する本書で行った考察が価値あるものであることを、これらの事例を通して示せることを願っている。

1　これまでのまとめ

事例を見る前に、これまでの章で私が論じてきたことを簡潔に振り返っておくのもよいだろう。事例を論じる際には、これまでの章で私が導出した結論を応用する。

「嘘をつくこと」の定義

第1章では、嘘とミスリードを区別するには、嘘をつくことの理解が必要だと論じた。

定義「嘘をつくこと」
話し手が、言語的な思い違いやマラプロピズムの犠牲者ではなく、また隠喩（メタファー）や誇張、皮肉を用いていない場合に、(1)その話し手がPであると言い、かつ、(2)その話し手がPは誤りだと信じており、[01] (3)保証を与える文脈に自分がいると見なしている場合にかぎり、その話し手は嘘をついている。

「言われていること」の定義

第2章で私は、言語哲学の先行研究には、嘘とミスリードを区別するための役割を満たすことができる「言うこと」の概念がないように思えると主張した。第3章で最終的に到達した「言うこと」の概念とは、文脈によって提供される要素は、基準NTEが満たされるならば、発話によって「言われていること」の一部になる（そして第3章第2節〔「真偽判定にとっての必要最小限の要件」94頁〕で示したように変換される）、というものだ。

基準ＮＴＥ
「言われていること」に対して想定される文脈による寄与は、もしこのような文脈によって与えられる要素がなければ、文が文脈において真偽判定できる意味内容を持たない場合のみ、「言われていること」の一部となる。

道徳的な意義

第４章では、嘘とミスリードを区別することには、しばしば課されるような道徳的な意義は存在しないと主張した。特に主張Ｍは間違いである（主張Ｍを緩和したヴァージョン〔122頁の主張M-D〕ですら十分な正当性がないと論じた）。

主張Ｍ　他の条件が不変ならば、嘘をつくことは、単に意図的にミスリードしようとするよりも道徳的に悪であり、成功した嘘は、単に意図的にミスリードするよりも道徳的に悪である。

それにもかかわらず、嘘とミスリードを区別することには、道徳的な意義があることが多いと論じた。なぜなら、人が嘘をつくかミスリードするかの選択は、その人の人格がもつ道徳性を明らかにすることが多く、さらにはミスリードが嘘よりも道徳的に好まれる特別な文脈があるからだ。

それでは、私の主張が事例に対してどう展開するのか見てみよう。

2　決疑論の策略

心裡留保の教義

❖簡潔な説明

心裡留保〔reservatio mentalis　陳述や宣誓の際に「必要な嘘」を認めること〕は決疑論〔良心例学ともいい、一般的な道徳規則の適用を典型的な事例で考察し、類推によって個別の適用を推論する〕の教義であった。それは非常に特殊な状況下〔例えば、迫害や告解の秘密保持が守られる必要のある状況〕では、特別な言語的な操作が許されるとされていた。そういった状況の結果として生じた発話は、嘘とは見なされなかった。例えば、迫害者によって「お前は司祭か」と問われたら、1*によって表されることを思い浮かべながら、1を発話することで嘘を回避できた。

1　No, I am not a priest.　いいえ、私は司祭ではありません。

1*　No, I am not a priest of Apollo.　いいえ、私はアポロン神殿の司祭ではありません。

心裡留保の教義を根拠づける〔あからさまな嘘を伴わない欺瞞を正当化する〕主な仕掛けは、それ以外の方法をとった場合にやっかいな事態になるのを回避する弁明能力にあった。聖書によれば、イエス〔たとえば、キリスト教徒にとって嘘つきと見なしがたい人物〕は、「最後の審判の「その日、その時を知らない」」〔「マタイによる福音書」第二四章三六節など〕と主張した〔Jonsen and Toulmin 1998: 196, 198〕。問題は、〔聖書によれば〕イエスは事実上、全知全能の神なので、明らかにそれを知っていたことである。それゆえ心裡留保の教義の支持者は、イエスが2を発話したときに実際に考えていたのは、2*のようなことだと提案した。

2　I know not the day nor the hour of the Last Judgement.
私は最後の審判のその日、その時を知らない。

2*　I know not the day nor the hour of the Last Judgement, so that it may be revealed to you.　私は最後の審判のその日、その時を知らない。それゆえ、それはあなたに啓示されるかもしれない。

この教義には時代を超えて多くの支持者がいたわけではなく、イエズス会でも普遍的に受け入れられたことはなかった。それどころか、〔次の引用のように〕さまざまな宣誓書がはっきりとそのような心裡留保を防ぐために書かれたことは、よく知られるようになった。

私は、私が話したこれらそのままの言葉に従い、そしてその同じ言葉の明白で広く知られた理解に従い、なんら曖昧な表現も秘密の留保もなしに、明白にかつ誠実に認め誓います。(Jonsen and Toulmin 1998: 210)[02]

最終的に心裡留保の教義は、カトリック教会に悪評をもたらしたため、ローマ教皇インノケンティウス一一世〔一六一一―一六八九年。道徳神学の弛緩主義六五命題を批判し、教皇庁の綱紀の乱れを正した〕によって一六七九年に糾弾された。[03]これについて本書としては何が言えるだろうか。

❖分　析

心裡留保が、心の中で「言われていること」の理解に関して適用されるなら、本書の嘘の定義では明らかに嘘とは見なされない。ひとまず妥当にみえる分析をするなら、心裡留保は「拡張」（本書の「言うこと」の定義では許容されない）の一形式であることになる。だがこれに基づくと、文脈によって提供される要素は聞き手には顕著でない。しかもさらに、文脈によって提供される要素は、実際に話し手によって意味されているのかと問うことも可能である。バーナード・ウィリアムズは、聞き手が文脈によって提供されるこれらの要素に気づくことを話し手は真に信じられず、したがって、これらの要素は真に意味を持つことができないと説く（Williams 2002: 104）。もしこのこと――文脈によって提供される要素は真に意味されず、顕著でもない――が正しいなら、拡張を認める制約論者でさえこの種の拡張は認めないだろう。制約論者であれば、1を発話する司祭は1*で表現されることを言わないと主張するだろう。第3章で擁護した「言うこと」の見解は同じ結果をさらに直接的にもたらす。なぜなら拡張が許容されないからだ。1*の文脈によって提供される要素は、真偽判定できる意味内容に至るためには必要とされないので、それは「言われていること」の一部ではない。したがって、1*を思い浮かべながら1を発話する司祭は、誤ったことを言ったことになる。

だがこれは、司祭が自分がしていると思っていることとは違うと、私は考える。この司祭は神が自分の思いを聞いていると信じている。さしあたりここでは、司祭の思いを実際に聞く神がいると想定しよう。そうであるなら、この司祭にとって神は非常に重要な聞き手である。私には、この司祭が異なる知覚能力を持つ二種類の聞き手に話しかけているように思われる。既述の通り、司祭が現世の聞き手に言うことは偽りである。だが彼が神に言うことは「私はアポロン神殿の司祭ではありません」なのだ。そしてこれは真実だ。面白いことに、神が司祭の考えを聞いていると仮定すれば、「言うこと」についての「厳格な概念」に基づいてさえ、この結果が得られる。神に関するかぎり、司祭は「私はアポロン神殿の司祭ではありません」という文を発話したのだ。

これは一風変わった種類のケースである。このケースでは、一人の人物が同時に二人の異なる聞き手に二つの異なる発話をする。これについてはいくつかの類推が役立つかもしれない。

①　私が「私はフランス人です」と大声で言うのと同時に、ホワイトボードに「私はイギリス人です」と書くのを想像してほしい。私は一人が目が見えず、もう一人が耳が聞こえない（読唇もできない）二人に話していると分かっている。この場合、私が二つのことを言ったのは明白だ。耳が聞こえない人には真実を言い、[04]目の見えない人には誤ったことを言った。

②　①のケースは明らかに、二つの別々でありながらも同時の発話を伴う。ここで発話が一つしかないケースを考えよう。シェフィールドではwhile（〜の間に）は、大半の英語話者がuntil（〜まで）で表すのと同じ意味で使われる。私がシェフィールドの人とニューヨークの人に同時に話すのを想像してほしい。私はこの違いを知っているし、それぞれの聞き手が、自分のwhileの用法がこの英単語の唯一の用法だと思っていることも知っている。私は慎重に言葉を選んで、It's illegal to drive while drunkと言う。ここでも判定は明らかだ。私はシェフィールドの人に誤ったこと（酔うまで運転するのは違法だ）を言い、ニューヨークの人に真実（酔っている間、運転するのは違法だ）を言ったのだ。

③　おそらく、心裡留保に最も近いケースは①のように、ホワイトボードのある部屋で耳の聞こえない人と目の見えない人に話しかけるケースだろう。私は「私はフランス人です」と叫ぶのと同時に、「〜というわけではありません」とボードに書く。奇妙なことに、このケースでも私は二つのことを言ったというのが正しいと思われる。

A　私はホワイトボードを読む耳の聞こえない人に真実を言った――「私はフランス人というわけではありません」。

B　私はホワイトボードが見えない目の見えない人に誤ったことを言った――「私はフランス人です」。

このように考えてみると、司祭は神に真実を言い、現世の聞き手には誤ったことを言ったと考えることができる。司祭はこのことを、互いに関連する二つの主張の真理値〔真か偽か〕を完全に分かった上で意図的に行ったし、しかも保証を与える文脈に自分がいると分かった上で故意にそうしたのだ。「嘘をつくこと」についての本書の定義では、これについて何が言えるだろうか。

定義「嘘をつくこと」
話し手が、言語的な思い違いやマラプロピズムの犠牲者ではなく、また隠喩(メタファー)や誇張、皮肉を用いていない場合に、(1)その話し手がPであると言い、かつ、(2)その話し手がPは誤りだと信じており、[05] (3)保証を与える文脈に自分がいると見なしている場合にかぎり、その話し手は嘘をついている。

司祭が二つのことを言ったため、この定義では彼が嘘をついたかどうか、判断が分かれる。

A　司祭は現世の聞き手に嘘をついた。司祭が聞き手に言ったのは端的に、「私は司祭ではありません」だった。この場合の聞き手の立場は、先ほどのケース3の目の見えない聞き手の立場に類する。この聞き手はホワイトボードに書かれた「〜というわけではありません」という但し書きを見ることができない。現世の聞き手は声に出して言われない「アポロン神殿の」という但し書きを聞けない。司祭が聞き手に言ったこと――「私は司祭ではありません」――は誤りだった。つまり、司祭はそれが誤りと知っていて、保証を与える文脈に自分がいると分かっていながら、字義通りそう言ったのであり、マラプロピズムや言語的な思い違いの犠牲者ではない。

B　祭司は神に真実を語る。神は、声にはされない「アポロン神殿の」という但し書きを聞くことができる。したがって神の立場は、ホワイトボードを読む人の立場に類し、それゆえ発話の全体を知覚できる。神は「私はアポロン神殿の司祭ではない」を聞くことができる。これは、「言われていること」が真実であり、話し手によって真実だと知られているので、嘘ではない。[06]

こう考えれば、自分が嘘をつくのを避けたという司祭の信念をいくぶんか理解できる。神に対する彼の信念〔神は全知全能である〕を考えれば、彼が神に嘘をつくことを避けたと考えるのも一理ある。だがもちろん、司祭は現世の聞き手には嘘をついた。そして確かに、少なくとも司祭の擁護者の一部は彼が嘘をついていると認めているようにみえる。

　われわれは、誰であろうと心で真の命題を構築し、言葉でその一部を発話し、心のうちに留保された他の部分から切り離されたその部分が誤りなら、たとえ人を前にして嘘をついていると思われようと、神を前に誤りを話したり嘘をついたりしていない、と証明するよう努めるだろう。（ヘンリー・ガーネット〔十六世紀イギリスのイエズス会司祭〕、Jonsen and Toulmin 1988: 208）

今なら、司祭がなぜ自分のしていることが許容されると考えたか、そしてなぜ大多数の人が全く許容できないと考えたかが、理解できる。司祭の発話には全く問題がないと考えるには、神に対する嘘だけが問題だという見解を持つ必要がある。もし他の人間に対する嘘を気にするなら、司祭の発話はわずかとはいえ問題がある。心裡留保を実践する司祭は、少なくとも前者の見解を持つと思われる。これは他者（少なくとも現世の他者）への深い侮蔑を示す見解である。

私の考えでは、これが心裡留保の支持者の多くが、心裡留保の容認にいくつか制限を設ける理由だ。大半の擁護者ですら、人に嘘をつくのは問題ないという考えに不安を感じたと思う。だから、彼らが神への嘘を最も重大だと考えたとしても、おそらくその多くは人間への嘘も最小限に抑えるべきだと考えただろう。そこで、心裡留保の使用にはしばしば制限が課せられた。その中でも、心裡留保が認められたのは、誰かを欺かなくてはならない圧倒的な必要性に迫られた状況、例えば迫害を逃れるとか、告解の封印を維持するといった状況下だけだった。そのような状況では、正しいことをしようとする司祭は引き裂かれてしまう。嘘をつくのは過ちなので、司祭は嘘をつきたくない。しかし、告解の封印を破るのも過ちである。返答を強いられた司祭は、この二つの考えを尊重する方法を見つけねばならない。心裡留保の教義はこの葛藤に対処する方法だ。それは単にミスリードしようとする選択とよく似た働きをする。ありふれた嘘よりもわずかにましと見なされる欺きの方法を与える点で。それは依然として人に対する嘘だが、神への嘘ではない。だが人に嘘をつくことも依然として悪いことと認められているので、その使用は（誰もが納得できるような）特別な状況に限定される。

心裡留保の使用に対する別の制限も興味深い。ドミンゴ・デ・ソト（一六世紀スペインの神学者）は心裡留保のうち許容されるのは一種類しかないと論じた。

「分からない」という返答は、「おおやけに言明できる仕方では」という表出されない但し書きを伴って話される。……彼（ドミンゴ）は、これが有効な状況は一つしかないと完全に確信していた。すなわち、司祭が神聖な告解からのみ知る情報について問われる状況だ。「なぜなら、全キリスト教世界がそのような情報（心のうちの真実）は神に対して話すように、司祭に話されるものだと知っ

ているからだ」。(Jonsen and Toulmin 1988: 199–200)

この点で、心裡留保を許容させるのは、誰も騙さないことだと思われる。これには二つの解釈が可能であり、どちらも興味深い。

①「全キリスト教世界」は、司祭が告解で「言われたこと」を明かせないと知っているので、心裡留保は実際には聞き手にとって把握できるものだ。この理解に基づけば、司祭が「おおやけに言明できる仕方では」と心の中で言っているにちがいないと聞き手には分かっている。これは、省略された要素が何であるかは明らかなので、発話文の一部と見なされる場合（例えば、第２章で議論した統語的な省略のケース）と類似すると想定できる。この解釈によれば、司祭は神と現世の聞き手の両方に同じ文を話したことになる。司祭は両方に全く同じこと、彼がおおやけに言明できるような仕方では知らない、と言ったのだ。これは真実であり、そのことを彼は知っているので、彼はどちらに対しても嘘をつかなかった。

②「全キリスト教世界」は、司祭が告解で「言われたこと」を明かせないと知っているので、実際には嘘をつくことで（もちろん神ではなく人を）欺くことはできない。それはソレンセンが「白々しい」嘘と呼ぶものだ。[07] ソレンセンは、白々しい嘘は広く非難されるが、実際には他の嘘よりも間違いなくはるかに道徳的に許容されると述べる。

なぜ嘘をつくことが間違っているのかについて、功利主義の説明によれば、それには欺瞞に悪い結果が伴うからだとされる。だが、白々しい嘘は誰も欺きはしない。なぜ嘘をつくことが間違っているのかについて、義務論の説明ではそれは人を欺く意図によるとされる。……だが白々しい嘘は誰も騙さない。……さらに義務論は、嘘は信頼を裏切るから間違いだ、と言う。嘘つきは聞き手に自分の言葉を信じさせる。だが、白々しい嘘をつく者は、そんな裏切りに成功しない。その嘘つきは聞き手が自分の虚偽を信じないと分かっているからだ。(Sorensen 2007: 252)

これはそのまま、ソトが論じる露骨な心裡留保の使用にも当てはまる。おそらく、ソトが論じるような発話は(人々にとって)嘘であるが、誰も騙されないことはきわめて明白なので、さらに許容しやすい嘘である。

もし私たちが、神が存在し、司祭の考えを聞くということを否定したらどうなるかを問うのも、面白いだろう。その場合に思い浮かぶ最初の興味深い考えは、司祭は何も真実を言わず、現世の聞き手に嘘だけを言ったのだと解することだ。だが私の考えでは、これは間違いだ。司祭は神が自分の言葉を聞くと信じ、神が聞くことができると彼が信じる仕方で発話する。彼は気づいていないが、彼の発話を知覚できる人は誰もいない。ここで、一つ類推してみよう。

私は手話を使って、読唇できないと思われる耳の聞こえない人に「Pだ」と真実のままに言おうとしている。同時に私は目の見えない聞き手に対し「Pではない」と言うために、声に出して英語を用いる。ところが今回は、耳の聞こえない人が実は非常によくできたダンボールの切り抜きであることが判明した。その際、私は気づいていないが、誰も私の手話を認識していない。これによって私が「Pだ」と言ったという考えが損なわれるとは全く思われない。

神のいない世界における司祭の無言の発話「私はアポロン神殿の司祭ではありません」は、私がダンボールの切り抜きに対して手話を使うことにかなり似ている。私たちはみな、聞き手が存在すると仮定して、聞き手によって認識される文を発話する。聞き手が存在しないという事実は、私たちの発話したことに影響しない。

心裡留保の支持者が何と言おうと、まだ未解決な疑問がある。すなわち、心裡留保の教義を遵守するために、１〔「いいえ、私は司祭ではありません」〕を発話する司祭の道徳性を私たちはどう判断するべきか。これはやっかいな問題だ。他のケースで見解に相違があるのを見たように、ここでも見解に相違があるだろうと推測される。一つ考えうる判断は、この司祭は純粋に二つの正当な目標、すなわち告解の封印を守ること（あるいは迫害の回避）と嘘の回避を両立させようとしたのであり、そのための努力は彼に関して賞賛すべき点を明かす、とするものだ。もう一つ別の判断があるとすれば、この司祭は他の人を侮蔑することによってのみ、現世の聞き手に嘘をつく重大さを軽減できるのであり、これに関して賞賛に値するものは彼には何もないというものだ。どちらの判断を下すかは、どの美徳を最も重視し、どのような事実を重視するかによるだろう。そして、これはきわめて正しい判断だと思われる。

最近、心裡留保の教義が、道徳的にそれが許されるのかについて誰も判断を迷わないような文脈で、行使された。次の記述は、ダブリンの聖職者による児童への性的虐待の調査報告である。

> イヴォンヌ・マーフィー判事率いる独立調査委員会の報告書によると、教会職員は心裡留保によって、嘘をつくことの罪に問われることなく、誤解（ミスリーディング）を与える印象を他者に意図的に伝えることができる。
>
> 聖職者による児童虐待に対する申し立てがダブリン大司教区でどう扱われたか、報告では次の例

が挙げられた。「ジョンはダブリン教区の主任司祭を訪れて、助任司祭の一人の振る舞いについて苦情を言うつもりだ。主任司祭はジョンが来るのを見たが、ジョンのことを厄介者だと思っているので、会いたくない。そこで主任司祭は別の助任司祭をドアの前に立たせる。ジョンは助任司祭に主任司祭が中にいるか尋ねる。助任司祭は、主任司祭はいない、と答える。これは明らかに真実ではないが、教会の考えでは嘘ではない。なぜならジョンに、主任司祭はいない、と答えたとき、助任司祭は「あなたにとっては」と言うのを心の裡に留保した（心の中でつぶやいた）からだ」と報告書は述べている。（Molloy 2009）

このケースは判断しやすい。なぜならこの司祭が二つの崇高な目的を両立させようとしているとは、一瞬たりとも考えられないからだ。児童への性的虐待を隠蔽し、そうすることで虐待を助長することは、想像できるかぎりの最も非難すべき目的の一つである。だから、この司祭に賞賛すべき点があると考える理由は全くない。ここには質問者と教区の子供たち両方に対する侮蔑が見いだせ、それ以外に何もない。

多義性の教義

多義性の教義（Doctrine of Equivocation）は、これよりはやや広く受け入れられた決疑論の教義である。次の引用は、パスカル（決疑論に対する批判者〔一七世紀フランスの思想家〕）の『田舎の友への手紙』（Les Provinciales. 一八通の手紙の形式によるイエズス会の腐敗、特に決疑論を批判する論書）の中で「善き神父」の書いた手紙の形をとっているが、むしろ決議論をうまく要約している。

最も恥ずべき問題の一つは、特に真実でないことを人々に信じ込ませるときに、どのように嘘を避けるかである。ここで、私たちの多義性の教義が奇跡のように役立つ。なぜなら、それによって人は「多義的な語を使用して、自分が理解する意味とは異なる意味を聞き手に伝えることができるからだ」とサンチェスは言う。(Pascal, *Moral Works*, II, 3, vi, n.13)[08]

この教義は、嘘をつくのを避ける目的で多義的な表現を慎重に発話するのに等しい。これがどう機能するか理解するために、PとQの両方を意味する表現をいくつか考察しよう。その際、話し手はPが真であり、Qが偽であると知っている。話し手はまた、自分がQを意味して言っていると聞き手が受け取ることも分かっている。だが考えてみれば、Pが真であるから、話し手は嘘をついていない。パスカル(と他の人々)はこの多義性の教義に反対していたが、この教義は心裡留保の教義よりも好まれ、より多くの支持を獲得した。

多義性の教義の最も良い例の一つは、ペンナフォルトのライムンドゥス(一一七五頃―一二七五年〔スペインの教会法学者〕)が示してくれる。ライムンドゥスは、(今日まで)よく論じられる、無実の逃亡者を自分の家に隠した人のアウグスティヌスによる事例について議論する。アウグスティヌスは、人は嘘をつくことができないと考えていた。ライムンドゥスは、次の二つの意味をもつラテン語の文 non est hic を口にすることで、無実の逃亡者を合法的に救えると提案した。

3　He is not here.　彼はここにはいません。

3*　He does not eat here.　彼はここでは食べません。[09]

（〔3*の意味なら〕この人は自分の家では逃亡者に何も食べさせないようにしたのだろう。）

多義性の教義は、評価するのがやや難しい。嘘の定義を再確認し、non est hic の例を考えよう。

定義「嘘をつくこと」
話し手が、言語的な思い違いやマラプロピズムの犠牲者ではなく、また隠喩（メタファー）や誇張、皮肉を用いていない場合に、(1)その話し手がPであると言い、かつ、(2)その話し手がPは誤りだと信じており、(3)保証を与える文脈に自分がいると見なしている場合にかぎり、その話し手は嘘をついている。

私たちは、話し手が言語的な思い違いやマラプロピズムの犠牲者ではなく、隠喩（メタファー）や誇張、皮肉を用いていないことを知っている。したがって、この定義はライムンドゥスの事例に適用できる。最初の問題は、ある人（ライムンドゥスと呼ぼう）が発話3を意味していると理解されることが分かっていて3を発話した場合、彼は嘘をついていると見なされるのだろうか。発話3の内容をPとしよう。ライムンドゥスはPが誤りだと知っているので、定義の項(2)は満たされる。では他の項はどうか。項(3)は実に簡単だ。ライムンドゥスは保証を与える文脈にいて、それを知っている。

項(1)は扱いにくい。これを満たすには、ライムンドゥスはPであると言わねばならない。ライムンドゥスはPともP*（ここでP*は3*にあたる）とも意味しうる多義的な文を発話した。聞き手は彼がPと言ったと受け止める。だが聞き手の解釈が、多義的な文によって「言われていること」を決定するという考えは全く適切ではない。私がレストランで働く場面を想像しよう。私は（私は気づいていないのだが、空腹で人食いである）同僚に「The Joneses are ready to eat. ジョーンズ夫妻は食べる（食べられる）準備ができています」と言う。私が意味したのが単に、私たちは夫妻に食事を持っていくべきだという提案だった場合、次に起きるのは大混乱だ。確かに、同僚が私の多義的な発話をどう理解するにせよ、私はジョーンズ夫妻が食べられる準備ができているとは言っていない。聞き手〔人食い〕の解釈が多義的な文によって「言われていること」を決めるなら、このような事態になってしまう。それよりもはるかに好ましいのは、話し手の意図が「言われていること」を決定するという見解である。この考え方によれば、私は、私たちがジョーンズに食べ物を持っていこうと伝えたいだけであって、人間を食べたいという同僚の考えを言ったわけではない。だが、たとえこのように話し手の意図が決定されるのを認めたとしても、事態はそう単純ではない。

ある見解では、話し手の意味が「言われていること」を決定すると見なす。もし多義的な文が発話された場合、話し手が意味する意味は、言われている〔字義通りの〕意味である。話し手の意味は、少なくとも通常理解されるように、話し手が聞き手に伝えようとする何かに関わる。ライムンドゥスが聞き手に理解させようとするのは、明らかにPである。これがライムンドゥスの意味することなので、この見解ではこれが彼が言ったことだ。したがって、ライムンドゥスはPと言ったのだ。

しかし問題はおそらく、これほど単純ではない。もし尋ねられたら、ライムンドゥスはPと言ったことを〔真摯に〕否定するだろう。彼は、たとえPを伝えるつもりでも、Pを言うつもりなどおよそない。そして議論の余地なく、話し手が言おうと意図する命題は、多義的な文で彼が言う命題である。通常、多義性が解決されるケースでは、話し手は発話文のもつ複数の意味のうち一つだけを言おうとし、伝えようとする。ライムンドゥスのケースで特別な点は、ライムンドゥスが文のもつ二つの意味のうち一方を言おうとし、他方を伝えようとしていることである。話し手の意図がこのように微妙なものであるなら、話し手が言おうと意図することが、話し手が言うことだというのは当然のことだと見なされる。これが正しいなら、ライムンドゥスの言っていることはPではなくP*であることになる（たとえ聞き手がそれを理解しなくとも）。

そうなると、ライムンドゥスが何を言ったのかは全く判然としなくなる。この場合、心裡留保の教義よりも多義性の教義の方がまだ非難されるべき点が少ないことが、それほど明確ではなくなると見なされても、驚くべきことではない。私の感覚では、これもまた直観とよく合致する。つまり、心裡留保を用いる人が少なくとも何らかの嘘をついていないと見なすのは難しいが、多義性を用いる人が嘘をついたかどうかは全く不明瞭だ。

おそらく、多義性の教義の方が、心裡留保の教義より嘘のようには見えないので、道徳的に受け入れられてきたのだろう。もちろん、本書としてはこの判断に同意する必要はない。実際、本書の判断は事例ごとに、多義性を利用する人を、道徳的な問題をはらむ二つの可能性の間で気高く進もうとしている人と考えるか、あるいは単に巧妙に人を欺く方法を見つけようとしている人と考えるかによって、大きく異なるだろう。

指示詞 demonstrative

アルフォンスス・リグオーリ〔アルフォンソ・デ・リゴリ。一八世紀イタリアの枢機卿〕は『シルウェステル集成（*Summa Sylvestrina*）』ですばらしい提案をしている。

もし誰かがある人を殺そうとして、あなたに「彼はこの方向（this way）に行ったか」と聞いたら、あなたは「いいえ、この方向（this way）ではありません」と答えてよい。それは「彼の足は、あなたが指差しているまさにその地面は踏んでいない」という意味である。[10]

この提案は、言語哲学者にとって特に興味深い。というのも、ここでは、たとえ指示詞〔this〕が指示対象〔地面〕と組み合わされても、正確に何が指示されているのかは不明瞭になりうるような事実が慎重に利用されているからだ。この事例の殺人者は一般化された方向〔this way この方向〕を示す意味で言っている。無実の被害者の保護者（「アルフォンスス」としよう）は、自分が「この this」と発話するとき、一般化された方向の代わりに地面の特定の部分を示しているのだと主張する。ここでの私たちの問いは、アルフォンススが嘘をつかずにミスリードすることに成功したかどうかである。

「嘘をつく」の定義をもう一度示して考察しよう。

定義「嘘をつくこと」

話し手が、言語的な思い違いやマラプロピズムの犠牲者ではなく、また隠喩（メタファー）や誇張、皮肉を用いていない場合に、(1)その話し手がPであると言い、かつ、(2)その話し手がPは誤りだと信じており、[11] (3)保証を与える文脈に自分がいると見なしている場合にかぎり、その話し手は嘘をついている。

Pを「いいえ、彼は行っていません」[12]（一般化されたこの方向と理解されている）ととるなら、確実にアルフォンススはPが誤りだと信じている。また、アルフォンススは保証を与える文脈にいて、それを分かっているのも明らかだ。最後に、彼は字義通りに話し、言語的な思い違いやマラプロピズムの犠牲者ではない。したがって、項(1)以外の全項を明白に満たす。重要な問いは、彼がPであると言っているかどうかだ。これに対する答えはある程度、指示詞〔この〕による実物〔地面〕の指示についてどう考えるか次第になるだろう。

ハワード・ウェットシュタイン〔宗教哲学、言語哲学〕の見解では、指示詞の指示対象は合図によって指し示され、理解力のある聞き手は話し手がその合図に依拠していると受け取る（Wettstein 1984）。興味深いのは、理解力のある聞き手をどんな聞き手と考えるかが非常に重要になる点だ。殺人者はおそらく有能な聞き手で、話し手が一般化された方向〔道〕を指し示していると理解する（殺人者はそれを自分のジェスチャーで指し示したものと受け取る）。これは、指示対象が一般化された方向であり、それゆえ会話で「言われていること」はPであることを示す。だがここで、別の有能な聞き手を想像してほしい。彼は、イエズス会司祭アルフォンススによってよく訓練された彼の従者である。さらに、アルフォンススがこの二人に向けて（両方が彼の聞き手になるよう）発言する場面を想像してみてほしい。この有能な聞き手は、アルフォンススが何をするつもりか分かっていて、アルフォンススは地面の特定部分を指し示していると受け止めるだろう。もしこの聞き手が重要なら、アルフォンススはPと言わなかっただろう。したがってウェットシュタインの見解では、「何が言われたか」がいくぶん不明瞭なままだ。

これと異なる見解は、何かを指示するジェスチャーだけで指示は決まるとするものだろう（Kaplan 1989a）。この見解は、ある人が、自分が何を指差すか気づかぬまま、指で何かを指しているケースを考察するときに、興味を引くものとなる（カルナップの写真を指差したつもりで、うっかりジョージ・W・ブッシュの写真を指差して「あれは優秀な人の写真だ」と言う人を思い浮かべてほしい）[13]。ところが、今回のようなケースに目を向けると、それほど興味深くなくなる。なぜならここでは、指し示すジェスチャー（一般的な方向なのか、それとも地面の一部なのか）によって、正確にどのように具体的にあるものが選び出されているかが問題だからだ。コリン・マッギン〔心の哲学、論理学〕は、「そのF〔方向〕」の指示対象は「話し手の指し示す指から投影された線と交差する最初のF〔方向〕」であると述べる（Braun 2008）。つまりこの見解では、指示される方向は、アルフォンススの指し示す指から投影された線と交差する最初の方向である。

これはおそらく、指で示された地面の部分は実際に指示対象であり、アルフォンススは嘘をついていないことを意味する。[14] だがこの見方はあまり興味を引くものではない。これを理解するには、代わりにアルフォンススが殺人者の役に立つことを望んで、「はい、彼はこっちに行きましたよ」とすんなり答えたと想像してほしい。マッギンの見解では、アルフォンススはこれによって偶発的な誤りを発話したことになる。なぜなら、無実の被害者はその部分の地面の上は通過しなかったからだ。

次に、話し手の意図が、何かを指し示すジェスチャーの指示対象を決定するという見解を検討しよう。バックにとって、指示詞の指示対象は話し手の指示する意図によって決まる。[15]

> 指示する意図とは、単に、自分の心の中にある何かを指示する意図ではない。それは聞き手がある特定の項目を指示対象として、ある特定の識別可能な方法で考えることによって識別し、自分が識別するように意図されていると受け取るよう意図することである。……このような意図は、聞き手が適切な仕方で適切な個物を識別できなければ、つまり、意図された仕方で意図されたものを識別できなければ、満たされないことになる。(Bach 1992: 143)

したがって、バックの見解では、話し手の指示する意図は、（大まかに言えば）聞き手が適切な仕方で指示対象について考えることでその指示対象を識別させる。したがって、この種の意図によって決定される指示対象になりうる唯一の対象は、話し手が聞き手に識別させようと意図する対象である。したがって、アルフォンススが聞き手に識別させようとする対象は、地面の特定部分ではなく、一般化された方向なのである。もし指示詞による指示についてのバックの見解（Bach 1992）を採用するなら、アルフォンススはＰ「彼はこの方向に行っていません」と言ったのだ。彼は誤りだと知っていることを言ってしまった。つまり、彼は嘘をついたのである。

話し手の意図に関する別の見解は、指示詞の指示対象は、話し手の心の中にある対象や話し手が自分の指示詞の対象として意図する対象のいずれでもある、というものだ（これは、カプランの考え（Kaplan 1989b）と理解してよい見解である）。この見解に基づくなら、アルフォンススが指示詞は地面の一部を指示すると考えるかぎり、その通りである。その場合、アルフォンススは、無実の被害者がこの草の上を通らなかったという真実を言うことに成功し、彼は誤りであるPを言っていないことになる。だが、これはマーガ・ライマー（Reimer 1991a, b）が説得力をもって主張したようにそこまで興味を引く見解ではない。なぜなら、私が、カルナップを思いつつ、うっかりブッシュの写真を指差して、「あれはすばらしい人物の写真だ」と言っても、何らかの真実を言うことになってしまうからだ。これが意味するのは、私が手掛かりを〔適切に〕指差していると考えるかぎり、何かを指差して「これらが手掛かりだ」と言うとき、私は決して誤りを言えないことになる（ライマーの例を参照）。

では、アルフォンススは、指示詞を慎重に使用することで彼の伝えようとしている誤った主張を言わずにすむのだろうか。指示詞を用いて指示することに関する困難な問題を解決しないかぎり、この質問に答えることはできない。だがこの確信のなさは、この例に対する直観と合致する。これはかなり困難なケースだという直観だ。

重要なのは、アルフォンススがしたことは、嘘をつくより道徳的に優れているという彼の見解に同意する必要がない点だ。すでに見たように、ある主張が嘘であっても、他の種類の欺きであっても、それ自体では、その主張にある道徳性の状態に何の影響も与えない。アルフォンススの欺きに対して私たちが下す道徳的な判断は、彼が嘘をつくことを心配し、嘘を避けるために指示詞を慎重に活用したのを、善いと考えるかどうかによると思われる。あるいは、この状況でそこまで嘘をつくことを心配する人は、優先順位を明らかに誤っていると考えるかどうかによる（これは第4章で論じたこれよりも伝統的な「玄関先の殺人犯」についての妥当性のある考察と完全に対応する）。

3　「完成化」のケース

完成化のケースは、「言われていること」の理論にとって非常にやっかいだった。したがって「言われていること」だけでなく、（発話で）行われることに対して下す倫理的な判定を考慮するときに何が起きるかを確かめるため、ここで再検討しよう。第2章と第3章で非常に重要だった殺人看護士のケースを元にした様々なヴァージョンを振り返ろう。この例では、デイヴが病院のベッドに横たわり、二人の看護士が彼に必要な治療について話している。エドは心臓病の薬の瓶を掲げ、それを指して、4を発話する。

4　Has Dave had enough?　デイヴはもう十分ですか。

フレッドは5と答える。

5　Dave's had enough.　デイヴはもう十分です。

結論から言うと、フレッドはデイヴを憎んでいて、死んでほしくて、彼に必要な心臓病の薬を与えないことで殺そうと計画する。フレッドが5を発話したとき、彼は5*、5**、5***のようなことを意味していたが、彼はそれらが誤りだと分かっていた。

5* Dave's had enough heart medicine. デイヴは心臓病の薬を十分飲みました。
5** Dave's had enough of that. デイヴはそれを十分摂取しました。
5*** Dave's had enough of the stuff in that bottle you're holding up.
デイヴはあなたが掲げている瓶の中のものを十分に飲みました。

第3章で見たように、この発話によって「言われていること」をめぐる不確かさをどう正確に扱うかについては、いくつかのやっかいな技術上の問題がある。しかし、どの方法を選ぼうと、フレッドが嘘をついたのは明らかだ。この状況の道徳的な評価には何の問題もない。フレッドはデイヴを殺すために故意に嘘をついた。これを過ちだと判断するのは完全に理解できる。

だが第3章でも、少しやっかいなケースが見られた。その一つでは、殺意のないガートルードが、エドはウイスキーの瓶を持っていると誤認し、当然ながらデイヴがウイスキーを十分飲んだと指摘しようとして、5を発話する。

5 Dave's had enough. デイヴはもう十分です。

不運にも、エドはデイヴに必要な心臓病の薬の瓶を掲げていた。第3章で見たように、ガートルードは明らかに嘘をつかなかった。したがって、彼女がウイスキーについて何か言ったかどうか不確かであっても、彼女が嘘をついたかどうかについての私たちの判断には影響しない。これは私たちの道徳的な判断にも影響しない。誰かが真実を言ったか、誤りを偶発的に言ったかは、道徳性に何の関係もない。

さらにやっかいなのは、殺人看護士フレッドが、デイヴにお茶をあげようとしている殺意のないエドに病室で出くわすケースだ。フレッドはエドがデイヴに心臓病の薬を与えようとしていると誤解し、5を発話して邪魔をする。

5　Dave's had enough.　デイヴはもう十分です。

直観的には、デイヴが心臓病の薬を十分飲んだ、とフレッドが言ったのかどうか分からないので、嘘をついたかどうかは分からない。[16] だが、この不確実性は道徳の不確実性にはつながらない。そして今では、私たちはそれを理解できる。誰かが嘘をついたかどうかは、それ自体で道徳にとって重要ではない。時には、嘘をつくか、意図的にミスリードするかの選択が、その人の人格がもつ道徳性を露呈させることもある。だが、この選択には、そんな道徳性を露呈させる要素はない。フレッドはエドに嘘をついて彼を欺き、デイヴを殺そうとした。ところが、エドはフレッドの発話を意図した通りに理解していないので、デイヴにとっては幸いなことに、エドを欺くことに失敗した。しかし、欺こうというこの試みは失敗に終わったのだから、それが現実に嘘を含むかは、道徳の観点からは全く興味を引くことではない。それはどんな道徳的な意義も明らかにしない。したがって、私がこのようなケースを扱うとき、「言うこと」の直観が少し鈍るのは、さほど驚くべきことではない。この種のケースでは、明確な判断を与える「言うこと」の概念は全く不要なのだ。

4　エンパイアステートビルと、別の場所でしたジャンプ

第2章でかなり論じた文6をもう一度考察してみよう。

6　Billy went to the top of the Empire State Building and jumped.
　ビリーがエンパイアステートビルの屋上に行って、ジャンプしたんだ。

ここに示される見解によれば、6の発話で「言われていること」には、どんなジャンプが行われたかを示すものが一切含まれない（これは「完成化」ではなく「拡張」の問題だからだ）。また、出来事が起こった順序についての言及も一切含まれない。前章で議論したケースから私たちは、このように概念化するのが望ましいと考えるに至った。ところが、6の発話は、ビリーが五歳の頃ベッドの上でジャンプし、それから二〇年後にエンパイアステートビルの屋上にエレベーターで昇り、また下に戻る、という筋書きでも事実になりうると考えると、問題があると分かるだろう。

この点では問題がありそうだが、嘘とミスリードについてもう少し注意深く考えると、そうではないとが分かる。「嘘をつく」の最終的な定義をもう一度思い出そう。

定義「嘘をつくこと」
話し手が、言語的な思い違いやマラプロピズムの犠牲者ではなく、また隠喩（メタファー）や誇張、皮肉を用いていない場合に、⑴その話し手がPであると言い、かつ、⑵その話し手がPは誤りだと信じており、[17] ⑶保

証を与える文脈に自分がいると見なしている場合にかぎり、その話し手は嘘をついている。

ここで、こう想像してほしい。ルーはビリーがエンパイアステートビルの上から飛び降りたとパブロに信じさせ動揺させたいと考える（ルーはこれが真実ではないと知っている）。ルーはパブロに嘘をつく意図をもって6を発話する。

6　Billy went to the top of the Empire State Building and jumped.
ビリーがエンパイアステートビルの屋上に行って、ジャンプしたんだ。

だが実際のところ、ビリーはある時ベッドの上でジャンプし、またある時エンパイアステートビルの屋上に行った（別々に起きた出来事を一緒に述べただけ）のだと判明する。ここで提示された見方によれば、ルーの発話6は真実を言っていることになる。だが、ルーは発話6を嘘だと信じている。そこで先ほどの定義に戻ると、項(1)と項(2)は満たされている。ルーは保証を与える文脈に自分がいると分かっているし、字義通り話していて、マラプロピズムや言語的な思い違いの犠牲者ではない。したがって、ルーの発言は明らかに嘘である。[18]

これはこのケースに対する完全に理に適った結果だろう。もし私たちがルーに、実は彼が言ったことはある意味では真実だと説明したら、彼は納得するだろう。彼は、それにあまり関心がないとか、自分には関係ないと適切に理解するだろうが。このことに問題があるという感覚は、ビリーがエンパイアステートビルから飛び降りたとルーが考えていたという事実に由来するように私には思える。これは彼が伝えようとしていたことだし、おそらくルーはそれを伝えようとしているとパブロが受け取ったことだ。

しかし、重要なのは、これが、それこそがルーの言ったことだと全く意味しないことである。その意味では、嘘とミスリードの区別にとってこのことは重要ではないのである。

今度は、ルーよりも悪質な話し手——ルイーザと呼ぼう——が登場する、少し異なるケースを考えてみよう。ルイーザはパブロに嘘をつきたくはない（少なくともこの点で彼女はカント派だ）。だが、彼女もまた、ビリーはエンパイアステートビルの屋上から飛び降りたとパブロに信じてほしい。パブロを苦しめることが唯一の理由で、彼女はそうする。[19] 彼女は注意深く考え、6を発話すれば真実を言いながら、それでもパブロをミスリードできると気づく。彼女はそうすることで嘘を回避できたのだろうか。ここでの答えは「できた」だ。なぜなら彼女は、自分が真実を言っていると分かっているからだ。つまり、彼女は自分が誤りを言っていると考えていないのだ。定義「嘘をつく」の項(2)は満たされない。

ルイーザについてどのような道徳的な判断をすべきだろうか。意見は分かれるだろう。もしかしたら、私たちはルイーザが自分の犯す過ちを軽減する努力をしたのだと真摯に受け止めるかもしれない。そして彼女が、嘘をつかずに欺く方法を見つけようと必死に頑張っていると受け取るかもしれない。その場合、私たちは、彼女が堂々と嘘をついた場合ほどには彼女に厳しい判断を下さないかもしれない。だがもっと可能性が高いのは、ルイーザの行いに弁護できる点を何も見いだせないことだ。もし彼女が自分の欺きに（適切に）居心地の悪さを感じるなら、そもそも彼女は決して欺くべきではなかったと、私たちは考えるだろう。結局のところ、彼女はパブロを苦しめるためだけにやったのだから、彼女の欺きにい・い・正当な理由などない。彼女は自分が行う過ちに直面するのを避ける重要な手段として機能するように慎重に言葉を選ぶのだから、私たちは実際にはもっと厳しい判断をするかもしれない。

5　クリントンの発話と偽証罪

モニカ・ルウィンスキーとの関係に関するビル・クリントン大統領の証言は、嘘とミスリードの区別が重くのしかかる、近年、最も議論されたケースだ。そしてそれは、哲学的にも政治的にも、検討する上で非常に複雑で興味深いケースである。これをめぐって一般的に信じられていることの多くは正しくなく、このケースには好奇心を駆り立てる複雑な点がたくさんある。クリントンに対する偽証罪の告訴は彼の弾劾の根拠となり、それゆえ特に重要なので、ここではそこに焦点を当てる。読者には議論が長くなると警告しよう。この事件の哲学的な関心と現実世界での重要性の両方から見て、長くなるのは正当だと私は考える。

少し背景を説明する必要がある。ポーラ・ジョーンズによると、クリントンはアーカンソー州知事時代に彼女にセクシュアルハラスメントをした。彼女は、クリントンが大統領在任中に訴訟を起こした。「クリントン対ジョーンズ訴訟」だ。また、クリントンは大統領在任中にモニカ・ルウィンスキーと合意の上で不倫関係を持った。複雑な一連の出来事を通して、ポーラ・ジョーンズの弁護士はこの不倫を知り、それについて「ジョーンズ裁判」の宣誓供述でクリントンに尋ねた。クリントンの宣誓供述に対する偽証罪の告発が連邦大陪審に提訴された。最終的に、「ジョーンズ裁判」の裁判官は、ルウィンスキーに関するクリントンの証言は無関係のため認められないとした。なぜなら、ルウィンスキーとの関係は合意に基づくと誰もが認めており、セクシュアルハラスメントにあたらないからだ。米国の法律では、クリントンが故意に嘘をついていたのだとしても、「ジョーンズ裁判」における宣誓供述は偽証として認められない。だが、偽証の告発の可能性について大陪審に提出された宣誓供述は偽証になりうる。

この宣誓証言は、クリントンが大陪審に嘘をついたという告訴に基づいて彼の弾劾の根拠となった（下院は、「ジョーンズ裁判」での偽証に関する告訴に基づく弾劾を否決した）[20]。

ここでは以下の四つのセクションで四つの特定の発話を（いくつかのヴァリエーションとともに）検討していこう。

「ある　is」の意味

この本の別の箇所で私は、インタヴューでのクリントンの発話文「不適切な関係はありません」を論じた。この発話は偽証事件とは何の関係もないし、これに似たクリントンの現在時制の発話も関係がなかった。クリントンが「ある　is」の意味が何であるのかを論じた発話は、ジャーナリストや政治家からの嘲笑の的になったが、実際には、この発話はクリントンの弁護士ロバート・ベネットによるものだった。

「クリントン対ジョーンズ裁判」の宣誓証言の間、ベネットは質問内容に異義を唱え、次のような発話を行った。

> 弁護人の誠意に疑問を抱きます。その質問は嫌味に満ちています。弁護人は、ルウィンスキーさんがクリントン大統領との間に、いかなる方法でもいかなる形でも性交渉は一切なかったと述べる宣誓供述書を提出したのを十分に認識しています[21]。

「クリントン対ジョーンズ裁判」の手続の間、検察官はクリントンがこの発話を訂正しなかったので、偽証罪で告訴した。彼らの主張によれば、クリントンは、何も話さず、自分の弁護士のコメントを訂正しないことで「全くの虚偽の発言」をした。クリントンは「それは、「ある」という言葉の意味が何であるかによる」というベネット氏の言明が必ずしも誤りではないと答えた。[22]

クリントンのこの発話は多方面から嘲笑され、彼の滑稽で二枚舌を使う性格を示していると批判された。注意すべき点がいくつかある。第一に、ベネットの言明が真実かどうかは「ある」の意味によるというのは、間違いなくクリントンの言う通りだ。[23]さらにベネットの発話が字義通り真実だというのもクリントンが正しい。なぜなら、ベネットの発話の時点では、クリントンとルウィンスキーがセックスをしていなかったのは異論の余地なく正しいからだ。[24]たとえクリントンが「ベネットがいま言ったことは真実だ」と言っていたとしても、それは嘘にはならなかっただろう。だが検察側は、クリントンが嘘をつき、それによってその際に何も言わないことで偽証罪を犯したと主張した。日常言語の問題としても、法律の問題としても、そして本書の嘘の定義によっても、これは明らかに間違いだ。嘘をつくためには、何かを言わねばならない。そして、かなり特別なケースを除いて（この事例ではない）[25]、何も言わないのに偽証罪を犯すのは不可能である。

したがって、クリントンが弁護士の字義通り真実である言明を訂正しなかったからといって偽証罪を犯していないことは明らかだ（実際、ここで争点となっている「ジョーンズ裁判」では偽証罪を犯しようがなかった。なぜなら、彼の証言は認められないと判決されたからである）。彼がこの件で嘘をつかなかったこと、それどころかミスリードする発話すらしなかったことも明らかだ。

クリントンが語る性的な関係

「ジョーンズ裁判」での宣誓証言の際、クリントンはルウィンスキーと性的な関係を持ったのかを問われ、それを否定した。クリントンとルウィンスキーの間には確かに性的な何かがあったのは明らかなので、この否定は大陪審での偽証罪の根拠の一部となっていた。「ジョーンズ裁判」での宣誓証言で、クリントンはルウィンスキーとの性的な関係を否定し、嘘をついたのだと広く信じられている。だが、この宣誓証言では「性的な関係」の定義がかなり具体的に合意されていて、しかもそれはきわめて特殊な内容だ。

> 人が「性的な関係」にあるとは、誰かの性欲を喚起したり満足させる意図で、誰かの性器、肛門、股間、乳房、内股、または臀部に故意に触れるか触れさせることである。[26]

❖この定義の標準的な解釈

〔司法〕言語に関する法律の専門家〔法言語学〕は、この定義によれば、オーラルセックスをすることは、その行為者であっても、性的な関係を持つとは見なされないという解釈で一致するようだ（例えば、Solan and Tiersma (2005); Green (2006) を参照）。この項では仮にこの理解が正しいとしよう。クリントンが主張したのは、ルウィンスキーは彼にオーラルセックスをしたが、定義にある身体部位に一切触れなかったというものだ。もしそれが本当なら[27]（私はこれを「身勝手な恋人の自己防衛」と呼ぶ[28]）、クリントンが「ジョーンズ裁判」で示した性的な関係の否定は真実であり、彼はそれが真実だと知っていた。つまりこれが偽証罪に当たらないことは非常に明白だ（いずれにしても不受理とされたのだから、偽証罪には当たらない）。しかも、本書の定義「嘘をつくこと」に照らしても、それは嘘ではなかった。だが、それはきわめてミスリードするものだった。

　では、これについてどのような道徳的な判断をすべきだろう。最初に思いつくのは、本書が普段から実践するよう提案した通り、クリントンが嘘よりもミスリードを選んだことが彼について何を露呈させるかを端的に見ることだ。そこから得られる結論は、他の要素に対する私たちの見解に大いに依存する。クリントンが、裁判に関係のない、合意の上での不倫が原因で、不当に迫害され追及されたと考える人は、彼がこのような個人的な問題を明かさないと同時に、真実を言おうとする努力に対してかなり寛容かもしれない。後にクリントン自身も、質問に対して真実を答えることが自分の責任であると考えて、実際にそうしたのだと主張した。だが、「彼らの度重なる違法な情報漏洩を前にして、多くの情報を自発的に提供することは私の責務ではなかった」と主張した（Solan and Tiersma 2005: 224）。裁判所と一般の人々には、ルウィンスキーとの不倫について知る権利があると考える人は、クリントンがその情報を提供する道義的な責任を回避するために卑劣な手段を使ったと考えるだろう。だが以下のことを思い起こすなら、一方に偏ることで起きる行き詰まりを解決できるだろう。私たちは、法廷での否認に関心があるのであり、クリントンをはじめ、法廷にいたすべての弁護士も裁判官も、すでに本書が論じた偽証についての規定に従って字義通り真実を言うことのみが、彼らの義務であることを自覚していた。話し手の義務についてこのように制限された概念が存在するので、クリントンにはミスリードを避ける道徳的な義務がなかったと考えるのが妥当だ。なぜなら、ミスリードする発話を防ぐ義務は、彼を尋問する弁護士の肩に直接かつ明確に負わされていたのであり、彼らは「性的な関係」の別の定義を主張できたはずだし、そうすべきだったのである。

❖定義の再検討

すでに指摘したように、先ほどの定義は狭いため、オーラルセックスは性的な関係と見なさないという実質的な法的合意が形成されている。しかし実際、私はこの合意に全く納得していない。実は、この定義は書かれている通りだと、著しく広いように思われる。

人が「性的な関係」にあるとは、誰かの性欲を喚起したり満足させる意図で、誰かの性器、肛門、股間、乳房、内股、または臀部に故意に触れるか触れさせることである。

クリントンが「人」の指示対象と見なされ、二つの「誰か」もクリントンだと解釈するなら、彼が認めた接触は性的な関係に関与する行為と見なされると私は考える。つまりクリントンは、「誰か」すなわち自分自身の性欲を喚起したり満足させる意図で、「誰か」すなわち自分自身の性器に触れさせた。これを否定するには、オーラルセックスという出来事においてそれを生じさせる役割をクリントンが果たしていなかったと見なすしかないが、大統領と実習生の間の力関係を考えると、その可能性はほぼない。

だが私の解釈では、この定義がどれほど広いかは注目に値する。例えば、私の友人二人がセックスライフがないとぼやいていたとする。私は二人に互いを紹介し、問題が解決することを期待する。問題は解決し、二人は定義にある身体部位の全てに触れる性的な関係を持つ。私は彼らを紹介したことで、定義にある身体部位を触れさせた。そしてそれは、（私の友人二人に対し）性的に満足させる意図でなされた。だから、私は紹介をしたことで、性交渉に関与したことになる。この定義はあまりに広すぎるように思われる。

では私が正しいとして、この〔「性的な関係」の〕定義は極端に（実際に過度に）広く、オーラルセックスをされる側であることも含むと仮定しよう。しかし、こうも仮定してほしい。「身勝手な恋人の自己防衛」も真実で（クリントンはルウィンスキーの体のうち定義にある身体部位のどこにも一度として触れなかった）、さらにクリントンは、コメンテーターらによって定義に対するさらに狭い解釈を提案され、そのとおりに真に理解したとする。もしそうだとしたら、クリントンはそれと気づかず誤りを言った。なぜなら、彼は自分が用いた言葉の意味を間違えたからだ。クリントンの発話は法的に証拠として認められないという判決が下されたので、彼が偽証罪を犯してないことを私たちはもう知っている。ただ、彼はそれが誤りだと知らなかったので、どのような場合でも偽証罪にはならなかっただろう。私たちの定義でも、彼は嘘をついたことにならない。実際、これが言語的な思い違いのケースだとしたら、本書の定義では判断を与えることはできないだろう。

定義「嘘をつくこと」
話し手が、言語的な思い違いやマラプロピズムの犠牲者ではなく、また隠喩（メタファー）や誇張、皮肉を用いていない場合に、(1) その話し手がPであると言い、かつ、(2) その話し手がPは誤りだと信じており、(3) 保証を与える文脈に自分がいると見なしている場合にかぎり、その話し手は嘘をついている。[29]

クリントンが言ったことは、現時点の仮説では誤りだったことになる。それは、広い意味での「性的な関係」の定義に基づいて、ルウィンスキーと性的な関係は持たなかったという主張だった。さらに彼は、この主張が誤りだと知っていた。よって、項(1)と項(2)は満たされる。さらに、項(3)も満たされる。なぜなら、彼は保証を与える文脈に自分がいると分かっていたし、字義通り話していたからだ。だがこのケースでは、クリントンは「性的な関係」の意味を間違えた言語的な思い違いの犠牲者なので、嘘のケースではない。彼は誤りを言ったが、自分の言っていることが誤りだとは気づいていなかった。つまり、彼はたまたま誤ったことを言ったのだ。このクリントンのケースをわずかに変えると、ロッククライマーのアンナが間違いに気づかずスペイン語で、多くのイギリス人は服を着ずに登ると言ったケースと、非常に似たものになることが分かる（第1章第7節の「偶発的な誤り」〔28頁以下〕）。

❖「ジョーンズ裁判」の外で

クリントンは折に触れ、ルウィンスキーと性的な関係を持ったことを「ジョーンズ裁判」の外で何度か否認した。そういった際に彼は、性器を性器に挿入する性交のみを性的関係と見なすような「性的な関係」の定義を用いたのだと主張した。ルウィンスキーもまた「ジョーンズ裁判」の宣誓供述でクリントンと性的な関係を持ったことを否定したが、それは「性的な関係」について法的に規定されたいかなる定義に定められてもいなかった。クリントンは、「ジョーンズ裁判」の間にルウィンスキーが言ったことは真実だと証言し、この件について大陪審の公聴会で質問された。彼は、ルウィンスキーが性器を性器に挿入する性交渉のみを性的関係と見なす定義に基づいて「性的な関係」を用いたということ、またこれが「一般的なアメリカ人」がおそらく考える定義でもあると示唆することで、彼女の言明が真実だと擁護した（Solan and Tiersma 2005: 223）。

実際のところ、クリントンは一般的なアメリカ人についてはおそらく正しかった。ステファニー・サンダース〔ジェンダー研究〕とジューン・レイニッシュ〔心理学〕によれば、五九パーセントのアメリカ人は、口と性器による行為をセックスと見なさない[30]（Sanders and Reinisch 1999）。また、ルウィンスキー自身がそのような定義に従っていたことも明らかだ。リンダ・トリップ〔米政府職員でルウィンスキーの同僚〕

がルウィンスキーに内緒で録音した電話での会話の中で、ルウィンスキーがそうはっきり述べている（Tripp–Lewinsky Tapes 7, CBS News 1998）。これを念頭に置くなら、クリントンもルウィンスキーも性的な関係を否定したときに嘘をつかなかったのは明らかだ。なぜなら二人が用いた定義は彼らの言語共同体で一般に用いられるものだったからだ（その共同体を「一般的なアメリカ人」と仮定し、サンダースとレイニッシュの調査結果が一般的なアメリカ人の意見を正確に表現するならば、だが）。そしてまた、私たちがこれについてクリントンとルウィンスキーを信じるなら、それ（一般的なアメリカ人の定義）はクリントンとルウィンスキー自身が意図する定義だったのだ。これが正しいなら、二人が性的関係を否定するときに言ったと二人が考えたことは、オーラルセックスをしたということであり、それは誤りと証明されない。したがって、彼らが言ったと考えたことは真実だったのだ。しかも、彼らはそれが真実だと知っていた。だから、彼らはそれを言うことによって嘘をつくことはできなかった。そして、もし彼らが、ほとんどの人がこの定義を使うと心から考えていたのなら、彼らは（これらの発話で）ミスリードしようとしてさえしていなかったのかもしれない。

　だがもしクリントンが「一般的なアメリカ人」について間違っていたなら、どうなのか考えてみると興味深い。仮に圧倒的多数の一般的なアメリカ人が実際にオーラルセックスをセックスと見なしていたとする。だが、クリントンとルウィンスキーが、性器を性器に挿入するセックスのみが「セックス」の意味だという誤った信念を実際に持っていたので、これだけを指示するのに「性的な関係」の語を用いたと仮定しよう。この場合はどうだろうか。これは、言語的な思い違いのケースの一つであり、ここでもロッククライマーが多くのイギリス人が全裸でロッククライミングするとスペイン語で偶然、言うケースと比較できる。クリントンとルウィンスキーは、（そうとは知らずに）偶然、誤りを言ったことになる。ただ、本書の定義では、彼らの言語的な思い違いから、彼らが嘘をついたかどうかは判断できない。

定義「嘘をつくこと」

話し手が、言語的な思い違いやマラプロピズムの犠牲者ではなく、また隠喩（メタファー）や誇張、皮肉を用いていない場合に、(1)その話し手がPであると言い、かつ、(2)その話し手がPは誤りだと信じており、[31] (3)保証を与える文脈に自分がいると見なしている場合にかぎり、その話し手は嘘をついている。

二人きりの時

最後に検討するクリントンの嘘に対する申し立ては、ほとんど注目されなかったが、嘘の告発としては間違いなく最も説得力がある。「ジョーンズ裁判」の宣誓証言の間、クリントンは、執務室でモニカ・ルウィンスキーと二人きりでいたかどうかを何度も聞かれた。その応答の一つを見てみよう。

A〔クリントンの応答〕

思い出せません……。彼女は――週末に一度か二度、私のところに物を持ってきていたような気がします。そういった時には、いつも彼女は入室し、荷物を置いて、少し言葉を交わして、行ってしまうのですが、彼女はそこにいました。[32]

検察官は次のように続け、クリントンが答えた。

B

質問：なるほど、分かりました。あなたの証言では、彼女と二人きりになった可能性はあったが、そのようなことがあった具体的な記憶がないということですか。

答え：はい、そうです。彼女がその中にいて、彼女がそこで働いていた時、何かを私に持ってきて、そして、それを持ってきたその時、彼女しかいなかったということはありえます。ええ、ありえます。[33]

クリントンのそれぞれの回答は、二つの部分に分けられる。一つめは、ルウィンスキーと二人きりでいたかどうかを覚えていない（具体的な記憶がない）という主張だ。こういった記憶喪失の主張はほぼ確実に偽りであり、クリントンはそれが誤りだと分かっていた。クリントンはそう主張したが、それらは（ほぼ確実に）誤りであり、彼はそれが誤りだと分かっていながら真実だと保証した。彼は字義通り話し、言語的な思い違いやマラプロピズムの犠牲者ではない。したがって、それらは嘘だった（そして、もしそう認められれば、偽証罪になっていただろう）。

クリントンの発話の二つめの部分はより慎重である。まずAの文章を見よう。ルウィンスキーが週末に時々彼に物を持ってきたり、短時間だけ二人きりになったりしたのは事実だろう。これで主張は真実になる。また、クリントンの発言は、こうした時がルウィンスキーと二人きりになる唯一の機会だったとほのめかす。だが彼はそのことは言わない。その代わり、彼は慎重にミスリードする陳述を作った。検察官は続けて、クリントンとルウィンスキーが二人きりだった時があったか尋ねることもできたのに、そうしなかった。

この状況はBの文章の二つめの部分と似ている。もちろん、ルウィンスキーがクリントンに何かを持ってきた時、二人きりだった可能性はある。いずれにせよ、その状況はあった。またもや、クリントンは二人きりになったのはそういった時だけだったとほのめかしはするが、そうは言わない。そしてここでもまた、検察官はもっと具体的な尋問ができたし、するべきだった。

もし記憶がないという主張をしていなければ、クリントンの発話はミスリードではあっても、嘘にはならなかっただろう。[34] クリントンの発話に対する私たちの道徳的な評価は、部分的には（私がすでに指摘したように）彼の人格についてこれらの発話が何を露呈させると私たちが考えるかによるが、それは私たちの他の信念によるだろう。

6　マダガスカル人

マダガスカルのマダガスカル人は、一見すると、嘘とミスリードの区別をきわめて重く捉える集団のように思われる。彼らはたびたび、嘘ではなくミスリードをする。エリノア・（オックス・）キーナン（人類学者）によれば、この集団では会話の規範が少々異なる（Keenan 1977）[35]。彼らは密接に結びついた共同体で暮らし、そこではほぼ全ての情報が共通の知識となっている。他の人が持たない情報を所有する人が稀に見る強力な立場にいる。その結果、人々はそのような情報を手放したがらない。マダガスカル人の間では、たとえ母親の居場所を知っていても、7には8で答えるのが全く普通である。

7　Where is your mother?　お母さんはどこかな。

8　She's either in the kitchen or the garden.　台所か庭にいます。

だがキーナンによれば、マダガスカル人の間では、あからさまな嘘——誤ったことを言うこと——はいかなる形でも認められている徴候はない。したがって、ミスリードは完全に許容されるが、嘘をつくことは許容されないのかもしれない。

ところが、これは間違った判断ではないだろうか。イギリス人にとっては、8は、回答者が自分の母親の居場所を知らないと質問者が信じるようミスリードする答えになる。だが、マダガスカル人の場合は、ここでミスリードは起きていない。答えるのをただ回避しているだけだ。この回避が期待されるので、マダガスカル人の質問者は、回答者が母親の居場所を知らないとは思わない。したがって、マダガスカル人がミスリードを許容すると考える根拠はないのである。

7　気配りと配慮

「気配り tact」が要求するのは多くの場合、特定のことを言わないことだが、状況によっては、それが非常に難しいこともある。気配りについて考察することで、許容できると判断されやすいミスリードの様々なケースに気づかされる。

アドラーは、ラリーが人前でマークに「ローラはどこにいるの」（ローラはマークの妻である）と尋ねる例を提示する（Adler 1997: 447）。マークはローラと別れたばかりで、「彼女は仕事でいない」と事実どおりに答える。アドラーの指摘では、その際マークは、すべてがうまく行っていると信じるようにラリーをミスリードしたが、私たちはこれを道徳的に許容できると判断する。したがって、これは礼儀上のミスリードの事例である。ペネロピ・ブラウン〔人類学〕とスティーヴン・レヴィンソン〔言語学〕は、異文化研究の著作『ポライトネス *Politeness*』（Brown and Levinson 1987）で、彼らが「遠回し indirection」（132）や「オフレコ」（211）と呼ぶ、さらに多くの例を記録している。それらの多くは、嘘をつかずにミスリードする事例だ。彼らが指摘するように、これは異文化において「面子を守る」、すなわち自分や他の人が恥をかくのを避ける重要な戦略である。

第4章で論じたように、本書が実際に問題にしているのは、ミスリードや嘘といった特定の行為が、その〔どちらかの行為を選んだ〕人についての何を露呈させるかということである。気配りや配慮からミスリードを選んだ人は、嘘をつかないようにしながら、同時に、問題があることを言うのを回避しようとする。私の考えでは、彼らが選択したミスリードという行為は実際は道徳的位置づけとしては嘘をつくのと変わらない。だが、彼らがそれを選択した動機が善であるならば、それは善である、と私たちは認めたくなる（少なくともそこまで厳しく判断したくない）。

興味深いのは、ブラウンとレヴィンソンが指摘するように、配慮した上での白々しい嘘もあるということだ。誰かに信じてもらえる可能性がないほど、あからさまに誤ったことを言うケースである。例えばツェルタル族〔メキシコ南部のマヤ族の一つ〕の間では、応じられない要求に対して、明らかに誤った理由で応えるのは全く許容できるとされる（Brown and Levinson 1987: 116）。これは、理由もなくそのような要求を拒否するのは失礼だからだ。こうしたことは実はそれほど珍しいわけではない。仮に私がある友人たちにひどい夕食をご馳走してもらったとする。ほとんどの食べ物は認識できないほど焼け焦げ、残りはドロドロになるまで煮込まれ、スパイスを入れ忘れられていた。料理がひどかったのは、ホストを含めて誰の目にも明らかだった。それにもかかわらず、食事の終わりに私は「料理はおいしかった」と言う。これは間違いなく、配慮ある白々しい嘘だ。この種の嘘は親切な動機に基づくため一般に厳しくは判断されない。

だが、場合によっては、「配慮 politeness」において習慣が果たす役割のために、配慮ある白々しい嘘が、見かけどおり本当に嘘なのかは、議論の余地が生じることもあるかもしれない。ツェルタル族から始めよう。ツェルタル族には礼儀上の、または格式ばったやりとりの中で使われる特別な声の抑揚という習慣もある。「それは、言われたこと全てに対して、ある種の巨大な垣根のように働く。……それは、話し手が発話したことが真実だと信じる責任から話し手を解放する」（Brown and Levinson 1987: 173）。一見すると、これは「配慮に満ちた白々しい嘘」の特殊なケースに見える。だが、これは実際には正しい論じ方ではないかもしれない。結局、嘘をつくためには、話し手は自分の言うことが真実だと自分が保証していると信じていなくてはならず、「話し手を、自分が発話することが真実だと信じる責任から解放する」声の抑揚は、まるで自分が言っていることを保証しない慣習的な方法であるかのように聞こえる。同様に、ディナーパーティーで料理を褒めることは、あまりにも慣習的であり、礼儀作法によるもので、文脈からして〔発話が真実を言うと〕保証するものではないと主張できるだろう。

配慮に関連して、さらに複雑なケースがエジプト・アラビア語の話し手にある。デイヴィッド・ウィルムセン〔アラビア語学者〕は、エジプト・アラビア語の話し手は、しばしば会話の場面で、「会話に参加したいか、そうすべきと思っても、同時にその真実を隠す」（Wilmsen 2009: 255）。ここでは、そのような状況の中でも特に興味深い二つの状況について論じる。第一は、自分の健康について尋ねられた際の回答である。「疲れている」という婉曲表現は、深刻な体調不良を指す場合によく使われる。しかし、もちろん、「疲れている」という言葉は、実際にはちょっと疲れているときにも使われる。婉曲的な言葉の使い方を慣用句として扱うべきだと仮定すると、この語は多義的であることを意味する。そこで、あなたが非常に健康を害しているエジプト・アラビア語の話し手だとしよう。誰かがあなたの健康状態を尋ねるが、あなたは病気だということを隠したいと思っている。そこで「疲れている」と言う選択をする。あなたは、単に疲れているだけで病気ではないと聞き手に思ってもらいたい。あなたが選んだ発話は、この目的には標準的であるとはいえ多義的だ。あなたは嘘をついたのだろうか。嘘をついたかどうかは、（まさに疲労に苦しんでいるという意味で）疲れていると言ったかどうかで決まる。この主張をTと呼ぼう。もしあなたがTと言ったならば、Tが誤りだと知っていて、あなたは保証を与える文脈に自分がいると分かっていて、非字義的に〔隠喩などで〕話しておらず、言語的な思い違いやマラプロピズムの犠牲者でもないので、あなたは嘘をついたことになる。しかし、あなたがTと言ったかどうかは実際、不確かだ。なぜなら、あなたは多義的な言葉を選んだからだ。あなたはTと言っていると解釈されるのを望むが、そうなるかどうか分からない。これは習慣の問題だからかもしれない。つまり、人が嘘をついているかどうかが不明瞭なおかげで、潜在的にある欺きをより受け入れやすくしてくれるのだ。この種の嘘はまた、道徳的に問題がないとされるようである。なぜなら、そういう嘘は非常によくあることであるし、病気のような個人的なことがらを隠したいと思うのはきわめて妥当だからだ。

ウィルムセンによると、エジプト・アラビア語の話し手は、妬みや不評、不運を避けるために、間違った名前や間違った性別の代名詞で人を呼ぶことがよくある。話し手は誰かと話すときに、偽名を使うことが時々あるが、相手はそれが偽名だと知らない。彼らは例えば誰かに向けてアリーが来るという意味で「ヌールが来る」と言う。相手はヌールが偽名だと知らない。その場合でも、これが嘘かどうか明確ではない。前述した指示詞のケースと同様に、「言われていること」がやや不明瞭なのだ。ヌールは話し手が考えているアリーを指示するのだろうか。ヌールをアリーの別称として扱えば可能かもしれない（そうでない場合は、せいぜいアリーを話し手が指示するケースかもしれないが、それすらも不明瞭だ）。それとも、ヌールは聞き手が指示対象と見なすヌールを指すのだろうか（まさしく話し手の期待通りに）。もし「ヌール」がヌールを指示するなら、話し手は嘘をついたことになる。だが、「ヌール」がアリーを指示するなら、話し手はミスリードしたことになるが、嘘はつかなかった。「ヌール」は指示することに失敗することもあるかもしれないが、この場合も嘘をつくことは不可能になる。この種の発話はおそらく、かなり標準的で広く受け入れられている。それに、指示が不明瞭であることは、嘘を避けたい話し手には心地よいのかもしれない。だがそれ以上に、このことがまったく問題にならないのは、それが慣習として受け入れられ、期待されているからだ。偽名を使っている人が名前が偽名であることを知っている人と話していて、それを知らない人に立ち聞きされる場合は、さらに複雑な状況になるかもしれない。このような場合、「言われていること」について私たちが何を判断するかによって、互いに全く正直であるにもかかわらず、聞き手に嘘をついているようにも見えるし、聞き手をミスリードしているようにも見えるのだ。

職業柄、配慮が、時にはミスリードという方法で求められることもある。二〇一〇年一月に、デイヴィッド・ミリバンド〔イギリスの元政治家〕はイギリスの労働党の指導者ゴードン・ブラウンを追い出す企てに関与していたとされた。その企てが失敗し、ミリバンド（ブラウン内閣の一人）がコメントを求められたとき、彼はこう答えた。「私は外交政策について首相と緊密に連携しているし、彼が導いている労働党政権の再選キャンペーンを支える」（Wintour et al. 2010）。ミリバンドは閣僚として、ブラウンを支持する表明だと解釈されることを言う必要があった。しかし、ミリバンドが実際にはブラウンを支持していなかったのは明らかだ。そこで彼は、自分の願い通りに人々をミスリードし、自分があたかもそうしたかのような発話をしたが、同時に嘘を避けた。だが私は、ミリバンドの発話が誰かをミスリードするのに成功したかきわめて疑わしいと思う。なぜなら、彼の立場がこれを要求したのは非常に単純明快だし、真の支持でないことも全く明らかだからだ。これを「白々しいミスリードの企て」とでも呼ぶことにしよう[36]。私が第４章で展開した見解に基づくなら、ミリバンドがミスリードしようと企てたという事実は、それが嘘であった場合よりも彼の行為をより善くしはしない。そして、私が考えるに、これはしっくりくると思う。

8　聞き間違いにつけこむ

ロイ・ソレンセンが二〇一一年の論文「言い間違いの裏にあるもの　What Lies behind Misspeaking」で指摘するように、聞き間違いやすいという事実を話し手が利用することもある。例えば、「もちろんコーヒーはフリートレードです」と言いながら、「コーヒーはフェアトレードです」と言ったと聞き間違えられるような発言をする例を考えてみよう。これは最初、非常にやっかいなケースに思えるが、実際にはそうではないと分かる。明らかに、話し手はコーヒーがフェアトレードだとは言わなかったので、嘘をつかなかった（「フリートレード」は全くフェアトレードを意味しないので、嘘でないと理解できる）[37]。たとえ正確に理解されないと予測したとしても、「コーヒーはもちろんフリートレードです」と言ったこともまた明白だ。その代わりに、この話し手はいくぶん普通ではない方法によってではあるものの、慎重にミスリードしている。私の考えでは、このような単なるミスリードの行為は、それに相当する嘘をつく行為よりも道徳的に好ましいとはいえない。だが、それ（どちらの行為を選んだか）が何を露呈させるかによって、話し手に対する私たちの道徳的な評価は影響を受けるかもしれない。

9　文脈を無視した引用

二〇一〇年の夏、一時期全米中が、あるスキャンダルに注目した。それは、（後になって）文脈を無視した引用が原因だったと判明した。シャーリー・シェロッド（黒人女性）はジョージア州農務省の農村開発局長を務めていた（通常は全国的にそこまで注目されるポストではない）。右翼ブロガーのアンドリュー・

ブライトバート〔虚偽や白人男性至上主義的な報道で知られる、ブライトバート・ニュースネットワークの創業者。トランプ大統領の当選にも影響を及ぼした〕が彼女の言葉を引用し、彼女が次のように〔全米黒人地位向上協会の講演で〕発話する動画を投稿したことで、彼女は全国的に悪名高い存在となった。

ご存じの通り、私が最初に白人の農場主と面談して彼の農業の援助に当たったとき、この人は長い時間をかけて話し続けましたが、自分が私よりも優れているのを示そうとしました。彼が何をしていたか分かっています。でも彼は私に助けを求めるために来ていたのです。彼が知らなかったことは、彼が私より優れていると終始、誇示する間、私がまさにどの程度の援助を彼にするか決めようとしていたことでした。私は多くの黒人が農地を失った事実に苦しんでいました。そんな時に私は、ある白人が自分の土地を守るための援助をしなければならなくなったのです。私は自分が行使できる力を全て出しませんでした。私は十分なことはしました。彼が……農務省かジョージア州農務省が彼を私のところに送ってきたのだと思いますが、彼はそのどちらかに戻って、私が彼を援助しようとしたと報告しなくてはなりませんでしたので。私は、私たちが提供した研修に参加していた白人弁護士のところに彼を連れて行きました。家族経営の農場のために連邦倒産法第一二章〔一九八六年に加えられ、再建型倒産処理手続を定める〕が施行されたばかりでしたから。だから彼をそういった彼の仲間のところに連れて行けば、彼らが面倒をみてくれるだろうと考えたのです。その時、私ははっきり分かりました。これは貧乏人と持てる人との問題であって、白人〔とか黒人といった人種〕の問題はそれほど関係ありません。でも実際は白人と黒人〔のような人種〕の問題なんです。ただ、本来はそういう問題ではないんですよね。私は彼を彼の仲間のところに連れて行ったことで、目が開かれた思いでした。[38]

ブライトバートは「シェロッドの人種差別的な話は、全米黒人地位向上協会（NAACP）の聴衆によって、承認の頷きと賛同の呟きで受け入れられた」と書いた。[39] シェロッドの演説に対する非難は電波を埋め尽くし、NAACPも含めて、ほぼ全ての方面から非難された。オバマ政権は彼女を辞任させた。彼女が辞任した後、彼女の発言が文脈を大いに無視して理解されたことが判明した。すなわち彼女は、キャリアの初めの頃、いかに人種問題について間違っていたか、そして人種のためよりも貧しい人々のために闘うことがもっと重要だとすぐに気づくに至ったと説明するために、このような逸話を語ったのである。これが判明するやいなや、逸話に出てくる白人農家はシェロッドの弁護のために立ち上がり、いかに彼女が彼らの農場を救い、生涯の友となったか説明し、シェロッドには新しい政府の仕事が提供された。

もしブライトバートがシェロッドの演説の全容を知っていたと仮定すると、彼のしたことは明らかに完全に非難に値する。だがこれは嘘だったのか。引用されたシェロッドの発話は嘘ではなかった。シェロッドが言っているとしてブライトバートが引用した言葉を、彼女は確かに発話した。これは文脈を無視した引用全てに当てはまるだろう。文脈を無視した引用は大いに人を欺くのだ。だが私見では、文脈を無視した引用が嘘ではないという事実は、その不当性を全く軽減しない。これが、嘘とミスリードを区別する倫理学についての私が取る見解が宿す重要な強みである（ブライトバート自身の言葉は十分に嘘かもしれない。つまりもし彼が、シェロッドの聴衆が実は「シェロッドの人種差別主義の物語」に賛同していないと知っていたなら、彼は嘘をついている）。

10 「言われていること」の他の用法

興味深いことに、嘘とミスリードの区別を検討することで、私たちが辿り着いた「言うこと」の概念は、話し手としての私たちの生において他にも重要な役割を果たすようにみえる。たとえ嘘やミスリードが問題になっていなくとも、話し手は〔はっきりと特定の〕何かを言わずに伝えようとして、慎重になることがよくある。そして、いま述べた「言うこと」の概念は、後述するように、そのような操作に含まれるように思われる。これが、この「言うこと」の概念がなぜより広い適用範囲を持つと推測されるかについての私の当面の考えだ。〔特定の〕何かを言うことが問題と見なされうる様々な理由がある。その理由とは、一つにはこれまでの議論の大半でかなり議論された、人が誤りだと信じていることだ。しかし、他の理由も考えられる。それは、言うのが失礼なこと、社会・政治的に許容できないこと、政府の方針に反することである。こういった理由で〔特定の〕何かを言うことが問題であり、しかしなんらかの仕方でそれを伝えたいとき、私たちはそれを言うのを避け、慎重に発話を組み立てることが多い。それをするときに私たちは、慎重に嘘を避けようとする場合に用いるのと同じ種類の「言うこと」の概念を使う。[40] この後、その例をいくつか挙げる（それが「言うこと」と同じ概念だと決定的に示すために、例を挙げるのではない。それには、少なくとも私が使ったよりもはるかに幅広い例が必要だろう。単にこれらの例が示唆に富むと考えているだけだ）。

「近所で何かをやっている」

例えば、ヒラリー・クリントンの支持者で、ブラック・エンターテイメント・テレヴィジョン（アフリカ系アメリカ人を主な対象としたケーブルテレビ〕の創始者であるロバート・L・ジョンソンが、予備選挙中〔二〇〇八年〕のバラク・オバマに対して行った発話を例に挙げてみよう。

率直に言って、オバマの選挙運動には侮辱を受けています。あれではわれわれ〔アフリカ系アメリカ人〕があまりにも愚かだから、ヒラリーとビル・クリントンがいいと思っている〔予備選挙で応援する〕とほのめかしているようなものです。二人は深く感情的に黒人問題に関わってきましたよ、バラク・オバマが近所で何かやっていた頃からずっとね——彼が何をやっていたかなんて言うつもりはありませんが、本人が自分の本の中でそれを言っていますよ……。[41]

「近所で何かをやっている」というフレーズでジョンソンが何を意味したかは誰の目にも明らかだった。ジョンソンの念頭には、オバマのコカイン使用があった。それは、「〔オバマ〕が何をやっていたかを言う」のは気が進まないという陳述と、オバマが自著でそれを言っていることへの言及から明らかだ（オバマが自叙伝で若い頃のコカイン使用について述べたのは有名だ）。重要なのは、ジョンソンはオバマのコカイン使用を伝えたが、言わなかったことだ——たとえそれが事実でも。これによって、ジョンソンは単にコミュニティ・オーガナイザーとしてのオバマの仕事のことを念頭に置いて言っただけだという自己弁護を主張できた。そして、これこそが本書の「言うこと」の理解に基づいて得られる結果だ。私たちの「言うこと」の理解では、ジョンソンがコカインの使用について何かを言ったと考える余地はない。「言うこと」の非制約的な理解に基づけば、ジョンソンは、クリントン夫妻が公民権のために闘う間、オバマは麻薬をやるのに忙しかったと言っていると見なされるかもしれない。これを見きわめるために、カッペレンとルポアの「言われていること」の基準を考えよう。合理的な人なら確かにジョンソンが、クリントン夫妻が公民権のために闘っている、オバマは麻薬をやっていたと言った、と伝えるかもしれない。その説明によるなら、ジョンソンがそう言ったことになる。したがって、ジョンソンはそれを言わないよう慎重に言葉を選び発話したという主張に含まれる概念は、非制約的な概念ではありえない。

誰のことも欺こうとしていないのに、なぜ慎重に話すのか。その答えは二つある。第一に、オバマの薬物使用への明示的な言及が許容できないと見なされることはすでに明らかだったからだ（クリントンの州の選挙運動事務長は、この問題で辞任を余儀なくされた）。第二に、ジョンソンは言い逃れできたからだ。実際彼はそうした。彼は批判に対して、こう言った。

> 今日の私の言及は、バラク・オバマ氏がコミュニティ・オーガナイザーとして過ごした時についてであって、それ以外のなにものでもありません。その他のどんな指摘も無責任で不正確なだけです。[42]

したがってジョンソンには、自分が言ったことに対してかなり慎重になるだけの十分な理由があった。本書の大部分を通してさまざまな事例から、こうした理由によって、人は誰かを欺こうとするということに焦点を当ててきた。しかし、その必要はなかったようだ。このケースは、そのような欺瞞をおのずとさらすからだ。

政治家、結婚、子ども

このジョンソンのケースは、「言うこと」の制約的な理論でかなりうまく対処できる。オバマのコカイン使用を含め、いかなる拡張や完成化も生じる余地は実際にはない。だが「言うこと」の制約的な概念が、この種の慎重な言い回しでうまく行かないケースを考察するのにさほど想像力は必要としない。ある政治家の候補者Pには結婚する前に子どもがいたと想像しよう。そしてある種の文化も想像してほしい。その文化では、候補者が結婚する前に子どもがいたことに注意を向けるのは卑劣な政治手段と考えられている。だが同時にその事実が広く知られると、この政治家Pの名誉を傷つけるのも明らかである。この状況でPの対立候補Uが9のような文を発話し、批判されたら10で説明するのは十分にありそうな話だろう。

9　P had children and got married.　Pは子どもを持ち、結婚しました。

10　I didn't say *anything* about the order in which these events took place.
これらの出来事が起こった順番については何も言っていません。

これを本書ならどう考えるだろうか。私は、10を真実だと考えるのはかなり明らかだと思う。なぜなら、それは「言うこと」についての私の説明と非常によく一致し、制約的な説明とはそれほど一致しないからだ。[43] だが、私たちが9と10の発話者Uをかなり厳しく判断するのは明らかだ。〔Pには〕結婚前に子どもがいたとUが言わなかった事実は、Uの「卑劣な政治手段」による告発の悪質さを全く軽減しない。むしろ、慎重な言い回しをして後で言い逃れる余地を残すのは、発話者Uをさらに汚れた政治家に見せるだろう。

推薦状

推薦状は、この種の事例の豊かな供給源になる。確かにグライスの古典的な例の多くのヴァージョンがうまく機能する。仮に私が哲学関係の仕事に応募するできの悪い学生Ａのために推薦状を書くと想像してほしい。私は「Ａは時間厳守でいつも明るく笑顔だ」とだけ書く。これを行うことで、私は審査委員会にうまく（そして正直に）、Ａがとても貧弱な哲学者だと伝えることができる。私はそれを言わずにやることができる。このことからも、「言われていること」に細心の注意を払う必要があるのは欺瞞の例にかぎらないことが分かる。

助産師と母乳育児

イギリスでは通常、妊娠はすべて国民保健サービスの助産師が担当し、赤ん坊が生まれてからの最初の数週間は援助や助言も助産師にしてもらえる。国民保健サービスの方針は（赤ん坊に感染する可能性のある感染症といった重大な医学的理由がないかぎり）、助産師は、最初の六カ月間は母乳のみによる育児を必ず勧めねばならない。助産師は、私のひどく疲れた様子や睡眠不足の状態を見て、時には「混合栄養」の人工乳を使ってもよいと伝えようとした。しかし、彼女は、それを言うことはできないと感じていた。その代わりに、彼女はこう言ったのだ。「興味深い事実があるんです。アジア人コミュニティでは、ほとんどの女性が「混合栄養」にしていて、赤ちゃんは健康だそうですが、ご存知ですか」。こうすることで、彼女は「混合栄養」でも大丈夫だと、そうは言わずに伝えてくれた。明らかに彼女は「混合栄養」と言うのは許されないことだと理解していた。それが誤りだからではなく、それを言うと彼女は国民保健サービスの方針に違反することになるからである。[44]

目的としての政権交代

ジャック・ストロー〔ブレア内閣当初は内務大臣、ブラウン内閣で司法大臣と大法官を兼任。労働党。本名はジョンだが通称のジャックで呼ばれる〕は、第二次イラク戦争が勃発した時、イギリス外務大臣を務めていた。二〇一〇年のインタヴューで、彼はこう述べた。

目的として、外国〔イラク〕の政権交代を設定するのは「不適切かつ違法」だった……。しかし、それがブレア〔首相〕の見解かどうかを尋ねられ、ストローはこう言うにとどめた。「首相も私も、政権交代のための軍事行動が英国の外交政策の目的ではありえないと、よく認識していました」[45]。

ストローにはミスリードする意図はなかった。彼はブレア首相の目的が政権交代だったと言うことを避けたのだ。なぜなら、それはブレアに対して非常に深刻な告発になりえたからだ。しかし、彼はまた、首相が政権交代を目的としていなかったと言うことを避けている。なぜならそれは嘘だからだ（と人は判断する）。その代わりに、彼は質問をはぐらかすことを選んだ。ストローはミスリードしたのだろうか。これはおそらく、どんな聞き手を想定するかによる。ストローは、ブレアが政権交代を目的としていなかったと伝えているのだと理解する聞き手がいるだろうというのは、想像できる。しかし、もっと皮肉屋の聞き手なら、全くミスリードされないだろう。いずれにしても、ストローは嘘をつくのを慎重に避け、またブレアに対して深刻な告発をしないように、自分が言ったことに十分な注意を払っていた。

結論

この本で私はいくつかの主張のために議論してきた。第一に、嘘をつくこととミスリードすることを区別するために「言うこと」が重要であると論じた。多くの人が、この区別には道徳的な意義があると捉えている。次に、いま一般に通用している「言うこと」の理解が、嘘とミスリードを区別するにあたり「言うこと」の役割を果たしていないことを示した。これが、その役目を担いうる「言うこと」の理解への探究へと直接つながった。どのような理解が必要かを素描したあと、私は倫理の問題に目を向けた。私は、他のすべての条件が不変ならば、嘘をつくことがミスリードするよりも道徳的に悪いという主張に反論した。ただし私が提案したのは、この区別に道徳的な意義があるとの考えを放棄すべきだ、ということではない。嘘をつくかミスリードするかの決定は、まさに道徳性を露呈させるのであり、このことが嘘とミスリードの区別に道徳的な意義を与えるのである。最後に、最終章で本書の作業全体をまとめ、さまざまな興味深い事例を検討した。

とはいえ、本書の要点は、実際はこれら具体的な主張のいずれでもない。本書の要点は、このような問題が、言語哲学と倫理学の両方がもつ関心と洞察を一つにすることから探究する価値がある、と示すことだった。嘘とミスリードの区別を論じる倫理学者たちは、この区別をするにあたり、そのような重要な役割を果たす「言うこと」の概念にほとんど注目しない傾向にある。そして、「言うこと」（とそれに関連する概念）に取り組む言語哲学者たちは、嘘とミスリードの区別にほとんど注意を払わない。時折、嘘かミスリードを含む例が登場するが、両者の区別とその複雑さに妥当な注意が払われていない。これは非常に残念なことだ。なぜなら、この二つの問題は重要な仕方で結びついているからだ。

また私は、このような研究が、言語哲学のいくつかの凝り固まった議論に、新たな道を開いてくれると考える。冒頭で述べたように、現在、意味論・語用論の領域の論争で用いられる様々な概念（の多く）は、どちらが正しいかを競う対象ではなく、それぞれが異なる目的に適した概念と見るべきではないかと感じている。私はそれをここで立証していない（いつかはそうしたいと思っているが）。その代わり、私は特定の目的にとって最適な概念とは何かを検討することの有用性を示そうとした。私の希望は、本書がこのような探究のための一種の事例研究として役立つことである。また、言語哲学の問題を倫理学の問題と結びつけること、さらにはその試みを、現実世界の重要な出来事として理解する努力と結びつけることが、実り豊かで興味深いものだということを示すのにも、役立つことを期待している。

附録

犬笛、政治操作、言語哲学

私たちは一九五四年には「N*****、n*****、n*****〔黒人を指す蔑称〕」と言っていました。それが、一九六八年までには言えなくなりました。そんなことを言ったら痛手になります。逆効果になります。それで、強制バス通学〔差別撤廃のため黒人と白人を一緒に通学させる制度〕や州の権利などと言ったわけです。私たちはますます抽象的になってきていて、〔その結果〕今では減税をすると話しているんです。私たちが話しているのは、みんな完全に経済の事柄なんですが、その副産物として黒人は白人よりも損害を被るのです。無意識では、そのことも〔政策や話の〕一部なのかもしれません。私はそう言っているわけではないんですよ。私が言っているのは、これだけ抽象化されていて、これだけコード化されているなら、私たちはどのみち人種問題をやりすごせているということなんです。お分かりですね。当然、「私たちはこれをやめたい」とだらだら言うのは、強制バス通学よりもはるかに抽象的で、「N*****、n*****」よりもずっとはるかに抽象的ですから。

——リー・アトウォーター（〔一九八一年のインタヴュー〕Lamis 1990: 26）

〔アメリカ共和党の政治コンサルタントでプッシュ・ポール等を実践。このインタビューでは、黒人差別に訴え白人の票を集めるという共和党の「南部戦略」について語っている。〕

近年、とても喜ばしい二つの変化が言語哲学に生じた。私が「育った」のは、一九八〇年代から九〇年代のアメリカの言語哲学だ。当時の関心はほぼ意味内容、指示、真理条件だけだった。「ほぼ」と言うのは、会話の含意というポール・グライスの概念がこれに対する注目すべき例外だったからだ。この概念は一定の関心を集める主題だった。なぜならこの概念によって意味論学者は、自分たちが支持する理論の障害となる「直観」を「単に語用論的なもの」として説明できるようになったからだ。

最近、言語哲学は二つの重要な側面で拡大してきている。最も重要な変化は、私の考えでは、言語の倫理的、政治的な側面を考察する動きだ。この側面は、広く見れば哲学者から決して忘れられたわけではなかったが、最近までほぼ倫理学者や政治哲学者だけに任されていた。だが今では言語哲学者はヘイトスピーチや政治操作、プロパガンダ、嘘を理解しようと研究を重ねている。これらの問題は現実の世界で重大であっても、まだ言語哲学の中心課題とはなっていない。だが二〇年前とは違う仕方で、少なくとも話題の一部にはなっている。この変化に伴い（すべてがその結果ではないが）、意味内容や指示とは別の問題に対する哲学的な関心が高まっている。意味内容よりも、含意や適応、言語行為が新しい議論の中心的な概念である[01]。

とはいえ、これから論じていくように、この新しい議論は〔意味〕内容への関心から大きく離れたわけではない。政治操作を行う発言を十分に理解するには、あまり意識されない仕方で働く、特定の形式の発言を詳細に分析する必要がある。それらは、意味論的に表現される内容、あるいは語用論的に伝えられる内容とは異なる発言で、発話の要点でありながら明示されるとすぐに消えてしまう発話の効果のことである。現在に至るまで詳細に展開されてきたどんな議論の枠組みも、この課題に対処するには十分ではない。

だがこの課題への取り組みは必要不可欠である。これから見るように、犬笛は密かに政治操作を行う点で、憂慮すべき重要な手法である。実際、犬笛は政治的な発言の中で最も強力な形式の一つである。もし人心操作がより公然と行われたなら人々が抵抗するであろう状況でも、犬笛なら彼らを操作できる。多くの場合、犬笛は意識的には拒否される人種差別的な態度を利用する。もし哲学者が、表現されるか別の方法で意識的に伝えられる内容を通して機能する、あからさまな発言にだけ着目するなら、私たちの政治文化でなされる発言のうちでも最も強力で有害な発言の大部分を見過ごすことになる。本稿は、こうした隠れた言語行為に対する注意を喚起し、それらを理論化しようとする最初の試みである。

1 犬笛

私はこの論文で「犬笛」に焦点を当てる。「犬笛」とは政治における比較的新しい用語で、一九八〇年代にアメリカの政治ジャーナリズムで誕生した。記録に残る限りで初めてこの語が使用されたのは、『ワシントン・ポスト』紙のリチャード・モーリンが、世論調査で着目されていた不可解な現象を議論した際〔一九八八年〕だと思われる。

> 質問の言葉遣いが微妙に変わると、驚くほど異なる効果を生み出す……研究者たちはこれを「犬笛効果 Dog Whistle Effect」と呼ぶ。世論調査の回答者たちは、質問の中に研究者には聞こえない何かを聞き取るのだ。（Morin 1988; Safire 2008: 190 に引用）

政治的な犬笛に対する考え方は、その後、数十年にわたって若干変化し、通常、政治家（または、そのアドバイザー）によって、大衆の大部分に気づかれないように設計された故意の人心操作に焦点を絞るようになった（本稿を進めるにつれこの定義を改良していく）。とはいえこの論文では、この種の操作が、重要な点でそれぞれ異なる種類に分かれることを確認していく。犬笛は、あからさまな犬笛にも隠れた犬笛にもなりえ、さらにそれぞれのカテゴリーには、意図的なものと意図的でないものとがある。

2　意図的な犬笛

意図的であからさまな犬笛

キンバリー・ウィッテン〔社会言語学〕は、犬笛について研究している数少ない言語学者の一人である。彼女がとりわけ注目するのは、私があからさまで意図的な犬笛と呼ぶ種類の犬笛で、それに関する彼女の定義は、優れている。

〔あからさまで意図的な〕犬笛は、二つのもっともらしい解釈ができるよう、意図的に設計された言語行為である。一つの解釈は、ある私的なコード化されたメッセージで、一般的な聴衆の一部に向けられる。そのメッセージは一般的な聴衆には隠されているため、彼らは二つ目のコード化された解釈の存在に気づかない。（Witten〔2008: 2〕）

犬笛の主な関心は政治利用だが、ウィッテンは的確にも、この概念はもっと広く適用されると論じる。私は一人の親として、子ども時代のお気に入りの娯楽番組をもう一度観て、子どもの時には気づかなかった点がいくつもあることに衝撃を受けた。私は幼い息子と『バッグス・バニー』を観ながら、子どもたちが知るはずのない古い映画を示唆するシーンがいくつかあることに驚いた。その中の一つが『ラスト・タンゴ・イン・パリ』だったことにはさらに驚いた。もちろんこのような〔他の作品を〕示唆するシーンを見つけることは、〔子どもに付き合って番組を〕無限に観つづける苦痛を軽減した。言うまでもなく、これが制作者たちの意図だった。ウィッテンはこれを、アニメの一般視聴者の一部に向けた隠れたメッセージ、すなわち犬笛と見なせると述べる。[02]

だが意図的であからさまな犬笛のうち最も重要なのは政治家が用いるものだ。犬笛の発話によって選挙の候補者は、他の有権者にはよそよそしく感じられるようなメッセージを一部の有権者に向けて送ることができる。こういった発話がこの論文の主な焦点である。まずいくつかの例を見ることにしたい。

❖「奇跡を起こす力」

ジョージ・W・ブッシュは、〔大統領再選に向けた〕選挙運動の期間中、自分の信仰に関わる難しい状況に直面した。彼はどうしてもキリスト教原理主義者の票が必要だったが、他の多くの人々——総選挙にはこの人たちの票も必要だった——が原理主義〔聖書を文字通りに解釈し、伝統的価値観を主張する共和党の支持基盤〕に神経質なのも明らかだった。ブッシュのスピーチライターたちが講じた解決策は、原理主義者たちに犬笛で呼びかけることだった。その好例が、二〇〇三年の一般教書演説〔大統領が連邦議会両院で、国の現状を述べ、自身の課題と見解を説明する〕におけるブッシュの発話だ。

> しかし、力が、奇跡を起こす力(wonder-working power)が、アメリカの人々の善良さと理想主義と信念(faith)のうちにはあるのです。(Noah 2004)

原理主義者でなければ、これを聞いても薄っぺらな政治的な決まり文句からなる平凡な一文だと気にもかけずに聞きすごすだろう。だがキリスト教原理主義者なら犬笛を聞きとる。原理主義者の間で、「奇跡を起こす力」はキリストの力を明確に示す表現として好まれるのだ。原理主義者がこの表現から受け取るメッセージは二つだ。一つは個人言語〔特定の個人もしくは集団に固有の言語運用〕に翻訳され、それによって他の多くの人たちを遠ざける、明白にキリスト教的なメッセージとなる。

しかし、力が、キリストの力（power of Christ）が、アメリカの人々の善良さと理想主義と信仰のうちにはあるのです。[03]

二つめのメッセージは、ブッシュが原理主義者の個人言語を実際に話すという端的な事実であり、ブッシュが彼らの一員であることを示している。[04]

一つめのメッセージは、かなりはっきりした、あからさまで意図的な犬笛だ。それはコード化された隠れたメッセージで、一般聴衆の一部だけに向けられる。実際に一つめのメッセージは、言葉の多義性を利用するようにして機能する。二つめのメッセージはもう少し込み入っている。これは特定の聴衆に対し方言で話すことで親近感を与えるのに少し似ている。だがこれが訛りと決定的に違うのは、誰にでも聞こえるのではない点だ。したがって（これが意図的に為されるとするなら）、これも間違いなくあからさまで意図的な犬笛である。二つめのメッセージは、一部の聴衆に対してはコード化され、一見わかりやすいメッセージによって隠されている。

❖「ドレッド・スコット」判決

ジョージ・W・ブッシュはまた、多くの保守派と同じく、「ドレッド・スコット」判決に反対を表明する。一八五七年に下されたこの判決は、自由民であろうと奴隷であろうと、黒人は米国市民にはなれないとした。ブッシュのこの表明は、右派の共和党員であっても奴隷制に反対するのは当然であると考える人や、反対するのは言うまでもないと考える人のような、犬笛のメッセージが向けられていない人々をやや当惑させるだろう。だが聴衆の大多数は、ブッシュがこの犬笛で語りかけていた相手ではなかった。ブッシュは中絶反対の右派に向けて、自分は中絶反対だと犬笛を吹いたのだ。

この犬笛は次の点で他の犬笛とはやや異なる働きをする。この犬笛が機能するのは、右派のコメンテーターが中絶権を議論するとき、ドレッド・スコット判決を論じるのがきわめて一般的だからだが、それは多様な仕方で機能する。ある時は、覆すべき最高裁の〔一部の人にとっては〕悪しき判例〔例えば、〔一九七三年に人工中絶を女性の権利と認めた〕「ロウ対ウェイド裁判」〕の一つを示すものとして機能する。ある時は、奴隷たちの認知されない人格と胎児の認知されない（とされる）人格との類比の一部として機能する。だが、中絶を議論するときにドレッド・スコット判決を議論するのがごく一般的であることから――それして、重要なことに、それ以外の方法でドレッド・スコット判決を議論するのはあまりに不可解であることから――、ブッシュは自分が中絶反対であり、「ロウ対ウェイド」裁判の判決が覆されるのを見たいという自分の願いを、犬笛で伝えることができる。

ブッシュによる犬笛が正確にどのようにして働くのかはやや分かりづらい。これは、子ども向けアニメで古い映画が示唆されるのと同じように機能するのかもしれない。つまり、事情に詳しい人に暗示を引き起こすよう仕組まれているのかもしれない。ドレッド・スコット判決が中絶反対の議論で重要な役割を果たすことを知る人は、ブッシュが意図的にその議論を想起させていると分かるし、そこから、ブッシュも中絶に反対で、「ロウ対ウェイド」裁判が覆されるべきだと考えている、というメッセージを受け取るだろう。あるいは、「私はドレッド・スコットに反対だ」とか、それに類似する発話が、中絶反対を示す一般化された会話の含意として働くようになった可能性もある。こういった含意がどのように推測されうるかは、確実に語ることができる。すなわち、「ブッシュはドレッド・スコットに反対を表明している。しかし誰もがドレッド・スコットに反対だし、それは彼が尋ねられた質問と関係がない。彼は別のことを伝えようとしているに違いない――ドレッド・スコットを話題にする他の人たちのように、彼は中絶に反対なのだ」という筋書きである。

いずれにせよ、これはあからさまで意図的な犬笛だ。これはコード化され、隠れたメッセージを一部の一般聴衆に伝える。

隠れた意図的な犬笛

隠れた意図的な犬笛ははるかに複雑で理解するのが難しい。この犬笛は、タリ・メンデルバーグ〔政治学〕が「人種平等の規範」（Mendelberg 2001）と呼ぶ規範が存在するおかげで、アメリカの人種言説の中で特別な役割を果たす（メンデルバーグは「犬笛」という言葉を用いないが、後にイアン・ヘイニー＝ロペス〔法学〕（Haney López 2014）らの論者たちはそう呼んでいる。メンデルバーグは単に「暗示的な政治コミュニケーション」と言及する）。メンデルバーグは、一九三〇年代以前にはアメリカの政治的な言説の中で、人種差別的な態度を明示的に表現することは容認されていたと論じる。メンデルバーグはさらに具体的に、明らかに軽蔑的な語を使うことや、黒人は生まれつき白人より劣ると主張すること、そして法的に強制される隔離や黒人の雇用拒否などの法的な差別への支持を表明することが容認されていたと指摘する。もちろん誰もがこうしたことを行ったわけではない――だが、こうしたことを行っても、許される範囲の政治的な態度を逸脱することにはならなかった。人種差別主義の有権者に媚びる人たちは、単に人種差別的な見解を表明するだけで、彼らの支持を取り付けることができた。メンデルバーグによれば、広く普及していた人種的不平等の規範は、一九三〇年代から一九六〇年代にかけて「崩れ始めた」(Mendelberg 2001: 67)。一九六〇年代以降は、あからさまな人種差別はますます容認されなくなった。ほとんどの有権者は、もはや自分を人種差別主義者であるとは考えたくなかったのだ。

ところが、あからさまな人種差別に対するこの嫌悪感は、もっと複雑な事情を隠蔽する。ほとんどの白人有権者は黒人が生まれつき自分たちより劣るとか、人種隔離を法的に強制すべきだという主張を支持しない。だが心理学者が「人種的な不満」[05]と呼ぶ信念体系は広範に残っている。人種的な不満には、主な主張が四つある。①「黒人はもうそれほど差別に直面していない」、②「黒人の不利益は主に彼らの劣悪な労働倫理を反映する」、③「黒人はあまりに多くをあまりに性急に要求する」、④「黒人は自分に見合った以上のものを得ている」(Tesler and Sears 2010: 18)。心理学者は通常、次の言明への同意や不同意の程度を被験者に尋ねることで、彼らの人種的な不満を調査する(Tesler and Sears 2010: 19)。

◉アイルランド人、イタリア人、ユダヤ人、その他多くのマイノリティは独力で偏見を克服し、地位を築いた。黒人も特別な優遇措置なしに同じことをすべきだ。

◉何世代にもわたる奴隷制と差別が、黒人が下層階級から抜け出し独力で地位を築くのを困難にする条件を生み出した。

◉過去の数年にわたって、黒人は彼らに見合う以下のものしか得てこなかった。

◉十分に努力をしない人々がいることが本当の問題だ。黒人がもっと努力しさえすれば、白人と同じように豊かに暮らせるだろう。

〔この調査で〕想定される回答は、人種に関して最もリベラルなものから最も保守的なものまで多岐にわたり、それぞれの度合いに応じて点数が配分される。総じて白人のアメリカ人は人種に関して最も保守的な位置づけとなり、共和党支持者はその度合いが民主党支持者よりも著しく高い。

メンデルバーグはこの状況を、人種的な不満が根強く残っているにもかかわらず、「人種平等の規範」が存在していると記述する。ただし、彼女の言い方はややミスリードかもしれない。もし大多数の白人のアメリカ人がこの調査項目に人種的な不満があると見なせる回答をしているなら、彼らは人種平等に対する強い考えに同意する状況では決してないように私には思える。黒人文化が抱える病に言及することが、いまだ社会的にかなり受け入れられているのは明らかで、黒人の貧困や丸腰の黒人を警察が殺害することとでさえも、そのせいにされている。メンデルバーグのいう「人種平等の規範」はこの種の発話を明らかに阻止しない。実際、彼女自身も「可能な限り最小限で、象徴的な仕方で」規範に従う傾向があると指摘する（Mendelberg 2001: 92）。これをうまく理解する方法は、白人のアメリカ人が「人種平等」と呼ばれるものに対して、口先だけでも同意しなければならないと感じる傾向があることを考えればよい。これが正確に何を意味するかは、ある程度、意見が分かれるだろう。だがそれは、人が露骨な蔑称を使用することや、遺伝的な（文化については別であるが）劣等性を主張することを阻止し、露骨に差別的な行為（法的に強制された隔離、黒人の雇用規則など）を支持するのを阻止する。これによってもたらされる「人種平等」とは単に、極端に薄っぺらな、形式だけの平等だ。だが、許容される人種的な言説の範囲がわずかに変化したというメンデルバーグの指摘は確かに正しい。[06] たとえその許容される言説にはまだ、本質的な平等を支持すること——構造的な人種差別を拒否し、暗示的なバイアスの存在を認め、結果の平等（均等な再配分）を探究すること——が含まれないとしても。「人種平等の規範」という用語に関しては、これらの点に留意する必要はあるが、私たちはメンデルバーグにならって、現状をこの規範が有効である状況と見なすことにしよう。

別の時代だったなら、堂々と人種差別する有権者に呼び掛けるために、露骨に人種差別的な見解を明示的に表現していたかもしれない政治家が、現代では、「人種的な不満を覚える」有権者に、彼らとある種の心理的な同類だという合図を送るために、より巧みな手段を模索しなくてはならない[07]。人種差別が明示的である犬笛は機能しない可能性がある。なぜなら、明確に人種差別的な発話から改変されてはいるものの、それが犬笛の対象となる聞き手によって人種差別的だと認識される可能性が非常に高いからである[08]。そのような聞き手のほとんどは、明示的であからさまな人種差別を拒絶するだろう。それを受け入れてしまうと、彼らが今では大事にしている平等主義への取り組みが疑問視されることになるからだ。確かに、この種の犬笛を使うのは危険な行為だろう（重要なことは、誰もが明示的な人種差別を否定するとはもちろん限らないことだ。だがここでは、明示的な人種差別を否定する大部分の人々に注目する）。

ここで、メンデルバーグが言う「暗示的な政治コミュニケーション」が本領を発揮する。人々が意識的に認識できない犬笛は、非常に強力なものであることが分かる。これを「隠れた犬笛」と呼ぼう。このような発話は、表面上は無害で、人種には無関係に見える。だから、人種差別だと告発されても、それを否認することを可能にする。また、犬笛の内容が、その聞き手の意識外で機能するなら、それ（隠れた犬笛）は、明示的な人種差別の犬笛が拒絶されるような仕方では拒絶されることはないだろう。

だが、どのようにして犬笛はこうした（隠れた）働きをするのだろうか。どのようにして人種差別的なメッセージは、聞き手に気づかせることなく、聞き手の投票決定に影響を与えるほど効果的に伝えられるのか。これは事例を通して考察すれば、理解しやすいだろう。

❖ウィリー・ホートン

隠れた意図的な犬笛の最も有名な例は、ウィリー・ホートンの広告である。ジョージ・H・W・ブッシュは、マイケル・デュカキス（第六七代マサチューセッツ州知事）との選挙戦（一九八八年）でこの広告を使用し、大成功を収めた（この議論を Mendelberg 2001: chs. 5–8 から採る）。この広告は、一時出所した（殺人罪で終身刑に服していた）受刑者ウィリー・ホートンについて語ることで、デュカキスの知事時代に実施された、受刑者の一時出所の制度を批判した。ホートンはあるカップルの自宅に侵入し、女性をレイプし、男性を刺した。広告は人種について一切言及しない。だが、広告の画像はウィリー・ホートンの写真で、ホートンは黒人である。ブッシュの選挙キャンペーンはホートンを重要な問題にしたてあげ、それを機にニュースで大々的に放映されることになった。

ウィリー・ホートンの広告が出る前は、デュカキスの方が世論調査で大幅に優勢だった。広告が放映され、議論が始まると即座に彼の支持率は急落し始めた。ほぼこの期間中、この広告は人種に関連づけて議論されることはなかった。それが議論されたのは、選挙運動における犯罪の役割やネガティヴ・キャンペーンの話の一部としてだった。しかし、かなり後になってジェシー・ジャクソン（市民権運動の指導者で一九八八年の大統領民主党予備選挙に立候補した）はウィリー・ホートンの広告を「人種差別だ」と言った。その時には、彼の告発はきわめて懐疑的に受け止められ（今ではきわめて広く受け入れられているが）、民主党員が「人種のカードを切っている」として不当な試みと見なされた。だが、これについては広く議論された。人種差別の可能性が提起された途端、広告は暗示のレベルでは完全に機能しなくなった。視聴者は人種に関わることが起きている可能性を考え始めたのだ。この時点で、デュカキスは再び世論調査で支持率が回復し始めた。これはひとたび人種について明示的に議論されると、広告が効果を失ったことを示す。

しかし、このことから、広告がこれらの効果を生んだのか、あるいは人種がこれに関連するのかは、もちろん定かではない（ジャクソンの介入が効果をもたらしたことは示唆に富むが）。はるかに有益なのは、選挙運動の間に集められた、有権者への影響についてのデータだ。これらのデータによると、人種的な不満のレベルは、広告を視聴することによって変化しなかったのに対して、人種的な不満と投票の意向との関係は広告によって強く影響を受けていた。具体的には、広告を見る機会が増えると、人種的な不満を持つ有権者がブッシュを支持する可能性が高くなった。そして決定的なことに、ジャクソンがこの広告を人種差別だと批判した途端、この相関関係は低下し始めた。

メンデルバーグは、犬笛が人種に関する既存の態度に作用し、無意識のうちにそういう態度が、以前なら起こらなかったような場面――先ほどの事例では、投票の選好――で生じると主張する。それだけでなく彼女は、きわめて重要な点にも注目する。人種について意識的に考察されると、犬笛は完全には暗示的でなくなるのだ。これは、おそらく人種平等の規範が広く意識的に受け入れられることで、犬笛が有効性を大幅に低下させるということだ。メンデルバーグが述べるように、「人は自分の反応に意識的に注意を払う必要があると気づかされるや、もはや人種的な傾向に〔無反省に〕基づくほどには犬笛を安易に受容しなくなる」(Mendelberg 2001: 210)。メンデルバーグの実験データはこれを裏づけるもので、人種を暗示する広告を見た後では、人種的な不満と政策の選好との間にかなり関連性があることが分かる。だが、人種を明示する広告を見た後では、そのような関係がなくなるのである (ch. 7)。

❖「インナーシティ」

アメリカでは、「インナーシティ」〔字義的には大都市中心部を意味するが、「スラム」を暗示する〕が黒人を意味する犬笛として機能するようになった。したがって、もし政治家が黒人犯罪者への厳しい対策を訴えれば強く非難されるだろうが、インナーシティにおける犯罪の取り締まりならそのような心配なく呼びかけられる。心理学者が「インナーシティ」という表現のもつ効果を研究したところ、ウィリー・ホートンの広告ときわめてよく似た仕方で機能するらしいと分かった。ジョン・ハーウィッツとマーク・ペフリー〔いずれも政治学者〕は、被験者を無作為に二つのグループに分け、一方には質問Aを、他方には質問Bを尋ねた（相違部分を傍点で示す。Hurwitz and Peffley 2005: 102–103）。

A　ある人たちは、暴力的な犯罪者を収容する新しい刑務所のために支出を増やしたいと考えています。他の人たちは、むしろ犯罪を防ぐための反貧困プログラムにこのお金を使いたいと思っています。あなたはどうですか。もしあなたが選ばねばならないとしたら、この資金を新しい刑務所の建設に使うのか、それとも反貧困プログラムに使うのか、どちらがいいでしょうか。

B　ある人たちは、インナーシティの暴力的な犯罪者を収容する新しい刑務所のために支出を増やしたいと考えています。他の人々は、むしろ犯罪を防ぐための反貧困プログラムにこのお金を使いたいと思っています。あなたはどうですか。もしあなたが選ばねばならないとしたら、この資金を新しい刑務所の建設に使うのか、それとも反貧困プログラムに使うのか、どちらがいいでしょうか。

「インナーシティ」を付け加えるというこの小さな変化は、被験者の回答に大きな影響を与えることが分かった。だがこの影響の性質は、被験者が既にもっている人種に関する態度に強く影響される。このAまたはBの質問を受ける前に被験者は、人種に関するどのようなステレオタイプを受容しているか、また司法制度における人種に関する公平性についてどんな信念をもっているか質問された。「人種に関して保守的な人」は、黒人に対して否定的なステレオタイプをもち、司法制度が人種に関して公正であると信じる傾向があった。「人種に関してリベラルな人」はその反対であった。

「インナーシティ」が質問に追加されたBの場合、支出に対する被験者の態度は、既存の人種に関する態度に強く影響される。人種に関して保守的な人は刑務所への支出を支持する傾向が強く、人種に関してリベラルな人は反対する傾向が強いと分かった。だが「インナーシティ」が質問に含まれないAの場合、人種に関する態度と質問への回答との間には何の関係性もなかった。これが示すのは、ちょうどウィリー・ホートンの広告のように、「インナーシティ」という語がなければ回答に影響しないのに、この語が加わることで被験者が前からもっている人種に関する態度が顕著になり、質問〔への回答〕に影響する、ということだ。[09]

3 意図的でない犬笛

ここまでは意図的な犬笛に焦点を当ててきた。しかし犬笛が現実の世界で機能する仕方についての重要な事実は、犬笛が意図しないうちに本来の効果を伴って広められることだ。これは、聞き手が犬笛の存在に滅多に気づかないという事実から容易に予測できる。聞き手は意図せず犬笛を繰り返す可能性があるし、実際に繰り返している。本節では、このような発話を「意図的でない犬笛」と名づけ、いくつかの事例を通して考察しよう。「意図的でない犬笛」の暫定的な定義は次の通りである。

定義「意図的でない犬笛」
〔意図的でない犬笛とは、他の者によって〕意図的に使用され、それが意図的な犬笛を成す言葉や画像であると知らずに使用することであり、その際、この使用は意図的な犬笛と同じ効果をもつ。

この定義が成り立つことを理解するには、すでに議論したドレッド・スコットの犬笛について簡単に振り返るだけでよい。ここで一つの討論を想像しよう。左派の候補者は右派の候補者がドレッド・スコットに反対を表明することに戸惑う。なぜなら、左派の候補者は奴隷制が現在の問題だと捉えておらず、犬笛に気づいてもいない。左派の候補者は混乱し、ドレッド・スコットに反対を表明しなければ、奴隷制を支持していると思われるのではないかと心配になる。そこで左派の候補者もまた、その判決の誤りを雄弁に語り始める。だが、ドレッド・スコットを議論することは中絶反対の犬笛を吹くことである。したがって、左派の候補者は意図せずに（そして誤って）中絶反対の犬笛を吹いてしまっている。

だが、非常に重要なのは、こうした架空の事例に頼る必要はないということだ。意図的でない犬笛は現実にあるし、実際に多くの場合、（他の者にそれと気づかせずに）意図的でない犬笛を吹かせることは、最初に犬笛を吹く者の計画の一部なのである。

ウィリー・ホートンとレポーターたち

今では、ブッシュ陣営の選挙キャンペーンでは、ウィリー・ホートンの広告を使って人種について恣意的に犬笛を吹いたという十分な証拠がある。だが、当時のレポーターやテレビのプロデューサーが犬笛を吹いていたと信じる理由はない。確かに何人かは犬笛を吹いたかもしれないが、多くの人はそうではなかった。しかし、そうはいっても、彼らは選挙という文脈の中でこの広告を何度も繰り返し流し、ホートンと彼の犯罪について何度も繰り返し議論した。実際、これによって、メンデルバーグが論じるように犬笛の効果は広く行きわたり、強力になった。元々、この広告は短期間に狭い地域で放映されただけだったが、その後、表向きには「ネガティヴ・キャンペーン」や「犯罪」についての報道の一部として、何度も取り上げられた。私はこれらの繰り返された再掲示を意図的でない犬笛だと捉える。この事例はまさに、意図的でない犬笛が、意図的な犬笛の目的を達成する上でいかに重要であるかを示す。

実際、これだけを指す用語があってよいほど重要だ。私はこのような犬笛を「増幅された犬笛」と呼ぶことにする。というのも、その犬笛は、元の犬笛の射程を大いに増幅するからだ。増幅器には自らが増幅する元の音に対して責任がないように、犬笛を増幅する者には、自分が拡散している元の犬笛に対し責任はないのだ。

❖「財政支出」の人種化

一九八〇年代を通してアメリカでは、共和党が一丸となって、財政支出と人種的マイノリティを関連づけようと取り組んでいた（とりわけロナルド・レーガン〔第四〇代大統領〕は、このキャンペーンで重要な役割を果たした）。この取り組みは非常に大きな成功を収めた。例えば、政府の支援に関するメディア報道は、支援の受給者の中で黒人は少数であるにもかかわらず、黒人の支援受給者に偏って焦点を当てるようになった（Valentino et al. 2002: 75）。この取り組みの結果、「財政支出」のような言葉でさえも、いまや人種的な犬笛の役割を果たすようになったことが分かるだろう。そのような言葉を含む発話は、人種に関する態度を顕著にしようとする意図を伴う場合、結果として意図的な犬笛として機能することがある。国が何に税金を使うかは議論すべき問題であるため、こうした言葉は広く使われる。そのようにして、これらの言葉はきわめて頻繁に意図的でない隠れた犬笛として機能し、実際しばしば増幅された犬笛の役割を果たす。

まずこれらの言葉を含む発話が、人種に関する隠れた犬笛として機能しうる証拠を検討することから始めよう。人種差別を引き起こすプライミング効果〔先行する刺激が無意識に影響を与え、後続の行動を引き起こす作用〕や政治的な広告に関するヴァレンティノらの研究の事例が明確な証拠を示してくれる。その研究では慎重に作られた広告のいくつかのヴァージョンの一つを被験者に見せる。どのヴァージョンでも、広告の言葉は表立ってジョージ・W・ブッシュを支持し、「税金の無駄遣い」を理由に民主党を批判している。（複雑な広告から一例を挙げれば）ブッシュは「一部の人だけに健康保険制度を提供し、他の人たちに提供しない不公平なシステムを改革する」つもりだと、広告は述べている（Valentino et al. 2002: 79）。ヴァージョンによって異なるのは画像である。「中立」のヴァージョンでは、医療ファイルや自由の女神のような完全に中立的な画像が使われる。二つめの「人種の比較」のヴァージョンでは、例えば黒人の家族が援助を受けている写真に併せて「一部の人だけの健康保険制度」という言葉が発せられ、白人の母子の写真には「他の人には何もない」という言葉が発せられる。三つめの「援助に値しない黒人」には、白人と黒人の待遇を比較する画像は含まれないが、人種と財政支出を連想させるようにデザインされた画像が表示される。したがって、「人種の比較」のヴァージョンと同じく援助を受けている黒人家族を表示するが、「他の人には何もない」という発話と併せて医療ファイルを見せる。比較群（実験結果を検証するため別の条件を設定した比較対象）には、完全に政治と関係のない広告を見せる。広告を見た後、被験者は、人種に関する態度がいかに影響されやすいかを査定する試験を受けた。彼らは次に、大統領候補者に関する査定や、様々な問題の重要性、および彼らの人種的・政治的な態度に関するアンケートに記入した。次の表1は、広告の様々なヴァージョンの働きを示す。

ヴァレンティノらは、被験者が政治広告をどれも見なければ、人種的な不満が候補者間の選好にはほぼ影響しないことを発見した。だが、被験者が政治広告のどれか一つを見ていた場合、広告が人種に関わる映像を含まず、財政支出という単語だけを表示する中立的な条件であっても、候補者の選好に対する人種的な不満の影響は増加した。実際、中立的な条件での効果は、「人種の比較」の条件と同じくらいに強かった（ただし「援助に値しない黒人」の条件よりは弱い）。これは「財政支出」が隠れた犬笛になり、ウィリー・ホートンの広告や「インナーシティ」と同じように機能することをかなり明確に示す。これ

表1　暗示的に人種を想起させる広告操作の文言（Valentino et al. 2002: 79）

ナラティヴ	中立的な画像	人種の比較	援助に値しない黒人
ジョージ・W・ブッシュ、強い価値観をもつアメリカの建設に尽力	群衆の中で握手するジョージ・ブッシュ	群衆の中で握手するジョージ・ブッシュ	群衆の中で握手するジョージ・ブッシュ
民主党はあなたの税金を無駄な政策に使いたいが、ジョージ・W・ブッシュが減税するのは、あなたが稼いだお金の一番よい使い方を分かっているからだ	自由の女神の画像、財務省ビル内のソファに座るブッシュ、住宅街（無人）	**お金を数える黒人、オフィスにいる黒人の母子** ソファに座るブッシュ、**小切手を書く白人、お金を数える白人、白人の教師**	**お金を数える黒人、オフィスにいる黒人の母子** ソファに座るブッシュ、住宅街（無人）
ブッシュ知事は家族を大切にしている	顕微鏡を覗き込む研究員（人種不明）	**子どもを連れて歩く白人の両親**	住宅街（以上の場面が続く）
一部の人だけが医療を提供され、他の人は雇用主に余裕がないために適切な治療を受けられない不公平な制度を、彼は改革するつもりだ	医療ファイル	**黒人の母子を援助する白人の看護士、子どもを抱く白人の母親**	**黒人の母子を援助する白人の看護士** 医療ファイル
彼が大統領になれば、勤勉なアメリカ人はみな、手頃な価格で質の高い医療を受けられるだろう	バックライトで映し出されたX線写真	**白人家族に話すブッシュ、白人の子どもに話すブッシュ、白人の女の子〔の類〕にキスをするブッシュ**	バックライトで映し出されたX線写真
ジョージ・W・ブッシュ、アメリカのすがすがしい再出発	妻に腕を回すブッシュ。スクリーンには「ジョージ・W・ブッシュ」と「すがすがしい再出発」と表示	妻に腕を回すブッシュ。スクリーンには「ジョージ・W・ブッシュ」と「すがすがしい再出発」と表示	妻に腕を回すブッシュ。スクリーンには「ジョージ・W・ブッシュ」と「すがすがしい再出発」と表示

は、このような〔人種差別を引き起こす〕プライミング効果がどれほど広まっているかを如実に示しているので、かなり不安を覚える事実といえよう。プライミング効果が波及することによって、人種に関する態度に影響されることなく、政府が何に税金を使うべきかといった、民主主義にとって不可欠な中心課題を議論することがきわめて困難になる。[10]

ヴァレンティノらが、黒人家族の画像は、反ステレオタイプの画像がもつ影響を調べたことも重要だ。これらのヴァージョンでは、この広告が議論する「勤勉な家族」などを反映するように見える。これらの広告は、視聴者がおそらく〔テレビや雑誌などの〕文化をとおして吸収した、人種差別的なステレオタイプと衝突するように作られている。効果は劇的だった。

だが、黒人という人種を想起させるものが、〔黒人の〕ステレオタイプと一貫していない場合、人種に関する態度と投票との関係は消滅する……。黒人の肯定的な〔印象を与える〕画像を用いることで、人種的なステレオタイプを壊すと、人種的なプライミング効果が劇的に損なわれる。それゆえ黒人の画像があるだけでは、人種に対する否定的な態度が引き起こされることはない。この効果は、映像が物語と組み合わされることで、視聴者の心の中で否定的なステレオタイプを微妙に強める場合にのみ現れる。(Valentino et al. 2002: 86)

これは、隠れた犬笛の影響と戦うもう一つの可能性を提起する点で決定的に重要だ。これは人種的な態度を引き起こすことなく、財政支出を議論することが可能であることを示す。しかし、人種的な映像を避けることは、これを行う方法ではない。むしろ、適切な人種の映像を組み込むよう私たちは協調して取り組まねばならない。適切な人種の映像とは、〔人の意図がどうであれ〕他の仕方ならありありと分か

表2　反ステレオタイプの広告操作の文言（Valentino et al. 2002: 80）

ナラティヴ	尊厳のある黒人	尊厳のある白人	援助に値しない白人
ジョージ・W・ブッシュ、強い価値観をもつアメリカの建設に尽力	群衆の中で握手をするジョージ・ブッシュ、背景にアメリカ国旗を持つ黒人女性、笑顔の黒人退役軍人	群衆の中で握手をするジョージ・ブッシュ	群衆の中で握手をするジョージ・ブッシュ
民主党はあなたの税金を無駄な政策に使いたいが、ジョージ・W・ブッシュが減税したいのは、あなたが稼いだお金の一番よい使い方を分かっているからだ	財務省ビル内のソファに座るブッシュ、**カウンターの上にお金を置く黒人**	ソファに座るブッシュ、**小切手を書く白人、お金を数える白人**	**お金を数える白人、オフィスにいる白人の母子** ソファに座るブッシュ、住宅街（無人）。
ブッシュ知事は家族を大切にしている	**パソコンを使う黒人家族、レストランで食事をする黒人家族**	**白人教師、子どもを連れて歩く白人の両親**	住宅街（以上の場面が続く）
一部の人だけが医療を提供され、他の人は雇用主に余裕がないために適切な治療を受けられない不公平な制度を、彼は改革するつもりだ	顕微鏡を覗き込む研究員（人種不詳） **赤ちゃんを抱く黒人女性**	顕微鏡を覗き込む研究員（人種不詳） **子どもを抱く白人の母親**	**病院で療養中の新生児を抱く白人の母親** 医療ファイル
彼が大統領になれば、勤勉なアメリカ人はみな、手頃な価格で質の高い医療を受けられるだろう	**黒人の子どもたちと握手するブッシュ、校庭に座る黒人の子どもたち、黒人の子どもたちと教科書を読みながら教室に座るブッシュ**	**白人家族に話すブッシュ、白人の子どもに話すブッシュ、白人の女の子〔の類〕にキスをするブッシュ**	バックライトで映し出されたX線写真
ジョージ・W・ブッシュ、アメリカのすがすがしい再出発	妻に腕を回すブッシュ。スクリーンには「ジョージ・W・ブッシュ」と「すがすがしい再出発」と表示	妻に腕を回すブッシュ。スクリーンには「ジョージ・W・ブッシュ」と「すがすがしい再出発」と表示	妻に腕を回すブッシュ。スクリーンには「ジョージ・W・ブッシュ」と「すがすがしい再出発」と表示

る犬笛（意図的な犬笛であれ、意図的でない犬笛であれ）を弱体化させるのに役立つ反ステレオタイプの画像ということになるだろう。そのためには、話し手の側に自覚と努力が必要だ。さもなければ、話し手は、自分はあからさまな人種的な映像や言葉を避けることで、（聞き手の）人種的な態度を誘発することを避けたのだと考えかねない（表2参照）。

4　現在の理論が完全には捉えられないこと

現在の理論が捉えられること

既存の理論は、あからさまで意図的な犬笛にはかなり適切に対応する。いまの議論で指摘したように、「ドレッド・スコット」という発話が、中絶反対という会話の含意をはらむと想定するのはかなり妥当だ。

エリザベス・キャンプはさらに一歩進んで、「ほのめかし」という概念を導入する（Camp 2018）。話し手は、万が一に備えて、命題Pを伝えるのにPを会話の記録にとどめないように、なんらかの形でPをほのめかす。話し手は、自分の意図が認識されることを意図しているが、それについて意志や責任があるとは認めない[11]。これは重要な概念である。

キャンプは、ブッシュによるドレッド・スコットの犬笛を、ほのめかしの模範例として扱っているが、これは妥当だろう。ブッシュは中絶反対のメッセージが認識され、しかも意図したとおりに認識されることを意図している。ところが同時に、コード化された表現の使用によって、ブッシュは自分の関与が記録に残らないようにできる――それゆえ、（それを言っていないと）否認もできるのだ。

より捉えにくいケース

隠れた意図的な犬笛は、実体として捉えるのがはるかに難しい。これには重要な理由が二つある。第一に、犬笛が知らせるのは特定の命題ではない。その代わりに、ある特定の既存の態度が、聞き手に気づかれることなく顕著になる。これが意味するのは、ある特定の命題〔あるいは広範囲の命題群〕からなる、〔意味論もしくは語用論を介した〕コミュニケーションに依存するどんな理論も失敗するだろうということだ。第二に、これは意識の外部で起こる。重大なことだが、聞き手が犬笛を意識するようになると、犬笛は意図された効果を発揮するのに失敗する。したがって、隠れた意図的な犬笛が成功するかどうかは――ほとんどのコミュニケーション行為とは異なり――話し手の意図を認識していない聞き手にかかっている。[12] 話し手の意図の認識が〔コミュニケーションの〕成功には不可欠だと考える理論を、隠れた犬笛の問題に方法として適用するなら、どれも完全に失敗するだろう。隠れた意図的な犬笛は、話し手の意図の認識が不在である〔理解されない〕場合にのみ成功する。しかし〔話し手の意図が〕理解されると、隠れた意図的な犬笛は効果的でなくなるのだ。[13]

とはいえ、二種類の理論が、隠れた意図的な犬笛を捉えることができそうな期待を抱かせる。それらは、レイ・ラングトン〔言語哲学、道徳哲学〕とメアリー・ケイト・マクガワン〔言語哲学〕による「会話の適応」に関する研究だ。とりわけマクガワンの「会話の行為拘束」〔243頁参照〕という概念と、ジェイソン・スタンリーの「プロパガンダ」および「非争点の内容」〔話題になっていない内容〕に関する最近の研究である。とはいえ、これらのいずれも、隠れた意図的な犬笛のケースがはらむ複雑さを十分に捉えきれないと分かるだろう。

❖スタンリー

ジェイソン・スタンリーは、私が隠れた犬笛と呼ぶもの（意図的な犬笛と意図的でない犬笛の両方）を議論する唯一の哲学者である。彼はこの隠れた犬笛を、特に狡猾なプロパガンダの形態と考える。スタンリーの見解では、この犬笛は、会話の中にいくつかの有害な「非争点の」効果を導入することで機能する。非争点の内容とは、会話の共通基盤の一部となる要素であるが、それは、主張される内容のとおりには明示的に検討の対象になることはない。これによって、この内容が共通基盤に追加されていることに気づきにくくなり、それに反対することもさらに難しくなる。また、取り消すこともできない。関連する意味は、非争点の内容として常に伝えられるが、話し手はこれが起きるのを阻止できない（Stanley 2015: 139）。スタンリーは特定の言葉が非常に問題のある「非争点の内容」を伝達するようになると主張する。

> ニュースメディアが、都市部の黒人のイメージと「福祉」という言葉への言及を繰り返し結びつけるなら、「福祉」という言葉は、黒人は怠け者であるという非争点の内容をもつようになる。どこかの時点で、繰り返された連想は意味の一部、非争点の内容になる。（Stanley 2015: 138）

スタンリーはまた、言葉の非争点の効果が、選好の順位づけという形態をとり、集団を敬意という価値の観点から順位づける形態をとると示唆する。つまりある言葉は、その言葉を聞いた人に、一部の集団に対する敬意を損なう仕方で、集団ごとに異なる順位づけをさせる可能性がある。人は集団を、多かれ少なかれ共感の価値に応じて、順位づけるようにすらなるかもしれない。これは、スタンリーにとってとりわけ重要な種類の非争点の効果である。

スタンリーのアプローチは、隠れた犬笛の発話で実際に何が起きているかに聞き手が気づいていない状況に適応できる。非争点の内容は、それが生じていることを聞き手が明白に意識せぬうちに、（会話の）共通基盤に（時折）入り込んでいる。これが、非争点の内容をそこまで狡猾にする重要な部分である。

それでもやはりスタンリーのアプローチは、これらの発話がどう機能するかについて、心理学者がこれまで私たちに教えたことのすべてに適応しない。スタンリーは、「福祉」のような言葉は、黒人は怠け者であるという非争点の内容をもたらすか、あるいは黒人は白人よりも共感に値しないということにしたがって人々に選好の順位づけを実行させ、黒人に対する敬意を失わせる、と示唆する。さらに彼は、こうしたことは取り消すことができず、「福祉」のような言葉が使用されるたびに非争点の内容が現れると示唆する。[14]ところが、これはある重要な点でデータに当てはまらない。

第一の問題は、「福祉 welfare」といった隠れた犬笛の言葉を使用することや、ウィリー・ホートンの広告のような宣伝を見ることでですら、人種に関する態度に変化を（一般的には）引き起こさないという点である。[15]そうではなく、それらは既存の態度を取りやすくし、そのような態度が（通常は）決定を下す際に何の役割も果たさないであろう問題にも、影響を与えるようにするだけなのだ。これは、（犬笛の）言葉が会話の共通基盤に新たな主張を追加させるか、または人々の選好の順位づけに変化を引き起こすとするスタンリーの考えとはかなり異なる。[16]

第二の問題はこれに関連している。それは、隠れた犬笛の言葉のもつ効果が、スタンリーが解釈するように、一律に否定的なものではないということだ。これは直観的にも、また経験的な証拠を見ることによっても分かる。直観的に私たちは、黒人の話し手が、左派である黒人の聞き手に次のように言う場面を想像できる。「私の母は生活保護（welfare）を受けていましたが、その間に工学の学位を取得し、家族を貧困から救い出しました」。この「福祉／生活保護」の使い方が、黒人が怠け者だと示唆することはありそうにないし、また黒人への敬意を欠くこともないだろう。もし経験的なデータを振り返る方が望ましいなら、すでに議論した調査結果を見直せばよい。刑務所への支出に関する質問に「インナーシティ」を追加しても、人種的な不満が小さい人は、刑務所をさらに多く建設すべきであると同意する割合が低かった。既存の人種に関する態度――それが何であれ――は、隠れた人種的な犬笛の言葉によって発動する。もしその態度が人種的な不満であるなら、黒人に対する尊敬の欠如と確かに合致する結果が生じる可能性が高い。しかしその態度が人種的な不満でないなら、結果は全く異なる可能性が高い。

最後に、犬笛との戦いを成功させるのは、スタンリーが示唆するほど難しくないかもしれない。人種的な不満のプライミング効果は、それが隠れたままである場合にのみ機能する。「福祉」といった犬笛の言葉を用いても、人種が明示されるなら、その効果は消える。ジェシー・ジャクソンが人種の問題を提起した途端、ウィリー・ホートンの広告が効果的でなくなったことも思い出そう。これは、犬笛への対抗策のうち少なくともいくつかは、むしろ容易に成功しうることを示す。

❖ラングトンとマクガワン

ラングトンはヘイトスピーチが機能する多くの仕方について議論する〔Langton 2012〕。本稿の目的にとっては、デイヴィッド・ルイスとロバート・スタルネイカー〔いずれも言語哲学〕による「会話の尺度」についての研究に基づくラングトンの議論が最も有望である。

［ヘイトスピーチの発話は］特定の事実や規範を明示的に成立させるよりもむしろ、それらを暗示的に前提することがある。だがこの暗示的な前提は、オースティンの古典的な発語内行為〔命令や約束など意味と指示を伴う発語における行為の遂行〕と比較しうる仕方で働く可能性がある。消費者〔ヘイトスピ

ーチを受容する聞き手」はその場合、「会話」の中で前提されている「共通基盤」（ロバート・スタルネイカーの用語）や「会話の尺度」（デイヴィッド・ルイスの用語）を受け入れることで、事実や規範についての信念を変える。（Langton 2012: 83）

ラングトンはさらに、欲望や憎しみのような感情が、ほぼ同じ手順で共通基盤に導入される――あるいはルイスの言葉で言えば、それら感情の適切さが会話の尺度の一部になる――可能性があると示唆する。ラングトンは仮定として、この二つの理論が次のように関連する可能性を示唆する。ルイスの理論は受容可能と見なされるものが変化しうる直接的な仕方を捉える。さらにごく当たり前の会話の共通基盤の一部をなす態度や感情の変化につながることを説明する。

これを理解するためには、メアリー・ケイト・マクガワンのモデルが役立つ（McGowan 2004, 2012）。マクガワンは、会話の尺度の中での変化は、隠れた行為拘束（exercitive〔行動について決定を下す言動のこと〕）によると理解すべきであると示唆する。これは、話し手の側になんら特別な権限を必要としない言語行為である（特定のサッカープレーを反則と裁定するといった、より標準的な行為拘束とは異なる）。重要なのは、この言語行為は、話し手によって意図されることもあれば、意図されないこともあり、また聞き手に認識されることもあれば、認識されないこともあるということだ。マクガワンは、これらの行為が、規範によって規定されるどんな活動にも、きわめて広く波及すると示唆する（そして、膨大な種類の活動が規範によって規定されていることも示す）。こうした活動において何が許されるかは、それらの活動の（暗示的または明示的な）規則と、それ以前に起こったことの両方に依存する。会話において許容されるものは、人々が言うことに応じて迅速かつ円滑に適合する。ジェフがなんらかの前提条件をもつ〔次の〕1のような発話をすると想定しよう。

1　Yes, my wife and I like to do that.　はい、妻も私もそれをするのが好きです。

〔この発話に〕誰も反論しないなら、ジェフには妻がいると仮定する他の発話をこの会話の中で行うことが（この文脈では）許されることになる。同様にマクガワンは、もしジェフが人種差別的な発話をして誰も反論しなければ、（その文脈では）さらに人種差別的な発話をすることが許されると述べる。[17] これは、文脈や発話の性質によってはさらに、人種差別に対する許容可能性についての事実を成立させるかもしれない（McGowan 2012: 137-139）。

　隠れた犬笛を扱うにあたって、この図式の最も魅力的な要素は、(a) 共通基盤や尺度への著しい変化が、その変化の発生を明示的に認めなくても起こりうること、そして(b) 信じられているか当然とされている命題だけではなく、規範や感情にも注目する点だ。その場合に示唆されるのは、例えばウィリー・ホートンの広告が、投票を決める際に何を考慮に入れるのが適切かについての事実を、暗示的に変化させることだろう。規範的な尺度——投票の決定が何に基づくべきかに関する——が、ウィリー・ホートンの広告によって、それを見る人の意識外で、微妙に変化する。これにより、広告を見る人は、誰に投票するか決定するにあたり人種を考慮に入れるようになる。マクガワンはこれが意図せずに起きる可能性を認めているので、意図的および意図的でない隠れた犬笛の両方にこれを適応することができる。

　これは、最初のうちはうまく適合するように見える。だが決定的な問題がある。もし犬笛が**実際**に許容できることがらの範囲を変化させるなら、何が暗示的に加えられたのかを議論しても、犬笛の効果そのものを損なうことはない。ウィリー・ホートンの広告が人種に関係する可能性をジェシー・ジャクソンが指摘したとき、視聴者は自分の人種的な態度が投票に影響を与えるのを止めた。もしこの広告が、実際に人種的な態度に基づいて投票決定するのを許容していたのなら、こうしたことは起こらなかっただろう。真に許容できるものについて考察するとき、私たちはそれを拒絶しない——たとえそれが、私たちが考察していなかったものであっても。例えば、私がパーソナルスペースに関する慣習が違う国にすっかりなじみ、その慣習を知らぬまに身に付けていたと想像してほしい。もしその国の誰かがそのことがらについて私に意見をしたとしても、私はそれを拒絶しない。それどころか少なくともその国にいる間は、私にとって許容できることがらの範囲が変化したことに気づく。人種的な犬笛に注意を喚起する際には、かなり違うことが起こる。そのとき起こるのは、まるで人が許容できない何かをしていたことに初めて気づくようなことだ[18]。このことが示しているのは、ラングトンとマクガワンの説明ではこうした事例を捉えられないということだ[19]。

❖隠れた発語媒介的な言語行為としての隠れた意図的な犬笛

私の考えでは、隠れた意図的な犬笛は、発語媒介的な言語行為〔perlocutionary speech acts 何かを言うことで感情、思考、行動に効果を生む意図でなされる行為〕の一種として理解されるべきである（私は発語媒介的な言語行為を、何らかの効果を伴う発話と見なす）[20]。発語媒介的な言語行為は言語哲学者によってあまり議論されていないが、それにはそれなりの理由がある。発語媒介的な言語行為は、さまざまな行為の雑多で体系的でない集まりであるため、理論化するのが困難である（結婚するという単純な発語内行為〔illocutionay act 何かを言うこと、話された文の内容（locution）以上の効果をもたらす行為〕と、幸せになる、元カレを嫉妬させる、素敵なドレスを着られるようになる、市民権を得る、経済的に安定する、といった意図的な発語媒介的な行為とを対比するとよい）。ジョン・オースティンは、発語媒介の理論のあり方についてほとんど規定していない。だが、発語媒介的な行為に含まれる種類の一つ一つはきわめて重要な可能性がある。発語媒介は、少し考えるだけで、発語媒介隠れた意図的な犬笛に非常に適したカテゴリーのように思える。つまり、隠れた意図的な犬笛は、結局のところ、まさに聞き手に対する意図された効果の問題なのだ。

隠れた意図的な犬笛とは、私が隠れた発語媒介的な行為と呼ぶものとして理解されるべきだと提案したいと思う。隠れた発語媒介的な行為は、その意図的な発語媒介の効果が意図的であると認識される場合には成功しない行為である。[21] このカテゴリーは一つの〔確立した〕カテゴリーとしてはあまり議論されていないが、隠れた犬笛だけが隠れた発語媒介的な行為ではない。隠れた発語媒介的な行為のもう一つの重要な種類が「欺瞞」である。誰かを欺く人は通常、自分の欺く意図が相手に認識されていない場合にのみ成功する。これが隠れた発語媒介的な行為を決定づける特徴である。隠れた意図的な犬笛は、その意図した効果が意図的であると認識される場合は成功しない。したがって、隠れた意図的な犬笛は一つの隠れた発語媒介的な行為である。

この説には明確な利点がいくつかある。隠れた意図的な犬笛を発語媒介的な行為として理解すれば、命題に関する行為として理解する必要はない。発語媒介的な行為が〔会話の〕共通基盤に追加されると主張する必要もないし、それがなんらかの仕方で意識的に聞き手に届くと主張する必要もない。また、これまで見てきた犬笛のさまざまな種類をかなり容易に理解できる。例えば、特定の犬笛の言葉を用いる発話は、どれもが同じ効果をもつように意図されているわけではない。したがって、黒人の話し手が、自分の母親が工学の学位を取得するために福祉〔生活保護〕を利用すると説明することを、正しく理解できる。さらに、発語媒介の効果はどれもが意図されたものというわけではない。したがってこの効果が意図されていない場合でも、一部の有権者にとって反人種差別的な態度が顕著さへと高まるという事実に、理論を適応させることができる。最後に、ジェシー・ジャクソンの発話が、ウィリー・ホートンの広告がもつ意図された効果を最終的に防ぐようになったのと同じように、発語媒介の効果は防ぐことができる。

❖意図的でない隠れた犬笛

意図的でない隠れた犬笛を、発語媒介的な行為と捉える図式に当てはめる方法は一つではない。

選択肢1……意図的でない隠れた犬笛は、話し手の意図と犬笛とが無関係であるが、それに話し手が気づいていないので、それ自体では隠れた発語媒介的な行為ではない。したがって、もし話し手の意図が認識されても、この行為が失敗することはありえない。意図的でない隠れた犬笛は、この説明によるなら、とりわけ有害で〔はあるが〕意図的でない発語媒介の効果をもつ言語行為にすぎない。意図的でない発語媒介の効果はきわめて一般的であり、したがって、これらの意図的でない効果が（話し手以外の）他の誰かの計画の一部であることを除けば、特別なことは何もない。この選択肢はおそらく人心操作の役割を過小評価する。

選択肢2……二つめの選択肢は、意図的でない隠れた犬笛が、実行されている操作にどのように適合するかをより重要視する。最初に隠れた犬笛を創り出す人たちは、言葉やイメージに有害な連想を（おそらくそれ以外のものも）付加するのを得意とし、それが有害な連想を伴ったまま他の人によって取り上げられ、〔二次的に〕使われることを期待して世の中に送り出す。したがって犬笛の制作者は、重要な意味で、意図的でない隠れた犬笛の発話者だと考えられるだろう。こう考えることで、意図的でない犬笛を隠れた発語媒介的な行為として扱うことができるようになり、その犬笛がこの種の人心操作に適合する仕方を十分に認識できるだろう。だが、この説明の問題点は、犬笛を繰り返す人々の媒介的な働きを過小評価する点だ。こういった犬笛を繰り返す人々は実際には話し手であるし、そしてそう理解される必要がある。彼らには自分たちの発言の効果に責任がある。

すべてを考慮すると、最良のアプローチは選択肢1のように私には思える。だが、このアプローチを採用する際に重要なのは、意図的でない隠れた犬笛を発話する人が、どのようにしてそうするように操られていたかを見失わないことだ。そして、発話者が意図しなかったとしても、誰かがこれらの発話の有害な効果を意図したことを覚えておくことが重要である。実際このことが、何がこれほどまで狡猾なのかをより深く理解するのに役立つ。人々が気づかずに意図的でない隠れた犬笛を発話するとき、彼らは自分たちが拒否するイデオロギーの代弁者にされてしまう。実際に〔気づかずにその犬笛を〕発話する人は〔たとえ犬笛の制作者でなくとも〕話し手であり、だからこそ、自分の言うことがもつ効果と、自分がこれらのことを言う原因となった巧みな操作に注意を払う必要がある。

このアプローチのさらなる利点は、意図的でない隠れた犬笛の二つの異なる種類に適応できることだ。一つめは、私が「増幅された犬笛」と呼んだもので、これは意図的で隠れた犬笛の効果を拡散するのに役立つ。二つめは、ここでは取り上げないが、意図的な隠れた犬笛のうち、故意に操作する企図を要因としないものだ。私はスポーツ解説で「巧妙さ」がこのように機能すると指摘されたことがある。それは白人らしさ（whiteness）を鼓舞する犬笛であるが、観客の人種的な態度を故意に操作し、それを顕著にしようと試みるものではない。[22]

5　政治的な結果

もちろん、この十分に検討されていないトピックがこれほど重要なのは、犬笛が、私たちの思考や意思決定に影響を与え——まさに操作し——、さまざまな戦略の重要な部分を代表するからだ。とりわけ犬笛は途方もなく重要な政治的効果をもつ。犬笛の政治的な影響については、これまで哲学者によってあまり議論されてこなかった。とはいえ、ロバート・グッディンとマイケル・サワード（いずれも政治学）は、明示的な犬笛がもつ政治的な影響を論じた（Goodin and Saward 2005）。またジェイソン・スタンリーは隠れた犬笛がもつ政治的な影響を論じた。彼ら三人の理論家はみな、それぞれが識別する問題は異なっても、犬笛が民主主義にとって深刻な問題を提起すると主張する。私は確かに犬笛が民主主義にとって問題を提起しうることに同意するが、問題の性質と深刻さに関して、これらの哲学者の誰にも完全には同意しない。

犬笛と民主的な権限

グッディンとサワードは、あからさまで意図的な犬笛（彼らは隠れた犬笛や意図的でない犬笛については論じていないので、実際には「犬笛」という言葉を使うだけである）は、特定の政策に対する民主的な権限を弱体化させる可能性があるが、統治する権限に関しては問題を引き起こさないと論じる。彼らが注目するのは、ある政党（または政治家）が、一部の聴衆なら気づかないようなメッセージを、別の聴衆には犬笛の効果を発揮するフレーズを用いて発信することで、特定の政策を提唱する場合である。人為的な（しかし完全に人為的ではない）例を挙げよう。ある政党が、選挙運動の宣伝の多くで、ドレッド・スコットへの反対を吹聴するのを想像してほしい。この政党は人種差別反対派と中絶反対派の有権者の両方から支持を得る。この政党は勝利しても、中絶を禁止する権限を宣言できない。なぜなら、その投票者の一部だけが自分たちは中絶禁止のために投票していると考えた（のであり、他の投票者は別の理由で投票した）からだ。したがってグッディンとサワードは、政策の選好だけが犬笛の対象になるとき、政策の権限は損なわれると主張する。だが、グッディンとサワードは、統治する権限がこのような仕方で損なわれることはないと主張する。なぜなら、政治家Pに投票する人は誰でも、自分たちが何のために投票するのかを、つまり政治家Pが統治すべきだということを正確に分かっているからだ。

保守政党は人種差別主義者に向けて、自分たちの従来の支持者が即座に否認するような人種差別を助長するメッセージを犬笛で伝える。この保守政党はその後の選挙で勝利する。有権者の半数は、純粋に人種差別的な政策に対する（コード化された）支持のために、その政党に投票した。残りの半数は、人種に関する伝統的で品行正しい政策を純粋に支持し投票した。この政党が過半数を獲得し、統治する権限を得たのは明らかだ。しかし同じく明らかなのは、この状況下では、その政党は自分たちが票を獲得した、二つの相反する政策のどちらかを追求する政策の権限を主張できないだろう。
(Goodin and Saward 2005: 475)

したがって、政党は犬笛政治に従事するのをやめないかぎり、自分たちの政策に対する権限を主張できないとグッディンとサワードは論じる（こう主張する以上のことがさらに必要かもしれない）。

政党が通常の総選挙で犬笛政治に従事すると、票を増やすために頼りにしたのと同じ現象によって、票の獲得で確保できたかもしれない権威を損ないもすることを、政党にしっかりと思い知らせるべきである。(Goodin and Saward 2005: 476)

しかし、グッディンとサワードの議論は、私にはまだ十分とは言い難いように思える。もし彼らが政策の権限に関して正しいなら、統治の権限もしばしば損なわれる可能性がある。それは、例えば一つの問題だけに焦点を絞った有権者が大勢いる可能性のある場合に起きるだろう。もし投票決定が中絶政策に基づいてなされる場合に、この政策について異なるいくつかのメッセージが有権者の複数の異なるグループに送られるなら、確かに統治する権限もまた何らかの意味で損なわれる。

ここで、グッディンとサワードが論じていない隠れた犬笛の事例に目を向けよう。隠れた犬笛はみな、同じ種類の欺瞞を伴うわけではない。これは、ウィリー・ホートンの広告の視聴者の一部がデュカキスによる刑務所の政策はQだと考える一方で、その他の人たちはRだと受け取るのとは異なるケースだ。では何が起こるかというと、広告のターゲットとなる聴衆は、そのように認識することなく、自分たちの人種的な態度に基づいてブッシュに投票する。人間の心理のあり方として、誰に投票するかを決める理由に自分で気づいていないことは、確かに広く見られる。人々は、例えば、どの靴下を買うかという判断がテーブルの上の靴下の位置にどのくらい基づくのかに気づいていない。人々は、愛する（あるいは嫌いな！）人などを思い起こすときに、自分たちが宣伝の音楽や、口調または身振りの微妙な違いからどのくらい影響を受けているかに気づかないのも無理はないだろう。そういったさまざまな影響に対する認識の欠如が、民主主義の権威を弱体化させるのに十分だとしたら、私たちは民主主義への希望を諦めるしかないだろう。

ところが、これ以上のことが隠れた犬笛を使って行われる。隠れた犬笛のケースでは、人々はそれに気づくなら拒絶するような理由に基づいて決定する――そのような理由が意識にまで高められると何が起こるかは知ってのとおりである。さらに彼らは、故意に操作された結果としてこのような決定をするのだ。これは、一見すると、民主主義の権限に対する脅威のように見える。

しかし、もしこれが権限を損なうのに十分ならば、繰り返しになるが、実際には権限は存在しないのかもしれない。結局、どんな有権者が、選挙運動の宣伝で流れる音楽や候補者の容姿を基準に投票すべきだと考えるのだろうか。しかしそれでも、人間の心理に関する私たちの知識はすべて、このような要素が有権者の選択に確実に影響を与えると示唆する。そして、選挙運動を繰り広げること（と、より一般的に宣伝すること）に関する私たちの知識はすべて、このようなことが有権者を故意に操作するために選挙運動の活動員たちによって利用されるのは、当然のことであると物語る。私たちが、自分たちに影響を与えるはずがないと考える要因によって影響を受けるのは、人間の条件の避けえぬ部分だと私には思える。そしてこのことは比較的広く知られていることなのだから、他人に影響を与えるためにそのような要因を利用することもまた、人間の生の標準的な特徴だろう。もしこれが民主的な権限を弱体化させるのに十分だというなら、民主的な権限など存在しようがない。

スタンリー

スタンリーは、民主主義を蝕む機能があるという理由で、私が「犬笛」と呼んでいるものに特に関心を寄せている。彼が特に関心をもつ言葉は、――「福祉」のように――壊滅的な打撃を与える性質をもつ。

① 関連する表現を使用することで、共同体内の特定の集団がそこに包摂される価値がないこと、つまり敬意に値しないことを表す会話に影響を与える。

② この表現には、問題となっている議論を合理的な方法で解決するための、合法的な貢献に役立つだけの内容が含まれており、それはこの表現がもつ排除のメカニズムの機能とは別である。

③ その表現を使用するだけでも、理性を徐々に失わせる効果を発揮するのに十分である。したがっ

て理性的な判断への影響は、どのような言語的文脈であれ、その表現を使うだけで発生する。(Stanley 2015: 130)

もしこういった〔壊滅的な打撃を与える性質をもつ〕言葉の一つを用いるたびに、これらの効果が発揮されるなら、どの言葉の使用も黒人に対する敬意を損ない、彼らに敬意を払うという観点を排除することで、理性的な議論を損なうことになる。たとえその言葉の表向きの内容が、議論にとって完璧で理性的な貢献をするとしても、これは明らかに民主主義にとって甚大な損害となる。

スタンリーが正しいなら、確かに犬笛の言葉は、完全に破壊的なものだろう。私たちは「福祉」のような言葉を使って議論することができなくなるだろう。なぜなら、文脈が何であろうと、また発話の残りの部分が何を含んでいようと、そのような議論に参加するすべての人が、知らないうちに、発話のたびに差別主義的な非争点の内容を広めてしまうからだ。もしこれが正しいとするなら、問題のある発言に対する標準的なリベラルな対策――つまりさらに多くの発言をすること――は巨大な障壁に直面することになる。

ここには正しい点がたくさん見られる。例えば、あからさまに人種差別的な主張に対抗するよりも、犬笛に対抗する方が確かに難しい。もし選挙運動の宣伝が明示的に「黒人は危険な犯罪者で、デュカキスはもっと人種差別すべきだ」と主張する場合、その広告の何が間違っているかを指摘することは非常に簡単である。これが人種差別であることは疑いようもなく、最も臆病なジャーナリストすら気楽にこれは人種差別だと主張するだろう。広告を作った人たちは、謝罪せざるをえないか、明らかに人種差別的な有権者に選挙の期待を懸けるしかないだろう。だがウィリー・ホートンの広告は全く異なる。多くの視聴者は、自分たちの人種的な態度を顕著にする広告を見たことに気づかないだろう。この広告には、簡単に指摘されるようなあからさまに人種差別的な主張は含まれない。そして政治家たちは、広告や自分の意図に人種差別があるのを簡単に否定できるし、実際否定したのだ。さらにジェシー・ジャクソンは、広告が人種差別であると指摘したときに「人種のカードを切っている」と中傷され、彼の指摘は、主要メディアのコメンテーターたちからばかげていると言われた。

しかし、すでに見てきたように、真実はこれほど希望がないわけではない。「福祉」のような言葉の効果は、(少なくとも)聞き手がもつ人種に関する傾向や、人種が明示的に議論されているかどうか、また話し手が言うことの他の部分に応じて変化する。また、ジャクソンが人種の問題を提起するとすぐに、広告が機能しなくなったことも思い出してほしい。これはきわめて重要な意味で、犬笛に対抗することができる可能性を示す。事実、(犬笛の広告はジャクソンによって)かなりたやすく異義を申し立てられた。ジャクソンが人種差別の問題を提起するのは間違いだと思った人でさえ、制作者が意図した仕方では広告に影響を受けなくなった。人種差別は当時、会話の一部をなしていて、非常に顕著ではあったが、それは(広告の中に)隠れているのではなく、むしろ明示的に顕著になったのだ。広告は人種が隠れて顕著である限りにおいて、有権者の投票決定に彼らの人種的な態度を利用させる可能性があった。隠れた発語媒介的な言語行為は(少なくともいくつかのケースでは)非常にたやすく異議を唱えられる。為すべきことはただ、会話に隠れている部分を明示化することだ。

これらの言語行為に対抗する方法を完全に理解するためには、この事実とスタンリーの見識を組み合わせる必要がある。隠れていたものを明示的にするには、確かに会話によって異議を唱えることだろう。人々は異議を唱える人たちの言うことを拒絶し、その異議が正しいことを否定するだろう。正気が疑われるかもしれないし、実際、疑われることもしばしばある。異議を唱える人たちには政治的な企みがある、と非難されるだろう。会話は脱線し、流れるように進まないだろう。スタンリーが言ったように、それは困難である。結果として、自分で異議を唱えようとすることも、このような抵抗をものともせずにやり遂げるのも困難である。したがって、ここには有害である隠れた発語媒介的な行為と戦おうとする者にとって重要な教訓がある。もし挑戦者がこれらの言語行為がどのように機能するかを認識しているなら、このような抵抗にもかかわらず、戦う価値が十分あるのが明白になる。人種問題が提起されるとすぐに——たとえ提起することが間違いだと思われ、怒りで迎えられても——、私たちが戦おうとしている言語行為は機能しなくなる。戦うのは非常に難しく、勝つのは非常にたやすい。こうした有害な言語行為に挑戦しようとしている人たちは、困難な戦いに備えるために、勝つことのたやすさを思い起こす必要がある。重要なのは、勝利しても勝利したようには感じられないことを理解する必要があることだ。〔有害な〕言語行為に責任がある者たちは引き下がらず、自分たちが何をしていたかについて真実を認めず、謝罪もしないだろう。さらに、彼らの言語行為が向けられた聞き手も、私たち挑戦者の分析が間違っていると主張し、隠れた要素〔メッセージ〕の存在を否定するかもしれない。しかし、それにもかかわらず、私たちは戦いに勝利するだろう。つまり、彼らの言語行為は無効化されるのだ。

もちろん重要なのは、人種平等の規範が実際に機能する場合にのみ、私たちはこれらの戦いに勝つことができるということだ。人種平等の規範が機能しているかどうかは、時間と場所によって大きく異なるかもしれない。私たちはジェノサイドの悲しく恐ろしい歴史から、こうした規範が機能している共同体が、急激に規範の消滅した共同体へと変わりうるのを知っている（Smith 2011; Tirrell 2012）。また私たちは、ある場所では言うことが許されないことでも、わずか三〇マイル離れた場所では、全く普通だと見なされるのも知っている。こうした理由から、人種平等の規範は有効であると主張するのは、間違いなく単純化しすぎている。大まかに言えば、人種平等の規範は有効だ。だが有効でない時や場所もあるだろう。そして、そのような時や場所では人種問題を提起しても、人種の犬笛を無効化しないだろう（この点のもつ複雑な側面については、先ほど提示した規範の内容に関する問題点を考える必要がある）。[23]

もう一つの限界を強調するのも重要である。私が主張してきたのは、人種問題を明示的に提起することによって人種の犬笛を和らげられる、ということだ。これは、きわめて特殊な種類の政治操作に対する防衛策である。これは非常に効果的だと思われる。だがこれは態度を変えはしない。人種的な不満は、投票の選択に影響を及ぼさなくなるかもしれないが、それ自体は残り続ける。世の中の具体的な現実を変えることもない。何世紀にもわたる暴力、差別、隔離政策は、修辞的な戦略によって変えられるものではない。私たちが生きる世界は、犬笛が公然と議論された後もそれ以前と変わらず、人種差別によって構造化されたままである。犬笛について公然と議論することは重要であるが、実際以上に強力なものであると誤解してはならない。私はこの研究を有益な助言をくれる、多くのすばらしい聞き手に発表してきた。悲しいことに個人個人を憶えていないが、全員に感謝している。この論文は二〇一六年の〔ドナルド・トランプが選ばれたアメリカ大統領〕選挙の前に書かれたものだが、その後、脚注がいくつか追加されている。

注

❖序

01 たとえば次を参照。https://en.wikipedia.org/wiki/Push_poll〔最終閲覧二〇二一年一月二二日〕

02 以下にある例にほぼ基づく（Williams 2002: 114）。

03 とはいえ私は以前、これに類することが、「言うこと」（意味内容）をめぐるグライスや関連性理論の研究者たちの議論で問題にされていると論じたことがある（Saul 2002）。

04 また、言語哲学では人種的なものをはじめとする侮蔑的な形容語句についての議論が増えてきている。

❖第1章

01 実際、「嘘」を理解する正しい方法はプロトタイプ理論によるという主張もいくつかあった。リンダ・コールマンとポール・ケイ（Coleman and Kay 1981）は実証研究から、言明（statements）が嘘の原型（prototype）にどれだけ適合するかによって、嘘かどうか判断されると結論づけている。彼らの調査では、「嘘」には考察に値する個別の明確な用法があることや、その明確な用法が自分たちの得た結果に影響を与えるかもしれないという仮説が考慮されていない。また、調査対象者に示された選択肢は「嘘をつく」か「嘘をつかない」かだけである。「意図的にミスリードしているが真実である」といった他のカテゴリーは提供されていない。私がここで主張していることが正しいとすれば、この選択肢が追加で提供されると、彼らの結果に相当な影響を及ぼす可能性がある。

02 ヨルグ・マイバウアーが別の定義をしているが、これは誤りと信じられている主張およびそれを含意すること（implicatures）の両方を嘘とみなすものである（Meibauer 2005: 1382）。繰り返しになるが、これは私がここで取り上げているのよりも広い理解であり、私がここで重要だとみなしている理解では、含意することは、嘘をつくことよりも、むしろ単にミスリードすることにとって、きわめて重要な方法である。

03 この発話は、スキャンダルが知られ始めていた一九九八年一月二一日に、アメリカの公共放送サービス（PBS）のジム・リーラーとのインタヴュー中に行われた（PBS 1998）。

04 ラリー・ホーンは、アタナシオスのことを多少でも知れば、「聖人にふさわしい」という表現をまず思い浮かべることはないと、指摘している。彼はアタナシオスが暴力や誘拐に巻き込まれても意に介さないようだ。（Horn 2010: 331）。

05 嘘とミスリードの間にある対比は、ミスリードについての特定の事実ゆえに、当初の見え方よりも実際はもう少し複雑である。(a) 人は偶然にミスリードすることはあっても、偶然に嘘をつくことはできない。そして(b) ミスリードが成立するには、聞き手が誤った信念をもつ結果にならねばならない。さらに私たちは通常多くの嘘をミスリードとも考える。私が興味をもつ真の対比は、嘘と（意図的な）単なるミスリードの間にある（実際に第4章でさらに細かくその理由を見る）。しかし場合によって、私はある種の簡略表現として「ミスリード」と言うことがある。ミスリードに関するこれらの複雑な問題については、第4章の冒頭でさらに詳細に議論する。

06 嘘は誤りでなければならないと考える人は、これを「話し手はPが実際には誤りであると信じている」と言い換えるだろう。この問題は、第3節で詳しく扱う。

07 私はこれが「ミスリードすること」と対照させた「嘘をつくこと」の唯一の正当な定義だと考えていないと注記する必要がある。確かにいくつかの注で、言われていることが誤りでなければならないという代替的な定義を採った場合にどうなるかに注目する。本書の要点は、序文にあるように、「嘘をつくこと」「ミスリードすること」「言うこと」の間の関係を探ることだ。「嘘をつくこと」をどう定義するかについての異なる見解は、「言われていること」をどのように定義するかについての異なる見解に繋がるかもしれないし、その逆もまた然りである。それゆえ私とは異なる理論的な選択をする人は異なる結果を得るだろう。だが私は上記のように自分が行う選択に十分な根拠があると考える。

08 この例はトニー・ブレア〔イギリスの元首相〕が行ったイラク戦争の正当化に触発されたようにみえるかもしれない。ただし「トニー」を使った様々な例文は完全に架空のものだ。

09 カーソンは『オックスフォード英語辞典』を引用している（Carson 2006: 286）。

10 カーソンはこの問題を論じた大多数の言語哲学者と同じく、単なる誤りは嘘として不十分であるという見解に同意する（Carson 2006: 286）。しかし彼は、おそらく誤りだろうと信じていることを言うことで、嘘になる可能性も認めている。私は次のように複雑化を避ける。(a) 誤りだと信じることとおそらく誤りだと信じていることの間に重要な違いがあるとは思えないし、(b) 真実だと信じておらず、また誤りだとも信じていないことを言う場合、それは嘘にはならないと思える。むしろ、それはハリー・フランクファートが「いかさま（ブルシット）」と呼ぶ事例の一つにあたる（Frankfurt 2005）。「いかさま」については本章の最後で議論する。

11 この点についてはいくつか見解の相違がある。私の見解はカントの見解と一致するが（Mahon 2003: 112を参照）、カーソン（Carson 2006）をはじめとする人々は同意しない。もし嘘においては言われていることが誤りでなければならないなら、定義②から定義③に移行する理由はない。これが問題になりそうな本書の個所には注を付し、論旨を追っていくことにする。

12 嘘は誤りでなければならないという信念をもつ人は、これを次のように定式化しなおすだろう。
定義④′「嘘をつくこと」
話し手は、自分が誤りだと信じているなんらかの誤ったことを言う場合にかぎり、嘘をついている。

13 興味がある人のために、何人のブッシュ政権のメンバーが電球一つの交換に必要かというジョークを書いておく。
一、電球を変える必要があることを否定する者が一人。
二、電球を変える必要があると言う人の愛国心を攻撃する者が一人。
三、電球が切れたことでクリントンを責める者が一人。
四、電球を秘密裏に備蓄していると噂されている国への侵略を手配する者が一人。
五、新しい電球のために入札なしで一〇億ドルの契約をハリバートン〔米国の石油サービス会社〕に与える者が一人。
六、用務員の格好をしたブッシュが、電球交換完了のたれ幕の下で、梯子に登っている写真を手配する者が一人。

七、内情に通じた政権内部の人物で、辞職後にブッシュが文字通りいかに闇の中にいたかを詳細に記録した本を書くことになる者が一人。
八、七番目の人に対し悪意をもって名誉毀損を訴える者が一人。
九、テレビや集会で、ジョージ・W・ブッシュがいかに強力な電球交換政策を打ち出していたかを彼の代わりに説いて、選挙運動をする者が一人。
十、そして最後に、電球をはめることと国をはめることの違いについて、アメリカ人を混乱させる者が一人。

14 嘘は誤りでなければならないという信念をもつ人は、これを次のように定式化しなおすだろう。
定義③′「嘘をつくこと」

話し手は、聞き手を欺く意図をもって、自分が誤りだと信じているなんらかの誤ったことを言う場合にかぎり、嘘をついている。

だが③と同じ反論がこれに対しても当てはまる。

15 例えば、チザムとフィーアン（Chisholm and Feehan 1977）やアドラー（Adler 1997）を参照。マホン（Mahon 2008b）はこれを嘘の標準的な定義の特徴とする。

16 嘘が誤りでなければならないと考える人は、Pが誤りであることを示す項を追加する必要があるだろう。以下に概略を述べる反対意見は、この定義④にも同じく適切に当てはまる。

17 このようなケースを処理する別の方法として匿名の査読者が提案したのは、これらが特殊なケースであり、欺く意図を伴う典型的な嘘とは異なると主張することである。これは、嘘であることを認定する定義を獲得できたとしても、不必要に複雑になるように思われる。別の代替案として、ジェイムズ・マホンが提示しているのは「白々しい嘘」が嘘であることを否定することである（Mahon 2008a）。繰り返しになるが、できればこの案は避けるべきだと思う。

18 このようなイディオムが生まれる過程については、Morgan（1978）を参照。

19 これに対する例外を示す非常に面白い文化の例としては以下を参照。Brown and Levinson（1987）, Wilmsen（2009）, Velleman

(2010).

20 嘘は誤りでなければならないという信念に立脚する人は、Pは実際に誤りでなければならないと付け加えるだろう。

21 嘘は誤りでなければならないという信念に立脚する人は、Pは実際に誤りでなければならないと付け加えるだろう。

22 私は定義⑦はファリスの定義（Fallis 2009）に非常に似ていると理解している。重要な違いは、定義⑦では、保証を与える文脈という概念を使用するのに対し、ファリスの定義では、グライスによる質の格率が有効な文脈の概念を使用する点だ。この違いは、本書の目的にとってはあまり重要ではない。ファリスの定義については、Mahon（2008a）を参照。

23 カーソン（Carson 2010: 37）はファリスの反論に答えている。カーソンの回答は二つの要素からなる。彼は、ファリスのケースについての直観が、ファリスと私にとって明確と思われるほどには明確でないと考える。しかしカーソンはまた、私のここでの提案に似た方法で自分の定義を修正することで、このケースにすぐにも適応できるとも言及している。

24 ここで一つ厄介な問題を指摘しておく。言語哲学者のなかには、もしこの隠喩的な発話に関わるプードルの特徴が実際トニーにあるなら、6で言われていることは真実だ、と考える人もいる。これは文脈による変化に付随する形式であり、言われていることに関する理論の一部はこの変化を認める。私はこのことを第2章で「無制約」と「制約」と呼ぶ。隠喩の場合を見なくても、嘘とミスリードを区別するために、こういった理論を拒む正当な理由があると分かるだろう。だが私は全く独立に、隠喩についてのこの見方を拒む正当な理由があると考える（その理由は主にエリザベス・キャンプ〔心の哲学、言語哲学〕が提唱した（Camp 2006））。

25 この結論を避ける別の方法は、グライスの誘導（Grice 1989: 87）に従って、「Pと言うことはPを意味しなければならない」と主張することだ。熱烈なグライス主義者を含め、このトピックを論じた大半の人と同じく、私はこれに反論する十分な理由があると考える。その理由のいくつかは、次項「偶発的な誤り」と第2章で議論する、誤りをたまたま言う事例だ。

26 ほかの比喩も追加する必要がある場合もあるだろうが、どういう追加になるかはきわめて明白だと思われる。

27 嘘は誤りでなければならないという信念に立脚する人は、Pは実際に誤りでなければならないと付け加えるだろう。

28 ここでの「たまたま（accidental）」はややミスリードを引き起こす言葉かもしれない。多くのアメリカ人がサダム・フセインについて誤った信念を持っていたという事実はなんら偶然（accidental）ではない。というのも、この信念を持つよう巧妙に仕組まれたのだから。だが、このようなアメリカ人の視点から見ると、彼らの誤った発話は偶発的（accidental）なものだったことになる。彼らは誤ったことを言うつもりはなかった。私が「偶発的な誤り」という語を用いるのは、「意図的な誤り」と対比させるためである。

29 ここには議論の余地がある。「言うこと」についてのグライスの理解では、例えば、「〔Pであると〕言われる」ためには、話し手によってPが意味されていなければならない。前掲注25を参照。

30 嘘は誤りでなければならないという信念に立脚する人は、Pは実際に誤りでなければならないと付け加えるだろう。

31 私は「言語的な思い違い」を次のような人々を含む十分に広い範疇として捉える。(a) モーセの錯覚（Moses Illusion）の犠牲者、つまり「モーセは箱舟に各種類の動物を何頭ずつ乗せたか」という問いに対して「二頭」と答えてしまう人たち〔動物を箱舟に乗せたのはノアであるのにモーセと言っている問題文の誤りに気づかずに答えを言うこと〕。(b) 検察官によるいじめの犠牲者。つまり何を言っているのか分からなくなるほど込み入った文章を検察官に言われて最終的に検察官に同意してしまう人。ロイ・ソレンセンはこのようなケースについて「言い間違いの裏側」（Sorensen 2011）で論じている。

32 マラプロピズムを言語的な思い違いの一種と考えるなら、項(5)がすでにこの事例を嘘と見なすのを防ぐことになる。

33 嘘は誤りでなければならないという信念に立脚する人は、Pは実際に誤りでなければならないと付け加えるだろう。

34 この項の議論は、エリザベス・キャンプ、ドン・ファリス、ロイ・ソレンセン、アンドレアス・ストッケとの議論、およびオスロでのアンドレアスの素晴らしいワークショップ「嘘をつく、言う、意味する」から多くの恩恵を受けている。

35 この例は、ブッシュが「大量破壊兵器」の代わりにうっかり「大量生産兵器」と言い間違えた実際の発話に基づく（原文は次のサイトで見ることができる http://politicalhumor.about.com/library/blbushisms2002.htm〔二〇二一年三月一七日最終閲覧〕）。

36 このような例を挙げてくれた匿名の査読者に感謝する。

37 言語的な思い違いのケースすべてが、これまでに議論してきたケースのような仕方で「嘘をつくこと」の定義に問題をもたらすかはまだ明らかではない。例えば、動詞の文法的な一致に関する間違いが問題を起こすとは考えにくい。だが、それについての本書の判断がうまくいかないような発話を含むカテゴリーが必要以上に大きくなっても、本書の目的にとって害はない。

38 嘘は誤りでなければならないという信念に立脚する人はこの部分を、「彼らはPが誤りだと本心から信じている」と言い換えるだろう。

39 これらの問題を熟考する手助けをしてくれたロザンナ・キーフに感謝する。

40 嘘は誤りでなければならないという信念に立脚する人は、Pは実際に誤りでなければならないと付け加えるだろう。

41 「嘘をつくこと」の定義の非常に包括的で有用な分類法については、Mahon (2008b) を参照。

42 言い換えれば、私にはそう思える。

43 彼の短い著書『いかさまについて *On Bullshit*』(Frankfurt 2005) はもともと論文だった。ブッシュ時代に書籍として再刊されベストセラーとなった。〔発話が「いかさま bullshit」であるとは、その本質が間違い (false) ではなく、偽り、でっち上げ (fake) やイカサマ、インチキ (phony) であることを指す (Frankfurt 1986: 93)〕。

44 ロイ・ソレンセンは「いかさま」についてこれとは別の概念を作り、話し手が単に真理値に無関心である場合も嘘にあたると認めている (Sorensen 2011)。ソレンセンによる嘘の理解によれば、Sが真実であると信じずにSを主張する場合に限って、話し手は嘘をついている (Sは文か文に似たものであり、ソレンセンは「擬似文」と呼ぶ)。ここでは、「信じること」はソレンセンが「浅い信念」と呼ぶものとして理解されねばならない。彼は「浅い信念」を定義していないが、それはSに同意する傾向のようなもののようだ。これは嘘をつくことの定義として非常に異なった種類の定義だが、言うことについてのさまざまな概念に対して後で提起される問題の解決法を提供するかもしれない。だがこの定義自体も問題に直面すると思う。特に、この定義は隠喩を用いた発話を嘘と見なすように思えるし、おそらく最も重要なのは浅い信念の概念に依拠することだが、これはもっと説明が必要だと思える (同意する傾向というのはあまり適切な説明ではない。ソレンセンは、言葉の言い間違いをする人が嘘をつくことはないと主張する。なぜなら、彼らは自分が口にした文章を浅く信じているからである。しかし彼らは他人が同じ文章を言ったらそれに同意しないことも十分にありうるだろう)。カーソンもまた、フランクファートの説明には同意しない（Carson 2010: 58–64）。カーソンがそれを承認しないのは、「でたらめ」の使い方がフランクファートの分析する「でたらめ」とかなり異なることに由来すると思われる。

❖第2章

01　これにはいくつかの例外がある。ロバート・ステイントン〔言語哲学、認識論、心の哲学〕は著書でこれらのトピックを明示的に結びつけている（Stainton 2006）。この章の最後で彼の見解を論じる。また、言語学者のローレンス・ホーン〔語用論、意味論〕は、関連性理論家の主張に反論するために、嘘とミスリードの例を使って、「言うことの厳格な概念 Austere conception of saying」は役に立つとは思えないと主張する（Horn 2010）。ホーンの議論は魅力的だが、様々な種類の「言うことの厳格でない概念」（例えば、制約的な概念対非制約的な概念）の詳細には触れていないし、彼が好んで用いる「言うことの厳格な概念」の詳細にも触れない。エリオット・マイケルソン〔言語哲学〕は未発表原稿で意味内容のテストとして嘘の定義を用いるための方法（本書で展開するものとは異なる）を展開する。エリザベス・キャンプは嘘とミスリードの区別を含む例を使い、厳密には何が言われているかという概念は私たちの日常の実践にとってきわめて重要であると主張する（Camp 2006: 207–208）。

02　「会話の含意」の定義についてより詳しくは、（例えば）次を参照。Davis (1998)、Saul (2001, 2002, 2010).

03　発話の真理値について語ることに意義があるのか実際、私は確信がないが、今のところこの単純化は有用である。

04　グライスはまた、「言われていること」は意味されていなければならないと主張する。しかしグライスの後継者たちは、このやや非直観的な必要条件について彼に従わなかった。それは、言い間違いをする人〔あるいは言い方が悪くて真意が伝わらない人〕を自分が意味しない何かを言っている話し手として描写するためには、きわめて自然なように思える。だがグライス自身の見解に従うなら、これは間違いだろう。というのも、ある事柄は、意味されないかぎり、言われていないからである。グライス自身は、話し手の言葉が表すことを話し手は意味していない事例について、話し手は言葉が表すことを言っているかのように振る舞うにすぎないと論じる。非常に扱いにくい定式化である。このような理由から（これだけではないが)、ほとんどの論者は、意味についてのグライスの必要条件は過剰に制限されていると考えている。

05 実際には、録音された発話などに関連する、かなり難しく込み入った問題がある。だが、いずれにしても複雑な問題があまりにも数多くあるので、ここでは取り上げない(それらについては次を参照。Predelli (1998, 2002), Corazza, Fish, and Gorvett (2002), Romdenh-Romluc (2002, 2006), Atkin (2006).

06 例えば、Wettstein (1984), Reimer (1991a, b), Bach (1992), (概要については) Braun (2008) を参照。また本書第5章第2節「多義性の教義」(174頁以下)の議論も参照のこと。

07 嘘は誤りでなければならないと考える人は、これを「話し手はPが実際に誤りであると信じている」と言い換えるだろう。

08 強調すべき重要な点は、これらの見解は先行研究に基づくに過ぎないということである。これらについて、先行研究の著者らは、それを「言われていること」についての見解と呼ぶのに異論を唱えるだろう。また、(全員ではないにしても)その大半の著者らは、これらの見解が、何であれ嘘とミスリードの区別のために「言われていること」の役割を満たすのを否定するだろう。

09 この論争の多い語彙についてのすぐれた議論としては、Borg (2007) を参照されたい〔ボーグ、カペレン、ルポアらは、意味内容に対する文脈の影響を最小限に捉える立場に立つ〕。

10 ここでの「文脈による」という言葉の使用さえも論争の的になっている。私が後で説明する狭い用法に、ケント・バックはこの言葉の使用を制限する。

11 この分野の専門用語の量を増やしてしまい申し訳ない。

12 もちろん、他にもたくさんの理由がある。例えば、その人は誠意をもってなんらかの真実を言っていたし、いかなる点でもミスリードしなかったという理由だ。

13 「把握できる」とは「言われていること」について判断を下すのに利用できるという意味である。「言われていること」の定義を導き出せるという意味ではない〔この「把握できる」ということは、ここで「制約」と呼ばれるものの一つである〕。

14 ジョン・サール(Searle 1978)とチャールズ・トラヴィス〔いずれも言語哲学、心の哲学〕(Travis 1996)の見解もこの範疇に該当する。彼らの場合、文中の語が「言われていること」の構成要素を提供しうる意味をもつ可能性があるという考え方の否定が、議論の根底にある。

15 嘘は誤りでなければならないと考える人は、これを「話し手はPが実際には誤りであると信じている」と言い換えるだろう。

16 注記に値することだが、スコット・ソームズ〔言語哲学〕が二〇〇二年と二〇一〇年に述べたように、彼の「主張されていること」とこれはやや異なる。ソームズによれば、Pが「主張されると見なされるのは……Pが補強された（諸）命題（enriched propositions）からの明白で関連性のあるアプリオリな帰結である場合に限られ……Pが発話される際に……使用時の背景にある前提条件（これは……会話参加者に共有されていなければならない）とともに、その（諸）命題が主張される場合である」（Soames 2010: 163）。例の年老いた女性をミスリードするケースを考察しよう。それは、その年老いた女性の背景にある前提と組み合わせれば、私の息子が健在であることは、私が言ったことの明白で関連性のあるアプリオリな帰結だと思われる。だが、これらの背景にある仮定（例えば、話し手はこの女性の質問に関連して答えようとする）に関し、話し手はそのいくつかが誤りだと知っているので、実際は共有されない。したがってソームズの見解は、この問題のえじきとはならない。彼にとって「主張されていること」は、彼が「補強された命題　enriched proposition」と呼ぶものを含む。これを含む「言うこと」の概念は、次節で概説する問題に直面する。

17 私が「制約的な概念」を理解するにあたって、この概念がこれら両方のプロセス〔「完成化」と「拡張」のプロセス〕を可能にするという点がきわめて重要である。もしこの特徴をもたない「制約的な概念」の定義を採用するならば、第3章で述べる私自身が好ましく思う見解が妥当であるだろう。実際これら〔完成化と拡張〕の用語を選択しようとも何の影響も生じることはない。

18 私は（控えめに言っても）これらの論者が通常は同一のものとして分類されないことを認識している。彼らの間には重要な違いがあるが、それらはここでは焦点にならない。また私の知るかぎり、万人に受け入れられる中立的な用語を見つけるのは不可能であることにも注意すべきである。「文脈」という言葉でさえ、議論の余地がある。上述したように（注10参照）、私はケント・バックのはるかに狭い使用法（本章後半で議論する）と対立する広い意味でそれを使用する。

19　一つの違いは、自分たちが支持しているプロセスを「拡張」と呼ばない人がいることだ。例えば、ジェイソン・スタンレーの場合、文脈によって提供される構成要素はすべて、発話された文の要素によって要求される。だが重要なのは、これらの要素のいくつかが非顕示的であるということだ。この見解によると、実際に起きていることは「完成化」と呼ぶ方がより適切である。だが私の焦点は、文脈によって提供される要素が、発話された文の顕示的な構成要素によって要求されるかどうかにある。したがってスタンレーの説明は、私の限定的な目的からすると、「拡張」を支持する人々の説明と同じように扱うことができる。

20　ロバート・ステイントンはこの条件を支持し、話し手は聞き手が理解するのを合理的に予測できそうにないことを意図できない、と主張するだろう（Stainton 2006: 224）。この認定は私が論じる例に何の影響も与えない。

21　バックは、これと密接に関係する「ジルは結婚し、そして妊娠した」を論じ、ジルが結婚してから妊娠したという「会話の含意」を伝える典型的な発話とする（Bach 2001: 19–20）。ロビン・カーストン〔語用論、意味論〕によれば、このような例をみると時間的秩序を「表意 explicature」の一部と理解するのがきわめて明確になる（Carston 1991: 40–41; Carston 2002: ch. 3）。キングとスタンリーはカーストンとは異なるメカニズムを仮定するが、同じく時間的順序を5のような文の発話がもつ意味内容の一部とする（King and Stanley 2005: 156–159）。

22　嘘は誤りでなければならないと考える人は、これを「話し手はPが実際には誤りであると信じている」と言い換えるだろう。

23　エリザベス・キャンプの論文による「言われていること」の概念をどう位置づけるのか、私には明らかではない。明らかなのは、それが「非制約的な概念」ではないということだ。だが彼女は、「言われていること」における「濃縮 enrichment」と彼女が呼ぶものを含むか含まないかは不確かだと表明する（Camp 2006: 307）。そうするならば、それは「制約的な概念」である。そうしないならば、それは「厳格な概念」である。

24　単純化するために、私は嘘という側面から偽証罪が理解されると仮定する。実際、故意に虚偽の陳述をするという観点で偽証罪法はよく定式化される。だが、明らかに「言われていること」というここで論じられているのと同じ概念が〔偽証においても〕争点になる（「虚偽の供述」は「誤ったことを言うこと」に置き換えうる）。この複雑さを指摘してくれたジェイムズ・マホンに感謝する。

25　この結果にならないようにするには、Pが命題ではないと仮定することにし、命題でないものは偽であると信じることができると主張してみるとよいだろう。命題を表現しない文は偽であると信じるなら、そうすることになるだろう。その場合、「それは私の血のついたペーパーナイフではありません」を偽と取るという理由だけで、「××は私の血のついたペーパーナイフではありません」という文も偽だと信じうるということになる。だが、この解決策には問題がないわけではない。この見解が正しいとしてみよう。そのうえで、被告人が血まみれのペーパーナイフを突きつけられていると想像してみてほしい。その一つは自分のもので、残りは自分のではない。もし、「それは私の血のついたペーパーナイフではありません」という文を偽と取り、それを発話することが、嘘とするのに十分であるなら（定義の他の条項とあわせて）、被告人はこれらの文の発話ごとに嘘をついていることになる。たとえこの問題が何らかの形で回避できたとしても、先に言及した他の論者らはそのような解決策を許容しない。特筆すべきはこの問題が「嘘は誤りでなければならない」と考える人にとってとりわけ避けようのないことだという点である。この見解を取る人にとって、嘘によって「言われていること」はただ単に誤りでなければならず、それゆえに命題でなければならない。

26　だが、こうした状態に陥らないための可能な方法、およびそのアプローチの潜在的な問題については、注25を参照。

27　繰り返しになるが、嘘は誤りでなければならないと考える人にとって、問題はさらに明白だ。すなわち、「完成化」を必要とする文の発話が嘘である余地は全くない。なぜならそのような文は真理値をもつことを言うように用いられることが全くできないからだ。

28　とはいえ注記しておく必要があるが、意味内容に関するボーグの「厳格な概念」が、指示詞による指示の確定をどのように与えるかをめぐり、ボーグが一貫した明確な説明を語るのは、実はかなり注意を要することである。それゆえバックのはるかに厳格な見方にも、本書の試みにとっては問題があるとはいえ、十分な根拠がある。

29　ボーグは自身の見解が「言われていること」についての見解としては、非直観的なものになるだろうという点を十分に認識している。だからこそ、ボーグは自分の見解が意味内容に関する見解であり、その意味内容は通常の話し手がもつような直観に関するものだと彼女自身は考えないと主張する。私はここで、それが嘘とミスリードを区別する目的で、「言われていること」という概念の役割を果たせるかどうかを試す。それが不可能だという私の結論にボーグも十分納得するだろうと確信している。

30 この例は、「言われていること」が実際に誤りでなくてはならないとする嘘の定義のヴァージョンにもちょうど適用される。

❖第2章

〔1〕底本とソフトカバー版(Oxford University Press, 2015)ともに、例文3が脱落しているので挿入した。

〔2〕底本には「したがって、定義の項3、4、5、6もみたされる So, (3), (4), (5), and (6) are also satisfied.」(38)の一文があるが、ソフトカバー版に従い削除した。

〔3〕底本では「フレッドは十分だということ that Fred's had enough」とあるが、例文3(「シャーラはもう十分です」)に対応させた(45)。

〔4〕底本には「tall 高い」とあるが「enough 十分だ」に変更した(45)。

〔5〕例文の番号を論旨に合わせて修正した(46)。14は通常、13の省略とされるが、より文法的に正確には14Eの省略である。

❖第3章

01 例えばBach(1994: 125–126)を参照。

02 こういった文脈による寄与が意味内容に至るのかどうかについて見解を述べる必要が私にはないことを注記しておきたい。バックとカーストンは至らないと言うだろうし、キングとスタンリーは至ると言うだろう。

03 実際、正しい完成化とは何かをめぐって間もなく頭を悩ませることになる。

04 嘘は誤りでなければならないと考える人は、これを「話し手はPが実際には誤りであると信じている」と言い換えるだろう。

05 この措置に疑問を持つ人は、指示詞の指示対象をめぐる混同に関連して項目を追加できる。だが、それは私には不要に思える。

06 嘘は誤りでなければならないと考える人は、これを「話し手はPが実際には誤りであると信じている」と言い換えるだろう。

07 嘘は誤りでなければならないと考える人は、Pは誤りでなければならないと付け加えるであろう。

08 嘘は誤りでなければならないと考える人は、CP_1…CP_nは誤りでなければならないと付け加えるであろう。

09 グライスのこの意見は以下で明示されている。Grice 1989: 87〔『論理と会話』130—131頁〕。

❖第4章

01 欺きとそれに関連する問題については倫理学に膨大な先行研究がある。しかしそれらのほとんどは、嘘と単なるミスリードの区別を具体的に扱ってはいない。私は本書でこの問題に焦点を当てる。その際に私は、嘘もしくは欺きの何が間違っているかを説明することから始めるのではなく、嘘よりも単なるミスリードを道徳的に選り好みすることを正当化しようとする態度にのみ焦点を絞る。

02 嘘と見なされるものを慎重に制限するカントの方法については、Mahon（2003）を参照。

03 注意しなければならないのは、正確には何がここで問題なのかということである。問題は、嘘とミスリードとがまさしく同じ種類の行為であることから生じるのではない。両者は同じ種類の行為ではなく、異なる行為だ。なぜなら異なる方法で欺くからだ。問題は、なぜこれらの違いが道徳的に重要だと見なされるべきなのか、である。あるいはもっと正確に言うなら、ある方法によって欺く行為が別の方法で欺く行為よりも道徳的に優れているように見えるのはなぜなのか、である。この点に関しては、以下を参照（Adler 2010）。

04 Williams 2002: 100.

05 成功を表す語（success term）は、前述のように、ミスリードが意図せず行われる場合もあることを考えれば、適切な表現ではないかもしれない。

06 実際私たちは、嘘を避けるための正しい仕方でここでの発話を言語化することに苦心する人は間違っていると考える。

07 例えばカントのように、これに反対する人たちがいることは明らかだ。だが、彼らは非常に少数派である。そういった人たちの中には、この節で提案された主張Mへの反例のどれにも心を動かされない人もいるだろう。しかし、彼らは次節で提起される正当化という課題に直面せざるをえなくなる。

08 その〔反例を受け入れる〕必要はない。それでも次のように主張できるだろう。どの発話を選ぶかによって、誤った行いの程度にわずかな違いは生じるが、どちらの発話によって行われても、その過ちの重大性ゆえに（玄関先の殺人鬼の場合は、善良な行いの重要性ゆえに）、その誤りの程度の違いを識別するのは困難である。

09 主張M-Dを完全に擁護するには、どのような特殊なケースが例外であるのか、なぜ例外でなければならないのかを解明する努力が必要である。しかし、私は（主張M-D）を擁護するつもりはないので、ここでそれは気にしない。アラン・ストラッドラー〔倫理学〕は、この種の見解を提供しているが、その中で例外として挙げているのが、ミスリードによる欺きは最大の過ちであり、したがってその欺きは嘘によって達成されても、それよりさらに悪くはなりえない、という見解である。Strudler (2010) を参照。

10 かなり奇妙なことだが、マッキンタイアは、私が［……］と省略した部分で「少なくともある種のケースでは」と書いている。彼は嘘は常に間違っているという完全に普遍的な主張を正当化しようと議論しているので、これは奇妙だ。

11 バーナード・ウィリアムズはこれと似た指摘をしている。Williams (2002: 108) 参照。

12 この考えは、米国の偽証罪法が嘘と単なるミスリードとを区別するのが道徳的に健全だと主張するために、（とりわけ）スチュアート・グリーンによって提唱されている（Green 2001: 160）。

13 「会話の含意」がどのように機能するかについては、実際非常に複雑だが、それは目下のトピックとは無関係なので、これを論じるのは控えておく。会話の含意については、Davis (1998, 2005, 2007) と Saul (2001, 2002) を参照。

14 ジョナサン・アドラーも同様の異議を唱えている（Adler 1997: 444）。

15 これはバーナード・ウィリアムズの見解とよく一致する。彼は「通常の信頼　normal trust」の状況下では、私たちは人が何を言うかと同じくらい、何を含意するかに頼る権利がある（そして頼っている）という（Williams 2002: 100, 110）。

16 この考えは、既述の「聞き手責任負担原則」の根拠の一つとして、スチュアート・グリーンに支持される（Green 2001: 166–167）。アドラー自身は、チザムとフィーアンの説明を否定したのと同じ理由でこの説を否定する。すなわち、ミスリードが含意によって行われた場合、それは話し手によって招かれた事態なのだから、結果として話し手にその責任がある。この反論は、話し手が含意によるミスリードに何らかの責任を負うことを示すのに成功していると私は考える。だがこれは聞き手が推論することを根拠に聞き手に部分責任を課す見解への完全な対応ではない。なぜならこの見解はそもそも全責任を話し手から免除していたわけではないからだ。

17 意識的に行う推論によってではなく、伝えられた命題にすぐ到達される別の事例が、クリントンの「不適切な関係はありません」である。前述のように、聞き手はこれがいつのことであるかに関係のない全否定と受け取った。人々がクリントンの慎重な言い回しや、クリントンが関係は一度もなかったと言っていなかったのに気づき始めたのは、後のことだった。もし聞き手が最初に現在のみが否定されていること、その後に時間に関係のない否定であることを推論したなら、当初の理解は起きなかっただろう。クリントンが現在を否定しただけだと気づいた瞬間、人々は疑い深くなり、もはや推測はしなくなる。

18 この見方を提案してくれたエリザベス・キャンプに感謝する。

19 レイプの例は複雑な事例であるため、ここで用いるのは躊躇する。レイプに対する多くの人々の反応には、ほかにも多くの要因、レイプ神話（例「女性は本当はレイプされたいと思っている」）への思い込み、ミソジニー、被害者の証言への疑念などが関係する。とはいえ少なくとも、原因となる部分責任、道徳的責任、非難、不正の間にある関係に関連して混乱がひんぱんに起きることが一因ではないかと思われる。

20 例えば、銃の使用と拳の使用とを区別するが、それはおそらく両者で結果が大きく異なるからだ。しかし、嘘とミスリードはそうではない。

21 前述のように、これは嘘とミスリードが異なる種類の行為であることを否定しない。一方が他方より道徳的に優れていることを単に否定するだけである。

22 ケイメン〔ワシントン・ポスト紙のコラムニスト〕は、その非常に優れた記事の中で、ミラーの基準によるなら、ブッシュの発話は「チアリーダー」による発話、コンドリーザ・ライス〔ジョージ・W・ブッシュ政権下で国家安全保障問題担当大統領補佐官や国務長官を務め、イラク戦争などの強硬策を進めた〕の発話は「フットボールファン」の発話、ディック・チェイニー〔ジョージ・H・W・ブッシュ政権下で国防長官を務めた後、ジョージ・W・ブッシュの副大統領に自薦〕の発話は「アイビーリーグ中退者」の発話だと説明するのが正しいだろうとも指摘している〔ブッシュ大統領は戦争には自ら行かないで遠くから応援する応援団長、ライスは戦争ファン、チェイニーはアメリカの私立大学を中退して戦争ごっこ（アメフト）を途中でやめた人だ、とケイメンは皮肉っている〕。

23 これはキャルフーンによる例である。ジョナサン・アドラーは私に対し、この事実がどれほど周知されているか疑問に付す人もいるだろうと指摘した。だが公共の水路の汚染が多発しているとしても、それは道徳的な無知によるのではなく、この道徳的な問題に関心がないからだと思われる。

24 この種の例を提案してくれたコリン・オニールに感謝する。

25 ここでの推論は、パスカルの賭けにおける推論とある種の類似性を持っている。

26 私の議論に納得してくれた読者にはお詫びしたい。あなたもまた自分の良心に照らすと、欺きがしづらくなるだろうから。

27 ソランとティアスマは、この点に関しては判例法が完全に一貫しているわけではないことに留意し、レイプ犯の「きみを傷つけたくはない」という発話が脅迫とは見なされなかった事例を引用している（Solan and Tiersma 2005）。彼らはこの判決が家父長的な偏見に起因するものと見なし、裁判所はレイプ以外のケースなら異なる判決を下していただろうと考えている。

28 例外を提供する法的文脈がもう一つある。ラリー・ソランは二〇一〇年の発表原稿（未刊〔Soran 2012〕）で、弁護士は「法的手続の文脈で真実を話すことが求められており、それと同時に、弁護士は日常的には真実を最も正直に提供するものとして自分を紹介しながら、一方で話の中で最も自己を利する部分だけを語るゆえに誠意がない」と書いている。これらの規則はかなり明確であり、法的手続の間に嘘をつかないよう弁護士に求めるが、ミスリードは許される。これらの規則ゆえに、弁護士にとっては嘘よりもミスリードの方が善いことになる。結局、嘘をつく弁護士はこうした規則を知りながら法を実践することによって、暗黙に合意した規則を破っていることになる。ミスリードする弁護士は、自分の職業の規則に従っている。実際、ソランが指摘するように、ミスリードは場合によっては職業的な義務であると教育されることがよくあるのだ。

❖第5章

01 嘘は誤りでなければならないと考える人は、これを「話し手はPが実際には誤りであると信じている」と言い換えるだろう。

02 もちろん、クリストファー・フックウェイ〔認識論〕とロイ・ソレンセンが私に指摘したように、これは全く効果がないだろう。心裡留保をする人にとっては、ツチブタに関してのように、留保を追加しなければならないというだけだろう〔ソールがここで言うツチブタはクリプキ『名指しと必然性』(八木沢敬、野家啓一訳、産業図書、一九八五年、115頁)の例と思われる。自分のペットを固有名ナポレオンと命名すると、他の人もそれに従うが、依然として歴史上の人物もその名で指すこともできる。前者では、話し手の用法に従うと認めればよいだけである。〕。

03 この教義は糾弾されたが、今も使われる。カトリックの病院で働いた友人は私に、修道女らが患者に話す際にきわめて意図的にそれを使うと話す。熱のある患者が自分の体温について聞いたら、修道女は「普通ですよ」と言うが心の中で「あなたの状態の人にとっては」と付け加えるかもしれない。これを「心裡留保」の使用よりも、文脈によって異なる「普通」という語の利用として扱いたい人もいるだろう。だが、修道女が追加の言葉を黙って「言う」べきだと強調したという事実は、彼女が「心裡保留」を使おうとしたことを示す。第2節「心裡留保の教義」の「分析」〔165頁〕の最後で、もっと気がかりな他の使用例を論じている。

04 私はイギリスの市民権を得た市民なので、反移民を唱える特定の集団は「私はイギリス人だ」が真実であることを否定するかもしれないが。

05 嘘は誤りでなければならないと考える人は、これを「話し手はPが実際には誤りであると信じている」と言い換えるだろう。この問題は、第3節で詳しく扱う。

06 ウィリアムズは、神に嘘をつくことは絶対に不可能であり、この問題は生じないと述べる(Williams 2002: 104)。嘘をつくには欺く意図が必要であると理解すれば、これは確かに正しい。神は全知全能とされるので欺くことができない。だが第1

章で提案したように嘘を理解するなら、神に嘘をつくことも可能だ。誤りだと知られているので信じてもらえないと分かっていても、何らかのことを保証することはありうる（実際、この種のケース――ただし神は関与しない――がこうした理解を促してくれた）。

07 第1章第5節でこれを論じている。

08 Jonsen and Toulmin (1988: 195).

09 Jonsen and Toulmin (1988: 197).

10 Jonsen and Toulmin (1988: 198).

11 嘘は誤りでなければならないと考える人は、これを「話し手はPが実際には誤りであると信じている」と言い換えるだろう。

12 私は、統語的な省略が「彼」と「行く」がこの文をPにしていることの原因だと考える。

13 ここではデイヴィッド・カプラン〔言語哲学〕の有名な例を書き改めて使っている。

14 もちろん、道はやや変わった対象なので、これをめぐって議論することも可能だ。

15 バックはいまや、この指示対象が話し手の意図を「言われていること」にするのだと考えなくなっているが、このことは思い起こすだけの価値がある（彼は一九九二年の論文ではそう考えていたのだが）。嘘とミスリードの区別に必要な「言うこと」の観点から言えば、指示詞による指示対象が意図を「言われているもの」にするのである（より詳しい議論は、第2章と第3章参照）。

16 もしフレッドがデイヴはお茶を十分に飲んだと言ったなら、嘘をついているとは思えない。なぜならフレッドは、デイヴが十分にお茶を飲んだかどうかについて何の意見もないからだ。もしフレッドが真偽判定できることを言い損ねたとしても、同様の理由から彼は嘘をついていない。だからフレッドが嘘をつくには、デイヴが心臓病の薬を十分飲んだと言った場合（あるいは、それに類することを言った場合）だけである。

17 嘘は誤りでなければならないと考える人は、これを「話し手はPが実際には誤りであると信じている」と言い換えるだろう。

18 このケースでは、人が誤りだと信じることを真実であると言うことによって嘘をつく可能性を認める点で〔他の事例とは〕

大きく違う。もし私たちが（一部の人のように）、「言われていること」は実際に誤りでなければならないと主張するなら、ルーの発話は嘘ではない。私が擁護した定義で得られる結果よりも、これは直観から外れる結果だ。だが、自分の直観に従って本物の嘘を認めない人たちは多分この方が好ましいと感じるのだろう。道徳上、このことには話題は向かわない。つまり道徳上、あるケースが嘘のケースなのかミスリードのケースなのかについて話題になることは全くないからだ。道徳にとって重要なのは、話し手の道徳的な特徴について何が露呈したかであり、項(2)の「知っている」もしくは「信じている」を受け入れるかどうかは、ルーの道徳的な特徴を何も露呈させない。ルーの視点からすると、どんなこともこの判断に影響しない。これを私たちがどう判断しようと、ルーは自分が嘘をついていると理解している。そして、これは正しいと思われる。嘘とミスリードの区別はそれ自体で道徳的な意義をもつという見解が、このような判断に道徳的な意義を誤って帰属させるのだ。

19 彼女にはこの願望に対する正当な理由がないとも仮定しよう。

20 Solan and Tiersma (2005: 222–223) 参照。

21 Solan and Tiersma (2005: 229) で引用されているベネットの発言。

22 Solan and Tiersma (2005: 229).

23 そしてもちろん、他の言葉の意味にもよる。

24 もし「クリントン大統領との……セックスはない」を最も狭義の字義通りに読めば、この発話は当たり前で面白くもない真実である。クリントンは性生活に関してリスクを犯す人物であったかもしれないが、ジョーンズの弁護士の立ち会いのもと、宣誓証言室でルウィンスキーとセックスをしたりはしないだろう。だがもう少し広義で捉えて、彼らの性的な関係は「ジョーンズ裁判」の時にはもう終わっていたと理解したとしても、この発話は真実である。

25 Solan and Tiersma (2005: 230). 唯一、話すこともなく偽証に問われるおそれがあるのは、何らかの法律上の発言義務がある非常に特殊なケースであって、これはそれに当たらない。

26 Green (2006: 142).

27 他の多くの人と同じように、私もこの主張が真実だと信じるのは非常に難しいし、ルウィンスキーの証言と矛盾するのは確かだが、議論のために真実だと仮定しよう。そうでなければ、クリントンの発話はただの嘘であり、議論しても恐ろしくつまらない。

28 「身勝手な恋人の自己防衛」の別の形式は、クリントンはルウィンスキーの身体のこれらの部分に触れたが、彼女を興奮させたり満足させたりする意図はなかったというものだ。私はこれを「さらに身勝手な恋人の自己防衛」と呼ぶ。

29 嘘は誤りでなければならないと考える人は、Pは誤りでなければならないと付け加えるだろう。

30 意外ではないが、ゲイ、レズビアン、バイセクシュアルのアメリカ人に調査対象を限定すると、八八―八九パーセントが口と性器の接触をセックスと見なし、見解がかなり異なる（Mustanski 2001）。

31 嘘は誤りでなければならないと考える人は、これを「話し手はPが実際には誤りであると信じている」と言い換えるだろう。

32 Solan and Tiersma (2005: 225).

33 Solan and Tiersma (2005: 226).

34 私はこの結論についてソランとティアスマに従う。

35 彼女はグライスの会話の格率が適用されないと主張するが、この主張はここでは本書の焦点にならない。

36 おぞましい言葉だからやめた方がいいが。

37 ソレンセンはこの判断に同意する。

38 以下を参照。http://en.wikipedia.org/wiki/Resignation_of_Shirley_Sherrod〔https://en.wikipedia.org/wiki/Firing_of_Shirley_Sherrod（二〇二一年二月二八日最終閲覧）〕

39 以下を参照。http://mediamatters.org/research/201007220004〔https://www.mediamatters.org/breitbart-news/timeline-breitbarts-sherrod-smear（二〇二一年二月二八日最終閲覧）〕

40 なぜこのようなことをするのかは、興味深い個別の問題である。その理由の一つは、単に否定可能性があるからかもしれない。明確に何かを言わなければ、それを意図したわけではなかったといつでも主張できる。だがこれらの問題を完全に議論すると話題が逸れすぎてしまう。

41 www.talkingpointsmemo.com/archives/063536.php（二〇〇九年七月一七日閲覧）〔https://www.nytimes.com/2008/01/13/us/politics/13cnd-campaign.html（二〇二一年二月二日最終閲覧）〕

42 www.cbsnews.com/blogs/2008/01/13/politics/fromtheroad/entry3706116.shtml（二〇〇九年七月一七日閲覧）〔ジョンソンの一連の発言は以下を参照 https://www.politico.com/blogs/ben-smith/2008/01/bob-johnson-on-obamas-past-005259（二〇二一年三月一七日最終閲覧）〕

43 第2章で同様の例と、制約理論派に開かれた選択肢とに関し、より詳細に議論している。

44 彼女が実際に国民保健サービスの方針に違反せずに済んだのかは分からない。この方針が、助産師が言えることと、別の方法でなら伝えてよいことを明確に区別しているのかについては、大いに疑問がある。しかし国民保健サービスの方針に違反せずに「混合栄養」の可能性を伝えたいという彼女の願望が彼女の発言につながったのは明らかだ。

45 Guardian, 22 January 2010, p. 4.〔https://www.theguardian.com/uk/2010/jan/21/jack-straw-chilcot-military-action-iraq（二〇二一年二月二日最終閲覧）〕

❖附録

01 ここで言いたいのは、言語行為論が新しいということではなく、少なくとも私が移った先の諸分野ではそれはすでに流行から外れてしまっていたというだけのことだ。

02 ウィッテンはさまざまな事例について議論しているが、子ども向け娯楽番組における親に向けられた犬笛という観点は彼女の着想である。

03 本論文をアメリカの聴衆に発表したところ、この解釈は論争を呼ぶことが分かった。一部のキリスト教徒はこの解釈がまったく正しいと考えるが、他方ではこのように読むのは間違っており、異端の発言を引き起こすと考える人たちもいる。後者のグループにとっては、明らかに次に挙げる第二の解釈の方が意味をなす。

04 言葉の選択によって集団への帰属を識別するこの考え方は、「早口で不明瞭に言うこと slur」に関するジェフリー・ナンバーグ〔言語学者〕の考察（Nunberg〔2018〕）とよく対応する。

05 この後引用するテスラーとシアーズは、「象徴的な人種差別」という用語を使うが、メンデルバーグがより好む用語である「人種的な不満」と交換可能なものとして使っていると注記している。

06 多くの白人のアメリカ人が自分たちを人種差別の犠牲者と考えるようになり、公然とそう主張するようになったことにも別の機会に注目し、検討する価値がある（Lopez 2014: 71. スタンリー・グリーンバーグ〔アメリカの政治学者、民主党の世論調査員〕の著作からの引用）。これは、人種平等の規範に違反することなく、人種的な不満を表現するもう一つの方法かもしれない。この見解を表明した人たちは、自分たちは平等を支持しているが、（黒人ではなく）自分たちの待遇の方が悪いと主張するだろう。

07 どの発話が明らかに人種差別的であるかは、明らかに意見の相違が生じる問題だ。私には、黒人の文化的劣等性の主張が明らかに人種差別的だと思えるが、そういう主張が多くの白人にとってあからさまに人種差別的でないことは明白だ。だが指摘されているように、そういう主張は「人種平等の規範」があっても存続している。

08 これがどのくらい効果があるのか、私は純粋に分からない。もちろん、その効果は有権者によって異なるだろうが、それがもたらす否定性によって、かなりの成功を収めるかもしれない。私がこの論文を起草した当初、明示的な人種差別は失敗すると思っていたが、今では（トランプの後では）全く確信が持てない。この点を指摘してくれたダニエル・ハリスに感謝する。

09 人種に関してリベラルな人たちの反応の原因が何であったかは明らかではない。人種に関してリベラルな人は、単に自分たちの人種的な態度を非意識的な顕著さに高めたというより、「インナーシティ」の使用を「黒人」の婉曲表現であると意識的に考察した可能性がある。一般に、人種差別を引き起こすプライミングや犬笛の研究において、人種に関してリベラルな人は、対象にされてこなかった。この問題を提起してくれたロージー・ワーズデイルに深く感謝する。

10 こうした種類の配慮が重要であると、スタンリー（Stanley 2015）は考える。

11 キャンプはこれを「暗示的な」コミュニケーションと表現する。キャンプは、少なくとも聞き手の一部が話し手の意図を認識し、そうすることが期待されるケースに関心がある。したがって明らかにメンデルバーグとは異なる用法である。

12 聴衆は無意識的に話し手の意図を認識しているのだと指摘する人もあるかもしれない。しかし、意図がそのように無意識的に認識されると考えられる理由はないと私は思う。話し手の意図が認識されていないものとして、この状況を額面通りに受け入れる方がはるかに明快である。

13 犬笛はこの後者の特徴をもつだけではない。人を欺く行為のほとんどは、次のようなものでもある。もし聞き手が欺こうとする話し手の意図を認識するなら、欺瞞は失敗する。隠れた言語行為の詳細については、バックとロバート・ハーニッシュ〔言語学〕を参照（Bach and Harnish 1979）。

14 スタンリーは時間の経過とともに変化する可能性を認めるが、それは、変化を提唱する人たちによって「メディアや権力の他の手段が十分に制御」（Stanley 2015: 162）されている場合に限定される。彼は、会話ごとの変化を認めない。

15 私がここで提起している懸念が、人種的な犬笛が人種的な態度に変化を引き起こすという主張に特有のものであり、これら発話の具体的な研究に基づいていることを強調しておくべきだろう。言語的な発話が態度に変化を引き起こすという一般的な考えに、私は全く懐疑的ではない――確かにこの考えは普及していると私は思う。また、人種的な犬笛が態度になんらかの変化を引き起こすという考えについても懐疑的ではない。結局のところ、ウィリー・ホートンの広告を観ることで、多くの有権者は投票の意向を変え、誰が一番よい候補者かについての信念を変えてしまったのだ。

16 スタンリーの主張のいくつかもまた、犬笛が態度を変えるという考えと合わない。例えば、彼はこう書いている。「タリ・メンデルバーグが示すように、黒人のアメリカ人のステレオタイプは共和国の歴史を通して不変であった」（Stanley 2015: 135）。

17 実際、このような仕方で規範が変わるのは非常に稀にしか起きないだろう。人種平等の規範が有効である文脈では、一般的に見て、あからさまに人種差別的な発話が円滑に適応されることはないだろう。たとえ人々は表立って反対しなくても、とても不快に感じて、必要とされるものを共通基盤に加えるよりも、その発話から心理的に距離を取るだろう。規範が無効な文脈では変化はないだろう。私は“Racial Figleaves, the Shifting Boundaries of the Permissible”（「人種的なイチジクの葉、許容される境界の変化、ドナルド・トランプの台頭」）でさらにこれを論じ、規範の変化を可能にする仕組みを検討している（Saul 2017）。

18 ラングトンとマクガワンがとったもう一つの措置は、言語的に許容されるものと道徳的に許容されるものを区別することであろう。言語的な措置が、言語的に許容されるものだけでなく、道徳的に許容されるように見えるものにも影響するというのは、彼らの議論にとって非常に重要だと私には見える。結局、それがヘイトスピーチやポルノグラフィーが非常に危険だとされる理由だ。

19 とはいえ、彼らが関心をもつ許容できることがらの範囲はこのように変化しうるものだ、と彼らの代わりに主張できるかもしれない。例えば、以前は許容できたものが、意識的に反省すると許容できなくなることがある。しかし、それではヘイトスピーチの危険に関する彼らの議論の力は弱まるだろう。彼らが関心をもつ許容できることがらの範囲がこれほど一時的でありうるなら、ヘイトスピーチはそこまで明確に危険なようには見えなくなる。それでもこれに対する対応はさらに検討する価値がある。

20 オースティンはこれらを、「話し手や他の人の感情、思考、行動への一貫した影響」と説明している（Austin 1962: 101）。

21 この場合これは、意図が必要条件となる発語媒介的な行為である。私はこうしたことが、すべての発語媒介的な行為に当てはまるとは思っていない。

22 この指摘をしてくれたタイラー・ドゲットとランドール・ハープに感謝する。

23 また、それは単に規範に同意しない人たちに対する無効化にもならない。規範が存在する場合でも、規範を明示的に否定する人種差別主義者がいるからだ。しかし無論、そのような人々は、自身の人種差別を活性化するための犬笛を必要としない。彼らは喜んで故意に人種差別的な候補者に投票する。

訳者解題

本書は二〇一二年に刊行されたジェニファー・M・ソール『嘘、ミスリード、言われていること——言語哲学と倫理学における探究』(*Lying, Misleading, and What Is Said: An Exploration in Philosophy of Language and in Ethics*, Oxford University Press) の全訳である。訳出にあたりペーパーバック版（二〇一五年）における修正を取り入れた。附録として、二〇一八年に言語行為論の新潮流を紹介する論集に収録されたソールの最新論文の一つ「犬笛、政治操作、言語哲学」("Dogwhistles, Political Manipulation and Philosophy of Language", *New Work on Speech Acts*, Oxford University Press, 2018) の全訳を併録する。

著者ジェニファー・ソール（一九六八年生）は、本書も参照する分析哲学者スコット・ソームズの下で博士号（プリンストン大学）を取得し、その後イギリスのシェフィールド大学で言語哲学やフェミニズム哲学を教え、現在は同大学名誉教授であると共に、二〇一九年八月からカナダのウォータールー大学教授を務める。二〇一一年には「英国女性哲学者協会」(SWIP) から優れた女性哲学者としてDistinguished Woman Philosopher賞を授与されるなど、現在最も注目される哲学者の一人である。代表作は『フェミニズム』(*Feminism: Issues and Arguments*, Oxford University Press, 2003)、『単文、代入、直観』(*Simple Sentences, Substitution, and Intuitions*, Oxford University Press, 2007)、そして本書が三番目の単著に当たる。

常識の疑い方

本書の詳細な概要はソールによる序文を参照していただくとして、ここでは簡単な紹介をしよう。通常、私たちは嘘をつくことに罪悪感を抱くだろう。冗談と違って、嘘をつくには能動的、積極的に相手を騙す必要がある。それに対して、ただのミスリードでは道徳的に悪と言える欺瞞を自ら積極的に行わず、誤解を生じさせるだけに思える。できるだけ他人を騙さないよう努力するので、嘘に比べて好ましいと感じるかもしれない。だがソールはこの倫理的な価値判断は再考すべきだと論じる。

嘘もミスリードも、人を裏切るという意味とその効果においては変わらない。ただしミスリードでは、ミスリードする側にのみ非があるのではなく、聞き手が自分自身で間違った解答にたどり着く点で部分的に責任を担うという考え方もある。ミスリードする人は自分の手を汚さずに、つまり嘘をつかずに、嘘と同じ成果を得ることができる。それどころかミスリードする人は、自分が相手を欺いたのではなく、相手が勝手に誤解したのだから、自分は悪くないと安心感を得るかもしれない。自分の行いを正当化する自己欺瞞であるなら、嘘と比べより反道徳的だとも言える。

だがもし、もうすぐ臨終を迎える心優しい老人が、前日に息子が事故死したことを知らず、自分の息子が元気かあなたに尋ねたら、どうするだろう。「あなたの息子は昨日死にました」と事実を告げるべきか。それとも（不慮の事故の前に会った時は）「元気でしたよ」と答え、穏やかな最期を迎えさせるべきか。この議論は、日常生活でどの言語行為を選ぶかで発話者の人格や道徳性が露呈する点で重要だとソールは指摘する。

ソールの関心は日常会話だけでなく政治にもわたる。一九九八年、アメリカ元大統領ビル・クリントンが、当時、ホワイトハウス実習生だったモニカ・ルウィンスキーとの不倫スキャンダルの際に「不適切な関係はありません」と述べたのを、覚えておられる読者もいるかもしれない。ソールはたびたびこの例文を引いて、この発話が嘘であるかミスリードであるかを考察し、その区別にこそ倫理的な重要性があると述べる。さらにソールは、このような政治に関わる発言では、それを聞き手がどう考えるかで、その人が元から有する政治的姿勢そのものが露呈することを示す。すなわち、クリントンは嘘を避けミスリードすることで、法的・公的にできるかぎり誠実であろうとしたと考えるか、その反対に狡猾で卑劣な態度をとったと考えるか、聞き手のその判断が彼らの政治信条に対応することをソールは示した。

このようにソールは数々の事例を挙げ、嘘とミスリードの間にある道徳的な区別をあぶり出し、ミスリードの方が善いという常識を疑い、倫理学に新しい議論と知見を提供する。両者の区別には、言語哲学の中心概念である「言われていること」や、言葉通りの意味、言外の意味が関わる。哲学だけでなく、ありふれた会話や政治の中で「言われていること」とは何かという問題は、自明のようでいて、実は共通した理解がない。

ソールの出発点

日常言語をめぐる考察において、言語行為論の創始者オースティンの跡を継ぎ、「会話の含意（推意）」など、現在盛んに議論される概念を導入したのは、ポール・グライスである。彼が一九六七年にハーヴァード大学で行ったウィリアム・ジェイムズ記念講演は、その後の意味論、語用論、コミュニケーション論の基礎になった（『論理と会話』清塚邦彦訳、勁草書房）。ソールは自ら述べるように、グライス理論に依拠しながら、本書の見解を形成する。本書の主題である「言われていること」のソールの理解に大きく関わるのでごく簡単に説明しよう。

グライスが体系的な説明を与えた含意は、会話において字義通りの意味以上の何かが伝えられる現象だ。彼の理論によれば、その前提には「協調の原理」と「会話の格率」がある。協調の原理とは、自分が参加する会話の中で合意される目的や方向性に従うことである。少なくともこれが守られていると想定されるときに聞き手が意味を推論し、また話し手も聞き手にその能力があると仮定している場合に、会話の含意が成り立つ。本書の特に第4章で協調という言葉が特徴的に用いられているのはこのためである。グライスによれば、会話の参加者が「会話の格率」——量、質、関係、様態——に従うことで「会話の含意」が成り立つ。「量の格率」は、①会話に必要とされるだけの情報を全て与えること、②必要以上の情報を与えないこと、である。「質の格率」は真である情報を与えること、すなわち①真でないと知っていることを言わないこと、

② 十分な根拠のないことを言わないことである。「関係の格率」は会話の主題に関係することを言うことである。「様態の格率」は明瞭でなければならない、すなわち① 把握できない表現を避けること、② 多義性（曖昧さ）を避けること、③ 簡潔である（不要な冗長さを避ける）こと、④ 順序立っていることである。

グライスはこのように「原理」と「格率」を示したが、その説明が簡潔で抽象的な特徴づけであったため、グライス理論をめぐり、後継者たちは修正を試みていく。本書はそういった議論を参照しながら進むので、それらのうち主要なものに触れておく。

「言われていること」から含意、関連性理論へ

第2章で記されるとおり、フランソワ・レカナティは、含意に関してグライスの図式を採用するには、「言われていること」をより広く捉える必要があることを主張する。すなわち、「言われていること」とは表現された命題であり、その際の含意は文脈に依存する命題である、という主張である。このように、レカナティは「言われていること」には発話のあらゆる段階で語用論的なプロセスが関わるという文脈主義の立場をとり、「言われていること」の字義通りの意味、つまり意味内容（意味論的内容）という概念に批判的である。レカナティとは異なり、ケント・バックは「言われていること」の意味内容を認める極小主義に立つ。しかし、これに加えて語用論的内容として「含み（隠意）」を提案する。バックはグライス理論が明確に区別しない推論を指摘し、含意（推意）を引き出すのとは異なる含みのプロセスを主張する。

グライス理論を受けて語用論では関連性理論が展開した。本書でも参照される代表的な論者に、スペルベルやウィルソン、カーストンなどがいる（第2章、第3章）。語用論は認知的な方向に考察を発展させ、グライス理論の修正を図った。彼らは人間の認知システムが推論だけでなく、知覚や記憶のほか、明言されないが理解にとって必須の情報を把えることも含めて、全体的に解釈するという観点から論じる。なかでも関連性理論は、解釈を論理的な問題よりも心理的な問題として扱う点で、グライスの語用論やその後の意味論と

は大きく異なる。グライスをはじめとする言語哲学者・分析哲学者の立場は、話し手の意味は確定できる命題であるという前提に立ち、関連性理論の立場はそれをより緩やかに捉える。

通常、「言われていること」は、真偽判定できるという観点から論じられる。だがソールは、嘘やミスリードのように人を欺くことを目的とする言語行為も同じように理解しなければ、真の発話の理解にはならないと考える。そこで「言われていること」の概念を検証するために、嘘という特定の目的に限定して、概念を作る。すなわち、彼女は「言われていること」が嘘である場合の必要十分条件を見つけ、嘘とミスリードを明確に分ける。

人を欺く言語行為は嘘以外にもさまざまに存在する。その一つが、民主主義にとって危険な政治戦略としての「犬笛」である。これも含意によって人心操作するという特定の目的をもった「言うこと」である。犬笛は本性上、示唆や指示や含みよりも広い文脈や情報に関わり、真偽判定を前提とする問題とは異なる領域を成す。その点で「犬笛」の意味論には独自性がある。ソールは嘘やミスリードの言語行為の論理的な解明から、倫理に接続するのと同じように、嘘とは異なる欺き方で人心を操作する犬笛の仕組みを分析することで、差別と偏見を助長する犬笛への対抗策を探る。本書に収録した「犬笛、政治操作、言語哲学」によって、私たちはソールがいかに理論と関心を一貫して展開しているのかを知るだけでなく、その現代社会における意義を窺うことができる。

犬笛という人心操作

元来、犬笛は犬が人間よりも広い範囲の周波数を聴きとれることを利用し、犬に合図することを目的に使われる。この意味を転じて、特定の集団にだけ分かる合図でメッセージを送り、人心を操作する政治手法を犬笛と呼ぶ。犬笛による発話は、誰もが言葉通り理解できる表現から成るが、その隠れた意味は一部の聞き手だけが把握でき、他の人は気づかない。特に政治家は犬笛を用いて、人種差別的な態度を隠しながら、自分の人種差別主義に賛同する相手にだけ合図を送り、支持を募ることができる。その真意を公言すれば支持を失うことが確実でも、犬笛を巧みに利用すれば、差別に反対する人たちさえ支持者にできるかもしれない。

差別主義者の真意を読み取れずに、もし私たちが、その政治家に投票してしまったら、どうなるだろうか。私たちは意に反して、人種差別的な政策や発話に加担したことになるかもしれない。政治家に巧妙に騙されたと感じた有権者に対し当人は、自分はそんなことは言っていないとか、自分は人種差別主義者ではないと否定するだろう。このように犬笛は練られた戦術なのだ。そこでソールは犬笛政治への有効な対抗措置を提案する。論文が立脚する実証研究が示すように、どんなに巧妙な犬笛でも、それが人種差別である可能性が指摘されると、被験者への効果が弱まることが分かっている。確かに犬笛は知らずに拡散されることから、意見を声に出して言うという民主主義の根幹を蝕む。この脅威に対する強力な対策を言語哲学者の見地から示唆するからこそ、ソールの考察は重要なのだ。

世界的にポピュリズムが台頭するなか、二〇一六年にトランプ政権が誕生し、ソールの犬笛の議論は注目された。二〇一九年一月二八日のＢＢＣニュース（英国放送協会）が犬笛政治を取り上げ、その中でソールにインタヴューしたことで、彼女や犬笛について知った人も多いだろう（日本語版は同年八月六日放映。https://www.bbc.com/japanese/video-47025445）。この短いインタヴューは犬笛政治の危険性を簡潔に力強く伝える。本書の附録論文とあわせて参照されたい。ソールはまた別の論文でトランプ元大統領が差別主義を巧妙に隠す話法を利用することを分析する（"Racial Figleaves, the Shifting Boundaries of the Permissible, and the Rise of Donald Trump", *Philosophical Topics*, 45(2), 2017: 97–116）。彼女はそれを「人種のイチジクの葉（racial figleaf）」と名づけた。イチジクの葉は成人の彫像などで性器を隠す用途から、「不都合な事実や不正の隠蔽」を意味する。

ソール自身、本書で政治家の策謀に昔から関心があったと言うように、言語哲学的なアプローチで、人種差別や性差別の問題に迫るのが彼女の哲学的スタンスだ。その一つが彼女が主導する「暗黙のバイアス」をめぐる大規模な国際プロジェクトであり、研究成果が出版されている（Michael Brownstein and Jennifer Saul, eds.,

Implicit Bias and Philosophy, Volume 1 and 2, Oxford University Press, 2016)。バイアスとは特定の人種や性別の人々に対する無意識の偏見であり、差別主義者だけでなく平等主義者や偏見の対象となる人も暗黙のバイアスをもつことが同書で実証されている。このような問題に対し心理学など他の分野では議論の蓄積があったが、哲学は遅れて注目し始めた。ナショナリズムの世界的な台頭、コロナ禍における特定の人種への差別の悪化などを考えると、学際的アプローチによる彼女のプロジェクトの意義は大きい。

本翻訳には数多の助言や好意があらゆる部分に無数に折り込まれている。山川仁氏（天理大学）は全体を校閲し貴重な指摘を下さった。大渕久志氏（フライブルク大学）、狩野希望氏（東京大学）、水上拓哉氏（東京大学）には本論に関して有益な助言を、中山純一氏（東洋大学）、多胡徹也氏（自治医科大学）には附録論文に関して助力を頂いた。鈴木俊弘氏の細心の読みに大いに助けられた。高瀬堅吉先生、アダム・レボウィッツ先生、ロバート・ディレンシュナイダー先生ら勤務先の先生方はいつも丁寧に教示下さった。感謝の念に堪えない。

校正者の中村孝子さんには非常に多くの提案を頂き助かった。訳者だけでは至らなかったであろう水準に訳文を高めてくれた。記して心からの謝意を表したい。同じことは編集者の片原良子さんにも当たる。彼女の慧眼と尽力により本書が成った。本書を機に日本でも哲学を超えて広くソールが読まれることを共に願う。何より、翻訳中から関心を寄せ多忙な毎日にも拘らず推薦のお言葉を下さった國分功一郎先生（東京大学）に深謝したい。本書が多くの協力によることは自明でも、言葉として明確にすべき事実である。

ケルンとボンで研究した何年かは、毎日、哲学に浸った。ゼミで古代哲学やアラビア哲学、観念論、現象学などを読み議論し、寮でも友人と話した。言語哲学は哲学科だけでなく言語学科でも学んだ。最終試験では言語行為論を論じ、レカナティ氏を訪ねたこともあった。その延長で言葉の問題には常に関心を寄せ議論を追っている。たとえ実社会の個別の問題を直接に解決することが目的ではなくとも、言語分析それ自体の意義は疑いえない。とはいえ、哲学がより善い生の実現に向け日常の差別や偏見に対して働きかけるのは古典的であり本領である。

近年の言語哲学は実践的な意義が際立っている。日常の平穏は脆く、危機は潮汐のようには間を置かない。侵食の波は絶え間なく浜に打ち寄せ、気づけば海岸線が激変している。波を一括りにせず、飛沫の一つ一つが立てる音に耳を澄ませ、意味を知らねばならない。波のうねりにかき消されても、私たちが声を上げ続ける意義と効果をソールは示す。一人一人が絶えず声を上げねば、自由や平等、人権、民主の理念は実現も維持もされないことを本書で痛感する。だが、か細い一人の声に現実を変える力がある。それに本書は力を添える。この翻訳が日本での議論に多少とも貢献できるなら幸いである。

事項索引

ア　行

カ　行

サ　行

タ　行

ナ　行

ハ　行

マ　行

ラ　行

人名索引

ア行

カ行

サ行

タ行

ハ行

マ行

ヤ行

ラ行

参考文献

Adler, Jonathan E. (1997) 'Lying, Deceiving, or Falsely Implicating', *The Journal of Philosophy*, 94(9): 435–452.

—— [n.d.] 'Lying and Misleading: A Moral Difference', unpublished ms.〔(2018) 'Lying and Misleading: A Moral Difference', in: E. Michaelson and A. Stokke (eds.), *Lying*, pp. 301–318, New York: Oxford University Press.〕

Almog, Joseph, John Perry, and Howard K. Wettstein (1989) *Themes from Kaplan*, New York: Oxford University Press.

Atkin, Albert (2006) 'There's No Place Like "Here" and No Time Like "Now"', *American Philosophical Quarterly*, 43(3): 271–280.

Bach, Kent (1992) 'Intentions and Demonstrations', *Analysis*, 52(3): 140–146.

—— (1994) 'Conversational Impliciture', *Mind and Language*, 9(2): 124–162.

—— (2001) 'You Don't Say?', *Synthese*, 128: 15–44.

—— (2002) 'Seemingly Semantic Intuitions', in: J. K. Campbell, M. O'Rourke, and D. Shier (eds.), *Meaning and Truth*, pp. 21–33, New York: Seven Bridges.

—— (2004) 'Minding the Gap', in: Claudia Bianchi (ed.), *The Semantics/Pragmatics Distinction*, pp. 27–43, Stanford, CA: CSLI.

Borg, Emma (2004) *Minimal Semantics*, Oxford: Oxford University Press.

—— (2007) 'Minimalism versus Contextualism in Semantics', in: G. Preyer and G. Peter (eds.), *Context Sensitivity and Semantic Minimalism*, pp. 339–359, New York: Oxford University Press.

Braun, David (2008) 'Indexicals', in: E. N. Zalta (ed.), *Stanford Encyclopedia of Philosophy* (Fall edition), at: http://plato.stanford.edu/archives/fall2008/entries/indexicals〔2021年3月3日最終閲覧〕

Brown, Penelope and Stephen C. Levinson (1987) *Politeness*, Cambridge: Cambridge University Press.〔ペネピロ・ブラウン、スティーヴン・C・レヴィンソン『ポライトネス』田中典子監訳、斉藤早智子・津留崎毅・鶴田庸子・日野壽憲・山下早代子訳、研究社、2011年〕

Calhoun, Cheshire (1989) 'Responsibility and Reproach', *Ethics*, 99(2): 389–406.

Camp, Elisabeth (2006) 'Contextualism, Metaphor, and What Is Said', *Mind and Language*, 21(3): 280–309.

—— (2018) 'Insinuation, Common Ground, and the Conversational Record', in: D. Fogal, D. W. Harris, and M. Moss (eds.), *New Work on Speech Acts*, pp. 40–66, Oxford: Oxford University Press.

Cappelen, Herman and E. Lepore (2005) *Insensitive Semantics*, Oxford: Blackwell.
Carson, Thomas (2006) 'The Definition of Lying', *Noûs*, 40(2): 284–306.
—— (2010) *Lying and Deception*, Oxford: OxfordUniversity Press.
Carston, Robyn (1991) 'Implicature, Explicature and Truth-Theoretic Semantics', in: S. Davis (ed.), *Pragmatics*, pp. 33–51, New York: Oxford University Press.
—— (2002) *Thoughts and Utterances*, Oxford: Blackwell.〔ロビン・カーストン『思考と発話』内田聖二、西山佑司、武内道子、山崎英一、松井智子訳、研究社、2008年〕
CBS News (1998) 'Tripp–Lewinsky Tapes 7', at: www.cbsnews.com/stories/1998/10/03/archive/main19029.shtml (consulted 13 August 2008).〔https://www.cbsnews.com/news/tripp-lewinsky-tapes-7/　2021年3月3日最終閲覧〕
Chisholm, Roderick and Thomas D. Feehan (1977) 'The Intent to Deceive', *Journal of Philosophy*, 74(3): 143–159.
Coleman, Linda and Paul Kay (1981) 'Prototype Semantics: The English Word Lie', *Language*, 57(1): 26–44.
Corazza, Eros., William Fish, and Jonathan Gorvett (2002) 'Who is I?', *Philosophical Studies*, 107(1): 1–21.
Davis, Wayne A. (1998) *Implicature*, Cambridge: Cambridge University Press.
—— (2005) 'Implicature', in: Edward N. Zalta (ed.), *Stanford Encyclopedia of Philosophy* (Summer edition), at: http://plato.stanford.edu/archives/sum2005/entries/implicature〔2021年3月3日最終閲覧〕
—— (2007) 'How Normative is Implicature?', *Journal of Pragmatics*, 39(10): 1655–1672.
Elugardo, Reinaldo and Robert Stainton (2004) 'Shorthand, Syntactic Ellipsis, and the Pragmatic Determinants of What Is Said', *Mind and Language*, 19(4): 442–471.
Fallis, Don (2009) 'What Is Lying?', *Journal of Philosophy*, 106(1): 29–56.
Frankfurt, Harry (2005) *On Bullshit*, Princeton, NJ: Princeton University Press.〔(1986) 'On Bullshit', *Raritan Quarterly Review*, 6(2): 81–100. ハリー・G・フランクファート『ウンコな議論』山形浩生訳、筑摩書房、2006年〕
Green, Stuart P. (2001) 'Lying, Misleading, and Falsely Denying: How Moral Concepts Inform the Law of Perjury, Fraud, and False Statements', *Hastings Law Journal*, 53(1): 157–212.
—— (2006) *Lying, Cheating, and Stealing*, Oxford: Oxford University Press.
Grice, Herbert Paul (1989) *Studies in the Way of Words*, Cambridge, MA: Harvard University Press.〔ポール・グライス『論理と会話』清塚邦彦訳、勁草書房、1998年〕
〔Havel, Václav (1999) *Moc bezmocných*, in Jan Šulc (ed.), *Eseje a jiné texty z let 1970–1989, Dálkový výslech*, (Spisy, sv. 4.), Praha: Torst, 1999, str. 224–330. ヴァーツラフ・ハヴェル『力なき者たちの力』阿部賢一訳、人文書院、2019年〕
Horn, Laurence R. (2010) 'WJ-40: Issues in the Investigation of Implicature', in: Klaus Petrus

(ed.), *Meaning and Analysis*, pp. 310–339, Basingstoke: Palgrave Macmillan.
Jonsen, Albert R. and Stephen Toulmin (1988) *The Abuse of Casuistry*, Los Angeles, CA: University of California Press.
Kamen, Al (2005) 'Ambigously anonymous', *Washington Post*, 19 October, A19, at: www.washingtonpost.com/wp-dyn/content/article/2005/10/18/AR2005101801717.html (consulted 14 August 2008)〔2021 年 3 月 3 日最終閲覧〕
Kaplan, David (1989a) 'Demonstratives', in: J. Almog, J. Perry, and H. Wettstein (eds.), *Themes from Kaplan*, pp. 481–563, New York: Oxford University Press.
—— (1989b) 'Afterthoughts', in: J. Almog, J. Perry, and H. Wettstein (eds.), *Themes from Kaplan*, pp. 565–614, New York: Oxford University Press.
Keenan (Ochs), Elinor (1977) 'The Universality of Conversational Implicatures', in: R. W. Fasold and R. W. Shuy (eds.), *Studies in Language Variation*, pp. 255–269, Washington, DC: Georgetown University Press.
King, Jeffrey C. and Jason Stanley (2005) 'Semantics, Pragmatics, and the Role of Semantic Content', in: Z. G. Szabó (ed.), *Semantics versus Pragmatics*, pp. 111–164. Oxford: Oxford University Press.
MacIntyre, Alasdair (1994) 'Truthfulness, Lies, and Moral Philosophers: What Can We Learn from Mill and Kant?', *Tanner Lectures on Human Values*, pp. 309–369, delivered Princeton University, at: www.tannerlectures.utah.edu/lectures/documents/macintyre_1994.pdf (consulted 3 April 2012)〔https://tannerlectures.utah.edu/_documents/a-to-z/m/macintyre_1994.pdf　2021 年 3 月 3 日最終閲覧〕
Mahon, James E. (2003) 'Kant on Lies, Candour and Reticence', *Kantian Review*, 7: 102–133.
—— (2008a) 'Two Definitions of Lying', *International Journal of Applied Philosophy*, 22(2): 211–230.
—— (2008b) 'The Definition of Lying and Deception', in: E. N. Zalta (ed.), *Stanford Encyclopedia of Philosophy* (Fall edition), at: http://plato.stanford.edu/archives/fall2008/entries/lying-definition〔2021 年 3 月 3 日最終閲覧〕
Meibauer, Jorg (2005) 'Lying and Falsely Implicating', *Journal of Pragmatics*, 37(9): 1373–1399.
Michaelson, Eliot [n.d.] 'Lying and Content', unpublished ms.
Molloy, Cian (2009) 'Dublin Abuse Report Asks: "When Is a Lie Not a Lie?"', *National Catholic Reporter*, at: http://ncronline.org/news/accountability/dublin-abuse-report-asks-when-lie-not-lie (consulted 1 July 2010)〔2021 年 3 月 3 日最終閲覧〕
Morgan, James L. (1978) 'Two Types of Convention in Indirect Speech Acts', in: P. Cole (ed.), *Syntax and Semantics Vol. 9: Pragmatics*, pp. 261–280, New York: Academic Press.
Mustanski, Brian (2001) 'Semantic Heterogeneity in the Definition of "Having Sex" for Homosexuals', unpublished ms.

Owens, David [n.d.] 'The Wrong of Untruthfulness', unpublished ms.

PBS (1998) 'President Bill Clinton', at: www.pbs.org/newshour/bb/white_house/jan-june98/clinton_1-21.html (consulted 14 August 2008).〔http://edition.cnn.com/ALLPOLITICS/1998/01/21/transcripts/lehrer/　2021年3月3日最終閲覧〕

Predelli, Stefano (1998) 'I Am Not Here Now', *Analysis*, 58(2): 107–115.

—— (2002) 'Intentions, Indexicals, and Communication', *Analysis*, 62(4): 310–316.

Récanati, François (1989) 'The Pragmatics of What Is Said', *Mind and Language*, 4(4): 295–329.

—— (2001) 'What Is Said', *Synthese*, 128(1–2): 75–91.

—— (2002) 'Unarticulated Constituents', *Linguistics and Philosophy*, 25(3): 299–345.

—— (2004) *Literal Meaning*, Cambridge: Cambridge University Press.〔フランソワ・レカナティ『ことばの意味とは何か』今井邦彦訳、新曜社、2006年〕

—— (2007) *Perspectival Thought*, Oxford: Oxford University Press.

Reimer, Marga (1991a) 'Demonstratives, Demonstrations, and Demonstrata', *Philosophical Studies*, 63(2): 187–202.

—— (1991b) 'Do Demonstrations Have Semantic Significance?', *Analysis*, 51(4): 177–183.

Romdenh-Romluc, Komarine (2002) 'Now the French Are Invading England!', *Analysis*, 62(1): 34–41.

—— (2006) 'I', *Philosophical Studies*, 128(2): 257–283.

Runciman, David (2006) 'Liars, Hypocrites and Crybabies', *London Review of Books*, 28: 21, at: www.lrb.co.uk/v28/n21/runc01_.html (consulted 14 August 2008).〔https://www.lrb.co.uk/the-paper/v28/n21/david-runciman/liars-hypocrites-and-crybabies　2021年3月3日最終閲覧〕

Sanders, Stephanie A. and June M. Reinisch (1999) 'Would You Say You "Had Sex" If . . . ?', *Journal of the American Medical Association*, 281(3): 275–277.

Saul, Jennifer M. (2001) 'Critical Studies: Wayne A. Davis, Implicature: Intention, Convention, and Principle in the Failure of Gricean Theory', *Noûs*, 35(4): 630–641.

—— (2002) 'Speaker Meaning, What Is Said, and What Is Implicated', *Noûs*, 36(2): 228–428.

—— (2010) 'Conversational Implicature, Speaker Meaning, and Calculability', in: Klaus Petrus (ed.), *Meaning and Analysis*, pp. 170–183, New York: Palgrave Macmillan.

Searle, John (1978) 'Literal Meaning', *Erkenntnis*, 13(1): 207–224.

Soames, Scott (2002) *Beyond Rigidity*, New York: Oxford University Press.

—— (2005) 'Naming and Asserting', in: Z. G. Szabó (ed.), *Semantics versus Pragmatics*, pp. 356–382, Oxford: Oxford University Press.

—— (2010) *Philosophy of Language*, Princeton, NJ: Princeton University Press.

Solan, Lawrence (2010) 'Lawyers as Insincere (But Truthful) Actors', ms, presented at Trust and

Lying Workshop, Sheffield, UK.〔(2012) *The Journal of the Legal Profession*, 36: 487–527〕
Solan, Lawrence M. and Peter M. Tiersma (2005) *Speaking of Crime*, Chicago: University of Chicago Press.
Sorensen, Roy (2007) 'Bald-Faced Lies! Lying without the Intent to Deceive', *Pacific Philosophical Quarterly*, 88(2): 251–264.
—— (2011) 'What Lies behind Misspeaking', *American Philosophical Quarterly*, 48(4): 399–409.
Sperber, Dan and Deirdre Wilson (1986/1995) *Relevance*, Cambridge, MA and Oxford: Harvard University Press and Blackwell.〔ダン・スペルベル、デアドラ・ウイルソン『関連性理論』内田聖二、中逵俊明、宋南先、田中圭子訳、研究社、1999年〕
Stainton, Robert J. (2006) *Words and Thoughts*, Oxford: Oxford University Press.
Stanley, Jason (2000) 'Context and Logical Form', *Linguistics and Philosophy*, 23: 391–434.
—— (2002) 'Making It Articulated', *Mind and Language*, 17(1–2): 149–168.
—— (2005) 'Semantics in Context', in: G. Preyer and G. Peter (eds.), *Contextualism in Philosophy*, pp. 221–254, Oxford: Oxford University Press.
Stanley, Jason and Zoltán Gendler Szabó (2000) 'On Quantifier Domain Restriction', *Mind and Language*, 15(2–3): 219–261.
Strudler, Alan (2010) 'The Distinctive Wrong in Lying', *Ethical Theory and Moral Practice*, 13: 171–179.
Taylor, Kenneth A. (2001) 'Sex, Breakfast, and Descriptus Interruptus', *Synthese*, 128(1–2): 45–61.
Travis, Charles (1996) 'Meaning's Role in Truth', *Mind*, 105(419): 451–466.
Velleman, J. David (2010) 'Regarding Doing Being Ordinary', paper presented at Trust and Lying Workshop, Sheffield, UK.
Wettstein, Howard (1984) 'How to Bridge the Gap Between Meaning and Reference', *Synthese*, 84: 63–84.
Williams, Bernard (2002) *Truth and Truthfulness*, Princeton, NJ: Princeton University Press.
Wilmsen, David (2009) 'Understatement, Euphemism, and Circumlocution in Egyptian Arabic: Cooperation in Conversational Dissembling', in: J. Owens and A. Elgibali (eds.), *Information Structure in Spoken Arabic*, pp. 243–259, London: Routledge.
Wintour, Patrick et al. (2010) 'Gordon Brown: Leadership Challenge was "Storm in a Teacup"', *Guardian*, 7 January, at https://www.theguardian.com/politics/2010/jan/07/gordon-brown-immediate-general-election〔2021年3月3日最終閲覧〕

❖「犬笛、政治操作、言語哲学」

Austin, John L. (1962) *How to Do Things With Words*, Oxford: Oxford University Press.〔J・L・オースティン『言語と行為』飯野勝己訳、講談社、2019年〕

Bach, Kent and Robert M. Harnish (1979) *Linguistic Communication and Speech Acts*, Cambridge, MA: MIT Press.

Goodin, Robert and Michael Saward (2005) 'Dog whistles and Democratic Mandates', *Political Quarterly*, 76(4): 471–476.

Haney López, Ian F. (2014) *Dog Whistle Politics*, New York: Oxford University Press.

Hurwitz, John and Mark Peffley (2005) 'Playing the Race Card in the Post-Willie Horton Era: The Impact of Racialized Code Words on Support for Punitive Crime Policy', *The Public Opinion Quarterly*, 69(1): 99–112.

Lamis, Alexander P. (1984/1990) *The Two Party South*, New York: Oxford University Press.

Langton, Rae (2012) 'Beyond Belief: Pragmatics in Hate Speech and Pornography', in: I. Maitra and M. K. McGowan (eds.), *Speech and Harm*, pp. 72–93, Oxford: Oxford University Press.

McGowan, Mary K. (2004) 'Conversational Exercitives: Something Else We Do With Our Words', *Linguistics and Philosophy*, 27(1): 93–111.

—— (2012) 'On "Whites Only" Signs and Racist Hate Speech: Verbal Acts of Racist Discrimination', in: I. Maitra and M. K. McGowan (eds.), *Speech and Harm*, pp. 121–147, Oxford: Oxford University Press.

Mendelberg, Tali (2001) *The Race Card*, Princeton, NJ: Princeton University Press.

Noah, Timothy (2004) 'Why Bush Opposes Dred Scott', at: https://slate.com/news-and-politics/2004/10/why-bush-opposes-dred-scott.html〔2021 年 3 月 3 日最終閲覧〕

Nunberg, Geoff (2018) 'The Social Life of Slurs', in: D. Fogal, D. W. Harris, and M. Moss (eds.), *New Work on Speech Acts*, pp. 237–295, Oxford: Oxford University Press.

Safire, William (2008) *Safire's Political Dictionary*, New York: Oxford University Press.

Saul, Jeniffer M. (2017) 'Racial Figleaves, the Shifting Boundaries of the Permissible, and the Rise of Donald Trump', *Philosophical Topics*, 45 (2): 97–116.

Smith, David L. (2011) *Less Than Human*, New York: St Martin's Press.

Stanley, Jason (2015) *How Propaganda Works*, Princeton University Press.〔青土社から近刊予定〕

Tesler, Michael and David O. Sears (2010) *Obama's Race*, Chicago: University of Chicago Press.

Tirrell, Lynne (2012) 'Genocidal Language Games', in: I. Maitra and M. K. McGowan (eds.), *Speech and Harm*, pp. 174–221, New York: Oxford University Press.

Valentino, Nicholas A., Vincent L. Hutchings and Ismail K. White (2002) 'Cues That Matter: How Political Ads Prime Racial Attitudes During Campaigns', *American Political Science Review*, 96(1): 75–90.

Witten, Kimberley (2014) 'Dogwhistle Politics: The New Pitch of an Old Narrative', at: https://www.academia.edu/42929858/Dogwhistle_Politics_the_New_Pitch_of_an_Old_Narrative〔2021 年 3 月 3 日最終閲覧〕

著者

ジェニファー・M・ソール　Jennifer Mather Saul

1968年生まれ。カナダのウォータールー大学教授、イギリスのシェフィールド大学哲学科名誉教授、Implicit Bias and Philosophy Research Network 所長。専門は言語哲学、フェミニズム哲学、心理学の哲学。2011年 Distinguished Woman Philosopher 賞を受賞。言語哲学の主要概念である「言われていること」の研究から出発し、日常的・政治的発言による人心操作やバイアス、人種差別、性差別の分析に新しい流れを作る。*Simple Sentences, Substitution, and Intuitions* (Oxford University Press, 2007), *Feminism: Issues and Arguments* (Oxford University Press, 2003), *Implicit Bias and Philosophy* (2 Volumes, edited with Michael Brownstein, Oxford University Press, 2016).

訳者

小野純一　Ono Jun'ichi

自治医科大学医学部哲学研究室講師。専門は哲学・思想史。東京大学大学院人文社会系研究科博士課程修了。博士（文学）（東京大学）。訳書に井筒俊彦『言語と呪術』（安藤礼二監訳、慶應義塾大学出版会、2018年）がある。

言葉はいかに人を欺くか
——嘘、ミスリード、犬笛を読み解く

2021年4月30日　初版第1刷発行

著　者————ジェニファー・M・ソール
訳　者————小野純一
発行者————依田俊之
発行所————慶應義塾大学出版会株式会社
〒108-8346　東京都港区三田2-19-30
TEL〔編集部〕03-3451-0931
〔営業部〕03-3451-3584〈ご注文〉
〔　〃　〕03-3451-6926
FAX〔営業部〕03-3451-3122
振替　00190-8-155497
https://www.keio-up.co.jp/
装丁・イラスト——中尾悠
印刷・製本——中央精版印刷株式会社
カバー印刷——株式会社太平印刷社

Printed in Japan ISBN978-4-7664-2745-5